DIREITO E SAÚDE GLOBAL

O caso da pandemia de gripe A (H1N1)

DEISY VENTURA

DIREITO E SAÚDE GLOBAL

O caso da pandemia de gripe A (H1N1)

Prefácio

Sueli Gandolfi Dallari

OUTRAS EXPRESSÕES

dobra UNIVERSITÁRIO

COLEÇÃO DIREITOS E LUTAS SOCIAIS
Uma parceria Outras Expressões e Dobra Editorial

REVISÃO Rita Amaral | Juliano Carlos Bilda

IMAGEM DA CAPA Davor Veselinovic | sxc.hu

EXPRESSÃO POPULAR/ OUTRAS EXPRESSÕES Rua Abolição, 201 • Bela Vista • São Paulo • SP • 01319-010
Tel: 11 3522-7516 • 11 3105-9500 • Fax: 11 3112-0941
livraria@expressaopopular.com.br
expressaopopular.com.br
editora.expressaopopular.com.br

DOBRA EDITORIAL Rua Domingos de Morais, 1039 • conj. 2 • Vila Mariana
São Paulo • SP • 04009-002 • Tel. 11 5083-3090
www.dobraeditorial.com.br

Ventura, Deisy
Direito e saúde global – O caso da pandemia de gripe A (H1N1) / Deisy Ventura -- São Paulo : Outras Expressões; Dobra Editorial, 2013. 288 p. 14x21 cm

ISBN 978-85-64421-53-0
ISBN 978-85-8282-009-4

1. Justiça. 2. Direitos Sociais. 3. Saúde Global. I. Título.

CDD 340

Índice para catálogo sistemático

I. Direito : Século 21 : Brasil

Para Leonel Furtado Campos,
le premier bonheur du jour

SUMÁRIO

LISTA DE ILUSTRAÇÕES

PREFÁCIO

Prefaciar *Direito e saúde global: o caso da pandemia de gripe A(H1N1)* é um enorme prazer por várias razões e talvez seja justo começar pela mais prosaica: constatar o reconhecimento do direito sanitário na universidade brasileira. E aqui se trata do mais perfeito reconhecimento, pois envolve tanto o campo jurídico quanto o sanitário, em perspectiva tanto nacional quanto internacional, sob o manto das relações internacionais.

Com efeito, já em 1975, Bourdieu introduziu a noção de campo científico, ou seja, o espaço relativamente autônomo no qual se inserem os agentes e as instituições que produzem, reproduzem ou difundem a ciência. Essa compreensão do campo científico permite que se supere a alternativa entre "*ciência pura*, totalmente livre de toda necessidade social e *ciência aplicada*, sujeita a todas as exigências político-econômicas"[1]. Tal mudança de paradigma, uma revolução científica, aconteceu, segundo Kuhn, porque os especialistas não podiam mais ignorar as anomalias que corrompem a tradição estabelecida pela prática científica, dando, assim, origem "a investigações extraordinárias que os conduzem finalmente a um novo conjunto de convicções"[2]. É exatamente o que acontecia com a chamada "árvore do conhecimento" humano. Tomando-se

1 Cf. Bourdieu, P. *Les usages sociaux de la science.* Paris: INRA, 1997.

2 Cf. Kuhn, T. S. *La structure des révolutions scientifiques.* Paris: Flammarion, 1983, p. 23.

o direito como exemplo, pode-se verificar num exame ainda que superficial da doutrina sobre a classificação dos chamados "ramos do direito", que ela se aplica apenas ao direito compreendido como um objeto. É o sistema de normas jurídicas que admite sejam divididos seus componentes em diversas partes. Ora, todas as classificações dependem do interesse ou da necessidade do estudioso e a elas não se aplica o qualificativo de falso ou verdadeiro, uma vez que são, somente, úteis ou inúteis. Tradicionalmente os estudiosos dos sistemas jurídicos consideraram útil sua divisão em partes bem discriminadas. A primeira divisão, sempre recordada, data dos romanos, que o dividiram em direito público e privado[3]. Entretanto, os mesmos autores que argumentam com a conveniência de tal método para tratar adequadamente seu objeto de estudo verificam o aparecimento de "ramos" que não são ou públicos ou privados, mas "baseados em normas parcialmente públicas e parcialmente privadas."[4] Identifica-se, assim, uma crítica séria à classificação proposta, uma vez que dirigida exatamente à sua utilidade. A maior crítica à árvore do conhecimento humano foi trazida por Popper, no início dos anos 1960. Em uma conferência na Universidade de Oxford, ele explicava que o crescimento do conhecimento humano tem uma estrutura extremamente diferente e que sendo obrigado a manter a metáfora da árvore, teria que "representar a árvore do conhecimento como que brotando de incontáveis raízes que crescem no ar em vez de embaixo e que, no fim das contas, tendem a unir-se num tronco comum"[5]. Pode-se dizer que essa teoria é ainda a que melhor explica o

---

3 Veja-se, entre outros, Reale, M. *Lições preliminares de direito*. 3.ed. São Paulo: Saraiva, 1976, p. 335 e s., ou Telles Jr., G. *Iniciação na ciência do direito*. 4.ed. São Paulo: Saraiva, 2008, p. 231 e s.

4 Essa observação de Maria Sylvia Zanella Di Pietro (*Direito administrativo*. 12.ed. São Paulo: Atlas, 2000, p. 24) tratando do direito administrativo é apenas um exemplo, entre vários outros que poderiam ser citados.

5 Cf. Popper, K. R. *Conhecimento objetivo: uma abordagem evolucionária*. Belo Horizonte: Itatiaia, 1975, p. 240.

conhecimento humano, levando o professor Boaventura de Souza Santos, por exemplo, a afirmar que "no paradigma emergente o conhecimento é total"[6].

Ora, o direito sanitário representa, sem qualquer dúvida, uma evidência da mudança de paradigma no campo do direito. Com efeito, para sua definição tanto é necessária a discussão filosófica ou sociológica que permite afirmar a saúde como um direito (abarcando seus aspectos individuais, os coletivos e, igualmente, aqueles difusos, derivados do desenvolvimento social), como é indispensável que se dominem os instrumentos adjetivos que possibilitam a realização efetiva do direito à saúde. Pode-se, portanto, afirmar que o direito sanitário expressa um subcampo do conhecimento científico – dotado de leis próprias, derivadas dos agentes e instituições que o caracterizam – que facilita a superação da divisão (hoje inconveniente) entre ciência pura e aplicada. E sendo assim, o estudo de caso é certamente um procedimento metodológico que bem se aplica ao seu estudo. Dificilmente se poderia imaginar algo melhor para compreensão do direito internacional sanitário na atualidade do que o estudo do caso da pandemia de gripe A(H1N1).

Além disso, o direito sanitário, exatamente por caracterizar-se como um campo científico onde as fronteiras entre a ciência pura e a aplicada são absolutamente permeáveis, traz novas questões para o funcionamento do direito, tal como o papel crucial da perícia, tão bem analisado em *Direito e saúde global: o caso da pandemia de gripe A(H1N1)*. Com efeito, observa-se agora que o crescimento zero, o imperativo ecológico e a prevenção calculada dos riscos cada vez mais diversos passam a ter praticamente o mesmo significado, todos limitados pela impossibilidade do controle dos efeitos da atividade socialmente organizada. Desde os anos 1980 apareceram outros conceitos, que suplantavam o alcance do conceito de risco, como: ameaça, perigo, acaso etc., tendo ficado evidente

6 Cf. Santos, B. S. *Um discurso sobre as ciências*. Porto: Afrontamento, 1992.

que a inquietação social dizia respeito a algo diferente daquilo para o que os "riscólogos" oferecem tratamento. Nesse momento Denis Duclos[7] constatou que, durante longo tempo, houve uma disjunção entre a ciência da descoberta e a ciência do diagnóstico, chamada perícia. Assim, não se questionavam as falhas de uma técnica insuficiente, e mais – o que foi mais importante para manter oculto o envolvimento da ciência nas catástrofes – não se comentavam os erros ou os comportamentos aventurosos do desenvolvimento científico. Ele exemplifica tal comportamento com o mapa da disseminação das doenças infecciosas na África, que recobre quase exatamente aquele da luta contra a varíola. Havia, certamente, um temor reverencial com relação à instituição científica, base de toda a modernidade e da prosperidade que lhe foi associada.

Hoje, no começo do século XXI, a humanidade se encontra face ao retorno agressivo do julgamento moral ou disciplinar. Para esconder as falhas do risco tecnológico, procura-se trabalhar na avaliação da gravidade de um evento nefasto muito bem identificado. Os debates sociais enfatizam os aspectos individuais e se desenvolvem "reflexos coletivos análogos à fobia: sexo seguro ou horror à carne vermelha". Vive-se sob o signo da ética do medo. É necessário perceber, contudo, que o que se esconde efetivamente atrás do risco tecnológico é a enorme divisão do trabalho social, que corrompe a base de solidariedade orgânica que vinha sendo construída na modernidade. De fato, falar em prevenção de riscos nos domínios técnicos implica, além de testes severos de confiabilidade dos componentes, isolar as "causas" determinantes de possíveis acidentes "que podem ser controladas". Esconde-se, assim, que a fixação do limite de risco tolerável – que é necessariamente arbitrário – depende da valorização de aspectos econômicos, políticos e sociais, uma vez que o risco

7 Duclos, D. "Puissance et faiblesse du concept de risque", *L'Année sociologique*, v. 46/1996 (2), p. 309-337.

envolve atividades que se realizam no espaço social e que são o resultado da colaboração social. Desse modo, quem decide que determinado evento natural (que possa ser quantificado) numa atividade social se transforme num risco, decide eticamente, ponderando valores. Vale dizer: tanto o evento que origina o risco é social quanto a sua percepção é pública. Assim, é necessário encontrar na própria vida moral a fonte conjunta dos riscos sociais e da proteção pública. É apenas um consenso político que pode determinar o limite entre a proteção pública, as escolhas individuais de prevenção ou de defesa, e as convenções sociais[8]. Ou seja, seria mais eficiente, considerando a natureza eminentemente política da proteção necessariamente pública contra os riscos comuns, reconhecer que as decisões não podem ser delegadas para os cientistas, que não devem assumir profissionalmente a incerteza inerente às escolhas dos governantes e de seus serviços. E o caso da pandemia de gripe A(H1N1) – que provocou uma investigação promovida pela própria Organização Mundial da Saúde, por meio da convocação de um Comitê de Revisão e duas investigações promovidas por comissões parlamentares de inquérito: a da Assembleia Parlamentar do Conselho da Europa e a do Senado francês, aqui tão bem discutidas – exemplifica perfeitamente a necessidade de ampliar a discussão a respeito do papel da perícia na afirmação do direito contemporâneo.

A maior razão do grande prazer que sinto ao prefaciar *Direito e saúde global: o caso da pandemia de gripe A(H1N1)*, contudo, é ser essa obra originada da tese apresentada por Deisy Ventura ao concurso de Livre-docência em direito internacional do Instituto de Relações Internacionais da Universidade de São Paulo (IRI/USP), significando que sua autora segue conquistando os louros acadêmicos, que reconhecem sua seriedade, competência e comprometimento profissional. Em suma, é verdadeiramente prazeroso poder

8 Worms, F. "Risques communs, protection publique et sentiment de justice", *L'Année sociologique*, v. 46/1996(2), p. 287-307.

desfrutar da companhia intelectual de Deisy Ventura, o que todos poderão constatar com o tratamento competente dado ao *Direito e saúde global: o caso da pandemia de gripe A(H1N1)* e também com a elegância do texto. Boa leitura!

São Paulo, 5 de novembro de 2012.

Sueli Gandolfi Dallari – Professora Titular da Faculdade de Saúde Pública da Universidade de São Paulo

NOTA E AGRADECIMENTOS

Este livro corresponde à tese que submeti ao concurso de Livre-docência em direito internacional do Instituto de Relações Internacionais da Universidade de São Paulo (IRI/USP), com modificações na estrutura do sumário, atualizações e acréscimos. Trata-se de uma primeira topografia do terreno que pretendo pesquisar nos próximos anos. Devo a publicação deste trabalho à confiança e ao incentivo dos colegas de nossa jovem coleção *Direitos e Lutas Sociais*, das editoras Dobra e Expressão Popular.

A pesquisa aqui relatada foi feita graças ao *Global South Scholar-in-Residence Programme*, do Instituto de Altos Estudos Internacionais e do Desenvolvimento (IHEID) de Genebra. Como uma das beneficiárias da primeira edição daquele programa (no período de setembro de 2010 a fevereiro de 2011), agradeço aos seus patrocinadores e à Direção do Instituto pela valiosa oportunidade, fazendo nota, em particular, do apoio de Laurence Algarra. Louvo também a generosa acolhida do Departamento de Direito Internacional do IHEID, em especial o acompanhamento e a amizade de Marcelo Gustavo Kohen. Agradeço, ainda, a companhia enriquecedora de Chioma Ebeniro e Meibo Huang, colegas no IHEID, oriundas respectivamente da China e da Nigéria, no âmbito do mesmo programa; e o convívio com as doutorandas Elise Hansbury e Melanie Wahl. Sou grata a Ricardo Seitenfus e a Olivier Dabène, que encorajaram minha candidatura. A Nicolas Autet, agradeço a amiga e paciente revisão de meu dossiê.

Registro, com gratidão, que meus estudos não teriam prosperado sem a interlocução de Laurence Boisson de Chazournes, da Universidade de Genebra.

Embora não referidas nesta tese, foram também de grande valor para a minha compreensão do tema as entrevistas exploratórias realizadas na sede da *Organização Mundial da Saúde* (OMS), em Genebra, com Gian Luca Burci, consultor jurídico da OMS e professor do IHEID (no dia 6/1/2011); com Eduardo Hage do Carmo, um dos gestores do combate à pandemia de gripe A(H1N1) no Brasil, além de membro do Comitê de Revisão da OMS, e com Daniel Lins Menucci, do *Ports, Airports and Ground Crossings Unit – PAG* do Escritório da OMS de Lyon (ambas no dia 18/1/2011). Agradeço a estas três autoridades a gentileza de receber-me.

Já na parte brasileira do desafio, tive a fortuna de encontrar, nos cinco membros da banca examinadora de meu concurso de Livre-docência, referências acadêmicas que me são muito caras: os professores Alberto do Amaral Jr., Marcelo da Costa Pinto Neves, Maria Hermínia Tavares de Almeida, Sueli Gandolfi Dallari e Umberto Celli Jr. Procurei, neste livro, responder ao menos a algumas das lapidares perguntas formuladas por Alberto, verdadeiras balizas da revisão deste texto. Ao Umberto, agradeço tanto os sólidos aportes à tese como a inesquecível análise de meus memoriais. Sou muito grata ao Marcelo, que dispôs-se generosamente a discutir conosco, no IRI, sua obra sobre o transconstitucionalismo, decisiva na construção do meu olhar sobre o direito contemporâneo. Maria Hermínia acolheu-me e apoiou ativamente o meu trabalho desde que cheguei à USP, em 2008; na banca, sua percepção de politóloga ampliou meus horizontes. Agradeço a todos os membros da banca pelas horas de pesado trabalho em meu concurso; e especialmente à Sueli, por outras tantas horas que dedicou a mim e ao prefácio deste livro, por ter inspirado meu interesse pela saúde pública, e por ser uma tão informal quanto imprescindível orientadora.

Sobre os dois anos de pesquisa à origem deste livro, faço nota do apoio incondicional dos professores, funcionários e alunos do

IRI, especialmente a solidariedade constante de Pedro Bohomoletz de Abreu Dallari, Vice-Diretor, e de Janina Onuki, Coordenadora do Bacharelado, colega exemplar; além da eficiência da Assistente Acadêmica Fabiana Camargo Franco Barril, e da presença dos colegas Amâncio de Oliveira, Rafael Villa e Rossana Reis durante o concurso. Aos alunos da pioneira disciplina de Saúde Internacional do IRI, ministrada em pleno certame, no primeiro semestre de 2011, agradeço a experiência adorável e promissora que vivemos. Ao Renan Quinalha, doutorando e parceiro, minha gratidão pelos comentários à tese que me encheram de entusiasmo.

Ao amigo Salem Nasser agradeço a generosidade de facultar-me seus textos inéditos, que enriqueceram sobremaneira minha prova didática sobre as fontes do direito internacional.

Aos revisores do texto original da tese, Eloah de Freitas Lima Ventura e Leonel Furtado Campos, para minha sorte minha mãe e meu companheiro, agradeço o cuidado e a paciência.

Agradeço, ainda, por razões de sobra, o apoio de Luciana de Paula (em Paris); Liza Santana de Lima e David, Karen Walker, Miranda Mattig e sua equipe, Carmen de Oliveira, Roman, Laetitia e Lucas Seitenfus (Genebra); Flavia Schilling, Rachelle Balbinot, Camila Baraldi, Lucas Tasquetto, David Levy, Marcela Fonseca, Marco Torronteguy, Michelle Ratton Sanchez-Badin e Elaini da Silva (São Paulo); Paulo Abrão e Marcelo Torelly (Brasília); Laura Wacheleski (Rio de Janeiro) e Rosa Maria Zaia Borges (Porto Alegre); Marco Biermann Pinto e Jânia Saldanha (Santa Maria).

Terminando pelo começo, com imenso carinho, agradeço a quem está sempre comigo: meu pai, Nilson; minha irmã, Andréa, e meu cunhado, Fábio; meus sobrinhos, Filipe e Luísa; e meus tios e primos queridos.

"... Pero empezó tu decadencia
cuando te dieron tanta ciencia ..."
Tango de otros tiempos
Alberto Marino, Washington Reyes
e Ulderino Caserio

INTRODUÇÃO

No século XXI, a internacionalização do direito é evidente. Resta, porém, muito a fazer para que as formas contemporâneas de permeabilidade entre o direito internacional e o direito interno sejam plenamente identificadas. Creio que aprofundar o nosso conhecimento sobre tais interações é a única forma de combater, a um só tempo, dois equívocos extremos: de um lado, o nacionalismo provinciano, em suas tantas expressões jurídicas; de outro, a crença na inexorabilidade absoluta do avanço da regulação internacional sobre o direito interno.

A empreitada, porém, não é simples. Podendo funcionar como um holograma, a norma de direito internacional por vezes limita-se a dar forma a pulsões regulatórias internas, que encontram melhores condições para emergir sob a forma de compromisso multilateral ou regional. Ao inverso, no âmbito do processo legislativo nacional ou, com menor transparência, sob a forma de atos normativos do Poder Executivo, incontáveis pretensões normativas internacionais e transnacionais encontram vazão. Mas o desafio não se esgota na constatação de uma eventual porosidade implícita.

Uma vez constatadas tais interações normativas entre externo e interno, seus *efeitos* devem ser objeto de mensuração e reflexão crítica, pois a internacionalização não é neutra; ela possui um sentido (ou diversos sentidos[9]), que só pode(m) ser aferido(s) casuisticamente.

[9] "À medida que se globaliza, a justiça é confrontada a contradições para determinar *o sentido da internacionalização do direito*. Uma contradição

Interativas e instáveis, as ordens jurídicas conhecem intersecções que se ordenam "sem majestade", ou seja, por ajustamentos sucessivos, sempre parciais e imperfeitos[10]. Os estudos de caso podem, então, oferecer retratos, embora não mais do que instantâneos, de um mosaico normativo em movimento.

Esta pesquisa constitui o modesto passo inicial de um longo percurso de identificação da permeabilidade da regulação internacional da *saúde pública* nas ordens jurídicas nacionais, no intuito de reconhecer e avaliar criticamente os seus efeitos. Ela esposa um conceito tridimensional de saúde pública[11]:

- trata-se de um objetivo político, o de preservar e melhorar o estado de saúde de uma dada população (saúde pública como *finalidade*);
- sob a forma de políticas públicas, constitui um conjunto coerente e articulado de medidas de governo, amparadas na legislação com a respectiva regulamentação, e implementadas por um dispositivo institucional, sobretudo administrativo, mas também associativo e liberal (saúde pública como *meio*);
- e, enfim, é fruto de uma compreensão intelectual própria, marcada pela multidisciplinaridade, onde a epidemiologia tem um lugar fundador e central (saúde pública como *forma de pensar*).

Este conceito permite facilmente perceber a importância crescente das relações internacionais em cada um destes planos, tanto pela imensa influência dos paradigmas e padrões sanitários

aparece, de fato, entre a internacionalização ética, que supõe o apoio ativo dos Estados, e a globalização econômica, que amiúde implica a impotência dos Estados; mas também entre a própria ideia de universalismo, que supõe solidariedade, comunhão e luta contra a pobreza, e a sociedade de mercado, caracterizada, ao contrário, pelo aumento da competição e das desigualdades", Mireille Delmas-Marty, *Les forces imaginantes du droit – Le relatif et l'universel*, Paris: Seuil, 2004, p. 13.

10 Delmas-Marty, *Les forces imaginantes du droit II – Le pluralisme ordonné*, Paris: Seuil, 2006, p. 26.

11 Didier Tabuteau e Aquilino Morelle, *La santé publique*, Paris: PUF, 2010, p. 5-6.

convencionados fora do alcance do Estado nacional, como pela cooperação empreendida entre os Estados. Atualmente, a saúde "abarca, em todas as suas facetas, aspectos ligados à organização internacional, seja ela mais diretamente ligada à economia, ou à tecnologia, ou à movimentação das pessoas, ou ainda à ordem institucional"[12].

A expressão *saúde internacional* já era usada com certa frequência no final do século XIX e no início do século XX, referindo principalmente o controle de epidemias que ultrapassavam fronteiras entre as nações. Mas ela cede seu lugar, hoje, à expressão *saúde global*, que indica, por um lado, a consideração das necessidades da saúde da população de todo o planeta, acima dos interesses de nações em particular e, por outro lado, a crescente importância de novos atores para além do Estado e das organizações internacionais, tais como algumas grandes fundações internacionais, a mídia e as corporações transnacionais[13].

Para além da importância da internacionalização da saúde, porém, a escolha do tema deste livro justifica-se, sobretudo, pelas inflexões que o *papel do direito* neste processo parece ter sofrido na última década. Afinal, o que tem feito e que pode fazer o direito diante dos efeitos "desumanizantes" da globalização?[14]

Com efeito, de oito séculos para cá, sob os mais diversos rótulos, as preocupações e as políticas de saúde pública visaram, primeiramente, a proteger a população de epidemias vindas de alhures e, mais tarde, das enfermidades locais, até que, por meio de múltiplos instrumentos, estenderam seu campo de ação à prevenção dos riscos que afetam o corpo, incluindo, recentemente, o consumo de tabaco e a obesidade[15]. Com alguns matizes, as primeiras

12 Sueli Gandolfi Dallari e Vidal Serrano Nunes Jr., *Direito Sanitário*, São Paulo: Verbatim, 2010, p. 20.

13 Theodore Brown, Marcos Cueto e Elizabeth Fee, "A transição de saúde pública internacional para global e a Organização Mundial da Saúde", *História, Ciências, Saúde – Manguinhos*, v. 13, n. 3, 07-09/2006, p. 624-625.

14 É o que pergunta Mireille Delmas-Marty em seu *Résister, responsabiliser, anticiper*, Paris: Seuil, 2013, p. 7.

15 Patrice Bourdelais, "Histoire de la santé publique", *in:* Didier Fassin e Boris Hauray, *Santé publique: l'état des savoirs*, Paris: Inserm/La Découverte, 2010, p. 20.

conferências internacionais sobre saúde e a subsequente atuação das organizações internacionais refletiram, no plano normativo, a evolução das concepções de saúde pública do mundo desenvolvido. A paulatina internacionalização das normas sanitárias contribuiu para generalizá-las no hemisfério Sul. À multiplicação de tratados internacionais com incidência sanitária, com destaque para os acordos multilaterais comerciais[16] e de direitos humanos[17],

16 Na área da saúde pública, um dos acordos comerciais de maior repercussão é o *Acordo sobre Aspectos dos Direitos de Propriedade Intelectual relacionados ao Comércio* (ADPIC, comumente referido no Brasil por sua sigla em inglês, TRIPS), concluído, em 1994, no âmbito da Organização Mundial de Comércio, OMC. O grande impacto dos direitos de propriedade intelectual sobre os preços e o acesso a medicamentos priva milhões de pessoas, particularmente nos países em via de desenvolvimento, do acesso a inovações terapêuticas. Em 2001, a IV Conferência Ministerial da OMC adotou a *Declaração sobre o acordo ADPIC e a Saúde Pública*, conhecida como *Declaração de Doha* (OMC, WT/MIN(01)/DEC/2, *Declaration on the TRIPS agreement and public health*, de 14/11/2001, disponível em: <www.wto.org>). Trata-se de "uma forte declaração política", que "pode ser considerada como um *acordo posterior entre as partes relativo à interpretação do tratado ou à aplicação de suas disposições*, segundo o artigo 31.3 (a) da Convenção de Viena sobre o Direito dos Tratados", cf. Carlos Correa, *Propriedade Intelectual e Saúde Pública*, Florianópolis: Fundação Boiteux, 2007, p. 129 e 131. Esta Declaração "marca a entrada do tema *acesso a medicamentos* na agenda do comércio multilateral e expressa uma importante mudança de paradigma, na medida em que deixa claro que os direitos de propriedade intelectual não são absolutos nem superiores aos outros direitos fundamentais. Ela reconhece a gravidade da crise na saúde pública, que afeta a maioria dos países em desenvolvimento, principalmente em consequência da expansão da pandemia do HIV, e reafirma o princípio expressado no artigo 8º do acordo TRIPS, particularmente no que se refere ao direito dos Estados-membros de, ao reformar suas legislações de propriedade intelectual, adotarem medidas necessárias para proteger a saúde pública", Maria Auxiliadora Oliveira *et al.*, *Assistência farmacêutica e acesso a medicamentos*, Rio de Janeiro: Fiocruz, 2007, p. 57.

17 Por exemplo, o *Pacto Internacional de Direitos Econômicos, Sociais e Culturais*, adotado pela Resolução n. 2.200-A (XXI) da Assembleia Geral das Nações Unidas de 16/12/1966, cujo artigo 12 dispõe: "1. Os Estados-partes no presente Pacto reconhecem o direito de toda pessoa de

aliou-se uma padronização crescente de diretrizes e normas técnicas, além de procedimentos científicos e recursos tecnológicos, cujo alcance jurídico é variável, mas a influência política, econômica e cultural não dá lugar a dúvidas. Logo, a "globalização da vida social tem impactos constitutivos no conceito de saúde que os Estados contemporâneos estão obrigados juridicamente a garantir para seus povos"[18].

Em meio a esta evolução, sublinhe-se que, a partir da Segunda Guerra Mundial, "consolidou-se não apenas o direito à vida, mas um direito diferente, mais importante e mais complexo, que é o direito à saúde"[19]. Trata-se de um *direito-carrefour*, porque compreende a proteção da saúde física e mental dos indivíduos, mas também a defesa dos direitos da pessoa[20]. Assim, a saúde é um direito humano indispensável ao exercício de muitos outros direitos humanos, que qualifica o direito à vida, elevando-o a *direito à vida digna*[21].

....

desfrutar o mais elevado nível de saúde física e mental; 2. As medidas que os Estados-partes no presente Pacto deverão adotar, com o fim de assegurar o pleno exercício desse direito, incluirão as medidas que se façam necessárias para assegurar: a diminuição da mortinatalidade e da mortalidade infantil, bem como o desenvolvimento sadio das crianças; a melhoria de todos os aspectos de higiene do trabalho e do meio ambiente; a prevenção e o tratamento das doenças epidêmicas, endêmicas, profissionais e outras, bem como a luta contra essas doenças; a criação de condições que assegurem a todos assistência médica e serviços médicos em caso de enfermidade". Este pacto foi incorporado à ordem jurídica brasileira pelo Decreto n. 591, de 6/7/1992, disponível em: <http://www2.mre.gov.br/dai/m_591_1992.htm>.

18 Sueli Dallari e Vidal Nunes Jr., *op. cit.*, p. 29.

19 Foucault, "Crise de la médicine ou crise de l'antimédicine?", *in: Dits et écrits III*, texto 170, disponível em: <1libertaire.free.fr/MFoucault111.html>, consultado em 6/2/2012, p. 1.

20 Michel Bélanger, *Introduction à un droit mondial de la santé*, Paris: Archives contemporaines, 2009, p. 10.

21 Eibe Riedel, "The Human Right to Health: Conceptual Foundations", *in:* Clapham, Andrew; Robinson, Mary, *Realizing the right to health*, Zurich: Swiss Human Rights Books, 2009, p. 21-39. Disponível em: <www.swisshumanrightsbook.com>.

Embora este *novo* direito seja atualmente considerado *fundamental*[22], ele não é um conceito estável, justamente porque os direitos fundamentais não são autos de fé: são processos transformadores dinâmicos[23], sempre inacabados. Logo, a transformação da saúde em direito ainda enfrenta imensos desafios, com destaque para três aspectos de vasta repercussão, tanto no direito como nas relações internacionais, que serão tratados a seguir: a sujeição do Estado a cláusulas leoninas, a mutação do *mercado da saúde* e a emergência do ser vulnerável em detrimento do cidadão.

Quanto ao primeiro aspecto, na medida em que se difunde e se realiza, **o direito à saúde faz do Estado "o grande comprador da indústria farmacêutica e de insumos hospitalares, odontológicos e de tecnologia voltada ao uso da medicina"**[24]. Esta condição instaura ao menos duas marcantes assimetrias, especialmente nos momentos de crise sanitária e/ou econômica: entre os Estados, a depender do seu grau de desenvolvimento; e igualmente entre os Estados e a dimensão *transnacional*, no sentido de ordem normativa construída primariamente por atores ou organizações privados ou quase públicos[25]. A fim de internalizar o conteúdo de suas tendências e deliberações, o transnacionalismo[26] mobiliza, então, um vasto

....

22 Por exemplo, no Brasil, a Constituição Federal de 1988 estabelece que "a saúde é um direito fundamental do ser humano, devendo o Estado prover as condições indispensáveis ao seu exercício", art. 2º, *caput.*

23 Mireille Delmas-Marty, *Les forces imaginantes du droit III – Vers une communauté de valeurs?* Paris: Seuil, 2011, p. 196 e 199.

24 (Sem grifo no original) Rubens Adorno, Maria da Penha Vasconcellos e Augusta Alvarenga, "Para viver e pensar além das margens: perspectivas, agenciamentos e desencaixes no campo da saúde pública", *Saúde e Sociedade* [*online*] 2011, v. 20, n. 1, p. 93.

25 Marcelo Neves, *Transconstitucionalismo*, São Paulo: Martins Fontes, 2009, p. 187.

26 No polêmico caso dos medicamentos, por exemplo, "uma das características que diferencia a chamada 'indústria farmacêutica inovadora', de caráter transnacional, é que ela investe na integração entre os quatro

elenco de modalidades de influência sobre as ordens estatais – do simples *lobby* à normatividade clássica, passando pela *soft law*[27] – gerando relações ora de colisão, ora de cooperação. Tradução cabal desta assimetria foi uma declaração de Roselyne Bachelot-Narquin, então Ministra da Saúde e dos Esportes da França (portanto, autoridade sanitária máxima de um país desenvolvido), feita diante de uma comissão de inquérito do Senado francês, a respeito da compra de vacinas pelo Estado:

> "Os laboratórios estão, evidentemente, em posição de força, existindo um enorme desequilíbrio entre a oferta e a demanda em escala mundial. Eles subordinam todo compromisso de fornecimento de vacinas a encomendas fechadas de quantidades significativas, sendo a quantidade de vacinas da primeira entrega proporcional à quantidade total encomendada pelos países interessados"[28].

Estudaremos a iniciativa e o contexto desta comissão parlamentar de inquérito no último capítulo deste livro.

....

estágios tecnológicos: 1) pesquisa e desenvolvimento de novas matérias-primas em escala de bancada; 2) *scale-up* da escala de bancada para a produção em escala industrial; 3) formulação farmacêutica, ou seja, transformação de um fármaco em produto para o consumo (cápsulas, soluções etc.); e 4) *marketing* e comercialização de novos produtos, considerado estágio tecnológico pela complexidade de suas ações, enquanto a maioria de nossas empresas de capital nacional não integra ou 'verticaliza' esses estágios, mas continua dependente de matérias-primas adquiridas e apenas investe nos terceiro e quarto estágios tecnológicos. Como consequência, se estabelece uma relação de dependência", Maria Auxiliadora Oliveira *et al.*, *op. cit.*, p. 29.

27 Expressão empregada em oposição à *hard law*, como conjunto de padrões, informações, compromissos e declarações, cujo alcance jurídico é flexível ou indireto e, de modo geral, depende da intenção dos seus autores, cf. Antonio Cassese, *International Law*, 2 ed., Nova York: Oxford University Press, 2005, p. 196.

28 França, Senado, *Rapport de la commission d'enquête sur le rôle des firmes pharmaceutiques dans la gestion par le Gouvernement de la grippe A(H1N1)*, Tomo II, de 29/7/2010, p. 32-33.

Um segundo aspecto a destacar é a grande transformação dos profissionais e dos serviços de saúde operada pela evolução tecnológica e pela cristalização da sociedade de consumo. Na era do *turbo-consumismo*[29], o paciente passa a ser um *cliente* de *mercadorias* e serviços que poderiam trazer a sua salvação ou a prorrogação da sua vida[30]. Ademais, a tecnologia oferece possibilidades inéditas de restabelecimento ou adaptação dos indivíduos aos padrões de *normalidade*[31] de cada grupo social, gerando novas demandas junto

---

29 A expressão é de Gilles Lipovetsky e representa "a passagem da era da escolha à era da hiperescolha, do monoequipamento ao multiequipamento, do consumismo descontínuo ao contínuo, do consumo individualista ao hiperindividualista", *Le bonheur paradoxal – essai sur la société d'hyperconsommation,* Paris: Gallimard, 1996, p. 95.

30 "Fazer exames sofisticados, sofrer intervenções sofisticadas, ter medicamentos recém-lançados (o mais novo lançamento), internar-se em hospitais parecidos com uma nave espacial, com serviços de hotelaria cinco estrelas, *são fatos que oneram a saúde sem modificá-la,* ofertando ao mercado os lucros desejados. As grandes modificações são as medidas gerais que impactam toda a comunidade, como tratar água e esgoto – nem sempre a grande preocupação da saúde pública" (sem grifo no original), Lenir Santos, "Direito à saúde e qualidade de vida – um mundo de corresponsabilidade e fazeres", *in: Idem* (org.), *Direito da saúde no Brasil,* Campinas: Saberes, 2010, p. 46.

31 A partir do século XVIII, a medicina ultrapassou largamente a condição de conjunto de técnicas e saberes relativos à cura, passando a adquirir uma postura normativa, no intuito não somente de difundir conselhos sobre uma vida sábia, mas de reger as relações físicas e morais do indivíduo e da sociedade na qual ele vive; o conhecimento sobre o homem com saúde é a soma da experiência do homem *não doente* com a definição do *homem modelo,* cf. Foucault, *La naissance de la clinique,* 7 ed. "Quadrige", Paris : PUF, 2007, p. 35. De uma medicina medieval centrada mais na saúde do que na normalidade, passa-se, no século XIX, à "bipolaridade médica do normal e do patológico", *ibid.*, p. 35-36. "Nós encontramos aqui as modalidades de recomposição da *norma* sob o efeito de novas sensibilidades sociais, culturais e psicológicas ansiosas para apagar as especificidades e as diferenças. Os *anormais* devem ser integrados socialmente em comunidades fundadas em traços de anomalias, e todos os *normais* devem ser seguidos, rastreando seus traços de *anomalias*", Roland Gori, "L'art des douces servitudes", *L'Esprit du temps* n. 68 2/2009, p. 287.

aos sistemas de saúde. Os profissionais de saúde, por sua vez, transferiram grande parte de seu "poder de livre vendedor e portador de serviços de saúde para o mercado de compra e venda de produtos e serviços de saúde, e para o produto ou serviço propriamente dito"[32].

Na América Latina, o comércio de serviços da área cresceu nos últimos anos, inclusive o chamado *turismo médico*, que consiste no deslocamento de *consumidores* de serviços de saúde entre países[33]. Neste particular, a Europa oferece um exemplo do quanto o princípio da livre circulação de serviços sanitários pode atingir os sistemas nacionais de saúde, por vezes agravando suas eventuais deficiências, especialmente as de financiamento[34]. Mas a preponderância

32 Fernando e Ana Maria Lefevre, *O corpo e seus senhores – Homem, mercado e ciência: sujeitos em disputa pela posse do corpo e mente humana*, Rio de Janeiro: Vieira&Lent, 2009, p. 29.

33 Andrés Lópes, Andrés Niembro, Daniela Ramos. "Exportaciones de servicios de salud: los casos de Argentina, Brasil y México". *Observatorio económico de la Red Mercosur*, 29 de novembro de 2010. Disponível em: <oered.org>, consultado em 18/3/2012. O México detém os melhores índices de aproveitamento do mercado do turismo médico na América Latina, o que se explica, sobretudo, por sua proximidade geográfica com os Estados Unidos.

34 Entre numerosos casos similares, parece oportuno citar o da Grécia no acórdão *Stamatelaki* (Tribunal de Justiça da União Europeia, 19/4/2007, processo C-444/05, disponível em: <http://ec.europa.eu/social/>). Uma cidadã grega (Aikaterini Stamatelaki) exigia de um organismo público de seguridade social de seu país natal (*Organismos Asfaliseos Eleftheron Epangelmation*) o reembolso pelos serviços prestados ao seu falecido esposo por uma clínica privada inglesa. A Grécia alegou que o equilíbrio do regime de seguridade social nacional poderia ser prejudicado se os segurados tivessem a possibilidade de reembolso de serviços privados estrangeiros, considerando o seu elevado custo, que ultrapassaria largamente o valor do mesmo serviço se prestado na Grécia. No entanto, em seu acórdão, o Tribunal refutou este argumento, sustentando que a legislação grega era excessivamente restritiva: "O artigo 49 CE opõe-se a uma legislação de um Estado-Membro, como a que está em causa no processo principal, que exclui qualquer reembolso, por um organismo nacional de segurança social, das despesas ocasionadas pela hospitalização dos seus segurados nos estabelecimentos de saúde privados situados noutro Estado-Membro", *ibid, Dispositivo*.

dos interesses de mercado atinge de modo peculiar a efetividade do direito à saúde nos países cuja desigualdade econômica vem sendo combatida por meio da ampliação do acesso ao consumo[35]. A *integração pelo mercado*, instauradora de um mimetismo consumista acrítico entre ricos e pobres, coloca em segundo plano a educação para os direitos humanos e para a cidadania. Logo, tende a não alterar a lógica segundo a qual "é necessário já ser reconhecido e tratado como indivíduo portador de direitos para de fato conseguir exigir direitos e mudanças"[36]. A divisão dos sujeitos sociais entre ganhadores e perdedores vai tomando o lugar da ideia moderna do homem como *cidadão de direitos*, passando

35 Atualmente, seria o caso do Brasil, na perspectiva de André Singer: "Examinadas em seu conjunto, as ações governamentais do primeiro mandato [do Presidente Luiz Inácio Lula da Silva, de 2002 a 2006] vão muito além de simples *ajuda* aos pobres. Sem falar nos programas específicos, o aumento do salário mínimo, a expansão do crédito popular com aumento da formalização do trabalho (o desemprego caiu de 10,5% em dezembro de 2002 para 8,3% em dezembro de 2005) e a transferência de renda, aliados à contenção de preços, sobretudo da cesta básica (e em alguns casos deflação, como decorrência da desoneração fiscal), constituem uma plataforma no sentido de traçar uma direção política para os anseios de certa fração de classe. Não apenas porque objetivamente foram capazes de aumentar a capacidade de consumo de milhões de pessoas de baixíssima renda, como atesta o acesso em grande escala à *classe C*, mas também porque sugerem um caminho a seguir: manutenção da estabilidade com expansão do mercado interno, sobretudo para os setores de baixa renda", *in:* "Raízes sociais e ideológicas do lulismo", *Novos Estudos*, Cebrap [*online*], 2009, n. 85, p. 94.

36 Lara Luna, "Fazer viver e deixar morrer: a má-fé da saúde pública no Brasil", *in:* Jessé Souza (org.), *Ralé brasileira: quem é e como vive*, Belo Horizonte: Editora UFMG, 2009, p. 327. Neste artigo, Luna demarca a diferença que existe, no Brasil, entre o Sistema Único de Saúde (SUS) *constitucional* e o *SUS real*, explicando que, por "ironia", "uma pessoa que se habituou a não ser tratada como cidadã muitas vezes não sabe como exigir benefícios, que apesar de lhe serem garantidos em lei, exigiriam planejamento de ações, disciplina e autocontrole que ela não tem. Em outros termos, a arma contra a má-fé da saúde que a ralé em primeira instância deveria usar exigiria que ela não fosse ela mesma", *ibid.*

a "justificar e explicar a pobreza e os pobres como incapazes, como perdedores no jogo social"[37].

Enfim, numa reviravolta recente, é a própria ideia de *direito* que parece estar em questão no que atine à saúde. O inédito grau de conhecimento sobre os diversos riscos que ameaçam a espécie humana engendrou um novo discurso político-jurídico, que promove a *equiparação* de todas as ameaças: catástrofes naturais, pandemias, terrorismo, aquecimento global etc. Graças à constante *encenação* destes riscos, hoje pensados numa dimensão mundial, o futuro das catástrofes se transforma em presente, e o objetivo de evitá-las ganha inédita influência sobre as decisões dos atores públicos e privados[38]. No plano jurídico, as derrogações parciais ou totais dos direitos se multiplicam em nome de diversos tipos de segurança. O *frenesi securitário* tende a transformar o contrato social numa espécie de *contrato de seguro contra todos os riscos* que caracteriza os regimes de suspeição – nos quais cada indivíduo é um suspeito em potencial – que podem conduzir aos estados de exceção[39].

No campo da saúde, é admissível que, em situações de crise, os poderes públicos sejam levados a impor, inclusive pela força, decisões restritivas das liberdades, em nome da *segurança sanitária*[40].

37 Fernando e Ana Maria Lefevre, *op. cit.*, p. 22-23.

38 Ulrich Beck, *La sociedad del riesgo mundial – En busca de la seguridad perdida*, Madrid: Paidos, 2008, p. 28. É importante ressaltar que a evolução da obra de Ulrich Beck indica a passagem de uma *Sociedade de risco* (obra que publicou em 1986) a uma *Sociedade do risco mundial* (livro publicado em 1999). Conforme o autor, o segundo livro foi integralmente reescrito em 2007, à luz dos eventos que marcaram a primeira década do século XXI e do debate suscitado pela grande repercussão de suas obras precedentes, cf. *ibid*, p. 13.

39 Mireille Delmas-Marty, *Libertés et sûreté dans un monde dangereux*, Paris: Seuil, 2010, p. 120-121.

40 Segurança sanitária é "a proteção da saúde do homem contra os riscos para a saúde induzidos pelo funcionamento da sociedade, sejam eles alimentares, ambientais (inclusive riscos climáticos) ou sanitários (produtos de saúde, medicamentos, vacinas, transplantes, radioterapia...)", cf. Jean-Claude Desenclos e Anne-Catherine Viso, "Sécurité et veille sanitaire", *in:* Fassin et Hauray, *op. cit.*, p. 342.

Todavia, em sociedades que fazem da redução dos riscos uma prioridade política, a precaução poderia servir como álibi para a hipertrofia de um *Leviatã sanitário*[41]. Ao cabo, cada vez mais "o indivíduo tende a ser percebido como ser vulnerável, antes mesmo de ser um sujeito de direitos ou um cidadão"[42].

Por tudo isto, além de outros temas que irrompem com força no cenário internacional – tais como a "incapacidade dos países para definir com autonomia seus próprios modelos de sistemas de saúde", a possibilidade de pensar uma "resposta social em saúde numa perspectiva desnacionalizada", "a renovação institucional no espaço internacional e o papel das organizações da sociedade civil internacional"[43] –, afirma-se paulatinamente uma subárea de conhecimento transversal, a da *saúde global*, na qual o direito deve garantir o seu lugar. Afinal, a mundialização do *direito da saúde* está longe de completar-se: apesar dos esforços de harmonização e generalização de uma legislação sanitária no plano internacional, a desigualdade entre as normas nacionais e a diversidade entre as culturas sanitárias, constituem dois limites permanentes à afirmação de um *direito global da saúde*[44].

No intuito de inaugurar, com minha Livre-docência, um esforço de pesquisa sobre a porosidade entre a normatividade internacional da saúde e o direito interno, o caso a eleger dificilmente poderia ser outro: em 11 de junho de 2009, uma organização internacional – a *Organização Mundial da Saúde*[45] (OMS) – declarou

41 Didier Tabuteau, "Santé et liberté", *Pouvoirs*, 2009/3, p. 97.

42 Frédéric Gros, Monique Castillo e Antoine Garapon, "De la sécurité nationale à la sécurité humaine", *Raisons politiques* n. 32, 2008/4, p. 8.

43 Álvaro Franco-Giraldo e Carlos Álvarez-Dardet, "Salud pública global: um desafio a los límites de la salud internacional a propósito de la epidemia de influenza humana A", *Pan Am J Public Health* (25)6, 2009, p. 540.

44 Michel Bélanger, *Introduction à un droit mondial de la santé*, op. cit., 2009, p. 3-4.

45 Criada pela Conferência Internacional da Saúde, ocorrida em Nova Iorque (19-22/7/1946). No dia 22/7/1946, representantes de 61 Estados assinaram a "Constituição da OMS", que entrou em vigor no dia 7/4/1948; texto em português disponível em: <http://www.direitoshumanos.usp.br>.

a existência de uma pandemia de *gripe A(H1N1)*[46]. Também chamada de pandemia de *influenza*[47], e inicialmente referida como *gripe suína*[48], ela durou até agosto de 2010. No presente texto,

46 OMS, Direção-Geral, "World now at the start of 2009 influenza pandemic", *Statement to the press by Dr Margaret Chan*, 11/6/2009, disponível em: <http://www.who.int>, consultado em 17/3/2012.

47 "A influenza é uma infecção viral que afeta principalmente as vias aéreas superiores e, ocasionalmente, as inferiores. São conhecidos três tipos de vírus da influenza: A, B e C. Esses vírus são altamente transmissíveis e podem sofrer mutações (transformações em sua estrutura genética), sendo que o tipo A é o mais mutável dos três. Geralmente as epidemias e pandemias (epidemia que ocorre em vários países) estão associadas ao vírus do tipo A", cf. Ministério da Saúde, Secretaria de Vigilância em Saúde, Departamento de Vigilância Epidemiológica. *Emergência de Saúde Pública de Importância Internacional (ESPII) – Protocolo de Vigilância Epidemiológica da Influenza Pandêmica (H1N1)2009 – Notificação, investigação e Monitoramento*. Brasília: Ministério da Saúde, 2010, p. 4.

48 "A gripe A(H1N1) é uma doença respiratória aguda do porco, altamente contagiosa, provocada por alguns vírus suínos do tipo A, cuja morbidade tende a ser elevada e a mortalidade a ser fraca (1-4%). O vírus propaga-se entre os porcos por meio de aerosóis, pelo contato direto ou indireto, e também por animais portadores assintomáticos. Registra-se surtos entre os porcos ao longo de todo o ano, com uma incidência mais intensa no outono e no inverno das zonas temperadas. Numerosos países vacinam sistematicamente as populações de porcos contra a gripe suína. Os vírus gripais suínos pertencem com maior frequência ao subtipo H1N1, mas outros subtipos circulam igualmente (por exemplo, H1N2, H3N1, H3N2). Os porcos podem ser infectados por vírus gripais aviários e por vírus da gripe sazonal humana, assim como por vírus gripais suínos. Supõe-se que, originalmente, o vírus H3N2 foi introduzido no porco pelo homem. Os porcos podem ser infectados por diversos tipos de vírus ao mesmo tempo, o que pode gerar a mistura dos gens destes vírus e a produção de um vírus gripal contendo gens procedentes de diversas fontes, chamado 'vírus reagrupado'. Embora os vírus gripais suínos sejam normalmente específicos da espécie e infectem apenas os porcos, eles por vezes atravessam a barreira da espécie para provocar a doença no homem. (...) Não há dados que demonstrem que a gripe A(H1N1) possa transmitir-se ao homem por meio da carne de porco ou outros produtos dela derivados que sejam adequadamente manejados e preparados.

a expressão "gripe A(H1N1)" refere-se especificamente à pandemia ocorrida entre 2009 e 2010[49].

É importante destacar que a organização internacional em questão, a OMS, é considerada "autoridade moral", além de "organização a serviço dos seus Estados-membros"[50], "porta-voz da comunidade internacional e líder da ação empreendida" para prevenir ou responder às múltiplas ameaças à saúde que possuem

....

O vírus da gripe suína é destruído à temperatura de 70° C, o que corresponde às condições geralmente recomendadas para cozinhar a carne de porco e outras carnes. (...) A gripe A(H1N1) não é uma enfermidade de declaração obrigatória às autoridades internacionais de saúde animal (OIE) [*Organização Internacional da Saúde Animal*], pelo que não se conhece muito bem sua distribuição internacional. A doença é considerada endêmica nos Estados Unidos. Sabe-se também que houve surtos na América do Norte, na América do Sul, na Europa (incluídos Reino Unido, Suécia e Itália), África (Quênia) e zonas da Ásia oriental, incluídos China e Japão", OMS, Alerte et action au niveau mondial (GAR), *Foire aux questions sur la grippe A(H1N1)*, 27/4/2009, disponível em: <http://www.who.int>, consultado em 18/3/2012.

49 A OMS publicou recentemente uma nota para esclarecer que "o vírus da pandemia A(H1N1)2009 tornou-se um vírus sazonal, que continua circulando com outros vírus sazonais desde agosto de 2010, quando a OMS declarou o fim da pandemia (H1N1) 2009. Contudo, a nomenclatura do vírus nunca foi padronizada, o que resultou em diversos nomes para o mesmo vírus. A fim de minimizar a confusão e diferenciar este vírus dos velhos vírus sazonais A(H1N1) que circulavam em humanos antes da pandemia (H1N1) 2009, os conselheiros da *Consulta sobre a composição das vacinas influenza para o Hemisfério Sul 2012* da OMS, depois de discussão em 26/9/2011, recomendaram à OMS a utilização da seguinte nomenclatura: *A(H1N1)pdm09*. Esta padronização ajudará a reduzir a potencial confusão tanto da comunidade científica como do público em geral", *Influenza: Standardization of terminology of the pandemic A(H1N1)2009 virus*, de 18/10/2011, disponível em: <http://www.who.int>, consultado em 18/3/2012.

50 OMS, A64/10 – *Application du RSI (2005), Rapport du Comité d'examen sur le fonctionnement du RSI (2005) eu égard à la grippe pandémique A(H1N1) 2009, Rapport du Directeur Général*. Genebra, 5/5/2011, p. 11.

a capacidade de atravessar fronteiras[51]. A propósito, sua concepção de *saúde* é polêmica e vasta: "um estado de completo bem-estar físico, mental e social, que não consiste apenas na ausência de doença ou enfermidade"[52].

No seio da OMS, a definição de *pandemia* é (ou foi) igualmente controversa, especialmente porque os critérios empregados para declarar sua existência teriam sofrido modificações. Por ora, vale reter a definição emitida em documento oficial, oito dias após a declaração da pandemia A(H1N1): tratar-se-ia de uma doença – no caso, uma infecção viral aguda – com "transmissão inter-humana contínua, imputável a surtos em nível comunitário em ao menos duas regiões da OMS e ao menos num país em cada uma dessas regiões"[53].

À guisa de introdução, também importa referir que, algumas semanas antes de declarar a pandemia, a OMS deflagrou, pela primeira vez, uma complexa engrenagem, criada e aceita por 194 Estados. Trata-se da quinta e mais recente versão do *Regulamento Sanitário Internacional*, RSI, de 2005[54]. As versões anteriores do RSI (1951, 1969, 1973 e 1981) variavam essencialmente quanto ao número de doenças cobertas pela regulamentação internacional, o que será tratado mais adiante.

Por ora, retenha-se que o RSI em vigor forja o conceito de *Emergência de Saúde Pública de Importância Internacional*, ESPII:

51 Harvey Fineberg, *Prefácio* de OMS, A64/10 – *Application du RSI (2005), Rapport du Comité d'examen sur le fonctionnement du RSI (2005) eu égard à la grippe pandémique A(H1N1) 2009, Rapport du Directeur Général.* Genebra, 5/5/2011, p. 7 – disponível em: <http://apps.who.int/gb/ebwha/pdf_files/WHA64/A64_10-en.pdf>, consultado em 14/2/2012.

52 Segunda frase do preâmbulo da Carta Constitutiva da OMS, *op. cit.*, p. 1.

53 OMS, *Weekly Epidemiological Record – WER* n. 25, Ano 84, Genebra, 19/6/2009, p. 249.

54 Aprovado pela 58ª Assembleia da Organização Mundial da Saúde, em vigor desde junho de 2007. A versão em português, veiculada pelo Decreto Legislativo n. 395/2009, foi publicada no Diário Oficial da União, DOU, de 10/7/2009, p. 11.

"significa um evento extraordinário que, nos termos do presente Regulamento, é determinado como: (i) constituindo um risco para a saúde pública para outros Estados, devido à propagação internacional de doença e (ii) potencialmente exigindo uma resposta internacional coordenada" (art. 1º).

Doença, por sua vez, segundo o mesmo dispositivo, significa "uma doença ou agravo, independentemente de origem ou fonte, que represente ou possa representar um dano significativo para seres humanos". Logo, se a pandemia em questão foi considerada uma ESPII, nem toda a ESPII será uma pandemia. O RSI também cria procedimentos para a declaração do início e do término de uma ESPII, além de regular a sua gestão.

Note-se que a OMS interpreta esta inovação como uma forma de valorização da saúde pública na equação de poder interna dos Estados: "o fato de considerar doenças infecciosas como ameaças para a segurança mundial e nacional oferece a possibilidade de obter uma direção política de alto nível para apoiar a planificação intersetorial necessária"[55].

Assim, a **tese defendida neste livro é a de que o atual RSI produziu um *direito da emergência*, de natureza *transversal*, como intersecção entre o direito internacional e o direito interno**. Não se trata apenas de cooperação internacional para combate à propagação de doenças específicas, mas sim de um mecanismo complexo, que permite à organização tomar iniciativas independentemente da vontade dos Estados (e, particularmente, da vontade de um ou mais Estados onde se verifica uma "ameaça à saúde"), apoiada, não em instâncias deliberativas intergovernamentais, mas em comitês de especialistas, recrutados de maneira autônoma (e inclusive opaca) pela organização.

O que me motiva e inquieta, porém, não é a velha temática da tensão entre os Estados e as organizações internacionais, e sim

55 OMS, *Plan mondial de préparation à une pandémie de grippe – Le rôle de l'OMS et les recommandations relatives aux mesures à prendre à l'échelon national avant e pendant une pandémie,* Genebra, 2005, p. 4.

a influência de interesses econômicos transnacionais sobre a organização, sobre alguns de seus Estados, sobre os "técnicos" e "especialistas", e também sobre as organizações sociais. Mais do que tudo, intriga-me a repercussão desta engrenagem sobre os indivíduos, independentemente de sua nacionalidade. Ora, além de forjar um grande sistema internacional de informação e de coordenação, o RSI institui um regime jurídico que pode justificar restrições significativas dos direitos humanos e do comércio, tanto no plano internacional como no interno. Ademais, é impossível atender às normas e recomendações da OMS sem a implicação ativa, não apenas dos direitos internos, mas sobretudo dos sistemas nacionais de saúde e das políticas públicas de saúde, o que constitui, por si só, um desafio à normatividade clássica internacional.

A fim de melhor sustentar minha tese, este livro divide-se em duas partes.

Na primeira parte, descrevo a emergência do direito internacional da saúde, como um dos imensuráveis efeitos das epidemias sobre a vida dos homens. Dedico-me especialmente à segunda metade do século XX, tendo como eixo narrativo a apresentação da OMS, com base na literatura, nos documentos relativos à criação da organização, em suas normas e documentos de trabalho. Constatei que, embora muito citada como referência incontornável na área da saúde pública, em especial no combate à propagação das doenças infectocontagiosas, a OMS ainda é pouco conhecida e raramente debatida no Brasil. A pouca atenção da doutrina brasileira contrasta com o protagonismo histórico, tanto do Estado brasileiro em instâncias internacionais que tratam da saúde pública, como de alguns grandes sanitaristas brasileiros. É preciso reconhecer que esta tarefa de apresentar a OMS e problematizar alguns elementos de seu funcionamento, que de início parecia simples, foi dificultada pelo fato de que, não apenas no Brasil, poucos juristas dedicaram-se ao seu estudo.

Na segunda parte do livro, enfrento o caso da pandemia de gripe A(H1N1), primeira aplicação do novo RSI, que considero a base do novo direito da emergência. Por meio da escassa literatura especializada, dos documentos relativos à elaboração e à implementação do RSI, além de entrevistas realizadas em Genebra[56], a pesquisa demonstra que estamos diante de uma forte guinada na lenta evolução do direito da OMS. Destacando-se do direito internacional da saúde em geral, o novo RSI foi concebido sob o signo da segurança internacional, e, particularmente, do combate ao terrorismo biológico, graças à criação do conceito de ESPII. Recorrendo aos documentos da OMS, às declarações de autoridades nacionais e internacionais, além de notícias divulgadas nos meios de comunicação, a pesquisa procura decifrar o procedimento que resultou na declaração da primeira ESPII, que foi, como era esperado pela comunidade médica, uma pandemia de gripe. A seguir, faz-se uma análise crítica da recentíssima aplicação do RSI à primeira ESPII. Será abordado o trabalho do *Comitê de Revisão*, convocado pela OMS para avaliar seu próprio desempenho durante a gestão da pandemia, por meio do estudo dos documentos relativos ao trabalho do Comitê, de diferentes manifestações oficiais da OMS, de publicações em revistas especializadas e na mídia. Por fim, serão referidas as investigações promovidas por duas comissões parlamentares de inquérito sobre a gripe A(H1N1): a da *Assembleia Parlamentar* do *Conselho da Europa* e a do *Senado* francês. Os autos destes processos, assim como a gravação em vídeo de suas sessões, permitiram mencionar algumas das repercussões políticas e jurídicas da pandemia, além de traçar um paralelo em relação ao trabalho da Comissão de Revisão.

O tema das considerações finais emerge naturalmente das duas partes do livro. Trata-se do papel determinante da *expertise* no novo direito da emergência, em detrimento de outras possíveis fontes

---

56 Por razões éticas, as entrevistas não foram citadas nem trabalhadas diretamente no texto. Registre-se, contudo, que elas foram fundamentais para compreensão das funções da OMS, do labirinto de documentos da organização e da cronologia de alguns dos episódios aqui estudados.

deste direito. Paradoxalmente, estas normas *de gabinete*, durante uma crise sanitária, podem atingir milhões de pessoas, diretamente (por exemplo, pela eventual restrição das liberdades fundamentais) ou indiretamente (por exemplo, devido a mudanças de hábitos). A revisão de literatura indica que o predomínio da especialidade na gestão das crises sanitárias traz consigo diversos riscos, como o de uma radical assimetria no grau de cuidado, entre Estados e entre grupos de um mesmo Estado, além do risco de que as pessoas sejam cuidadas mais como pacientes do que como cidadãos; valorizadas mais como números do que como agentes sociais.

Em alguns trechos, o livro foi ilustrado por uma breve iconografia, a fim de revelar um pouco do imensurável impacto das epidemias sobre a sociedade e, em particular, para destacar a repercussão do caso estudado. Ao representar outros temas indireta ou historicamente vinculados às pandemias, as imagens também iluminam as possibilidades de reflexão num campo em que, de regra, predomina o debate limitado à reação.

Cabe, ainda, esclarecer que este livro oferece uma tese inacabada, em muitos sentidos. Ao menos dois deles devem ser sublinhados, porque provavelmente tornar-se-ão os próximos desafios desta pesquisa.

Em primeiro lugar, a ideia inicial desta tese foi a de mapear e avaliar os efeitos da declaração da primeira ESPII sobre a livre circulação de pessoas e de mercadorias – em diferentes países do mundo, inclusive no Brasil. Indo a campo, o projeto enfrentou dificuldades por ora insuperáveis, tanto para obter informações sobre as restrições de direitos e liberdades operadas pelos Estados durante a pandemia (sendo grande parte delas adotada em âmbito municipal, e até privado), como para elaboração de uma metodologia para análise destas informações tão heterogêneas. Optou-se, finalmente, por explorar o estudo feito pela própria OMS a respeito da internalização do RSI, cujos limites serão destacados no momento oportuno; e também por oferecer alguns exemplos esparsos de problemas suscitados pela gestão da pandemia no Brasil, apenas para demonstrar certas consequências reais da aplicação das normas sanitárias internacionais. Doravante, é necessário coletar e/ou deflagrar uma série de estudos específicos sobre a gestão da pandemia em espaços (instituições, cidades, regiões ou países) e tempos (as diferentes fases da pandemia) bem delimitados.

Em segundo lugar, do ponto de vista teórico, diversos caminhos necessitam ser explorados para que se compreenda a relação entre direito e emergência, e especificamente entre direito e pandemia – porque a pandemia é um tipo específico de emergência, que alguns autores inseriram na produção acadêmica recente sobre catástrofes[57]. Uma exploração inicial sobre a literatura relativa ao estado de exceção, embora importante na compreensão dos processos de restrição de direitos fundamentais, mostrou-se ainda limitada[58].

Por outro lado, o estudo da obra de Michel Foucault[59], e de diversos de seus discípulos, foi imprescindível para a compreensão dos processos históricos em questão nesta tese. Mas ele aparece não mais do que marginalmente e como pano de fundo,

....

57 Ver, por ex., o dossiê "Les temps des catastrophes", da revista *Esprit* n. 343, 03-04/2008. Note-se que a associação entre pandemia e catástrofe levou alguns autores, equivocadamente, a invocar no âmbito das pandemias o princípio da *responsabilidade de proteger*, confusão que pretendo abordar em uma pesquisa futura. Sobre este polêmico princípio, que justificou o uso recente da força pela "comunidade internacional" na Líbia, ver Jean-Marie Crouzatier, "Le principe de la responsabilité de protéger", *Revue Aspects*, n. 2, 2008, p. 13-32.

58 V. Deisy Ventura, "Pandemias e estado de exceção", *in:* Marcelo Catoni e Felipe Machado (orgs.), *Constituição e Processo: a resposta do constitucionalismo à banalização do terror*, Belo Horizonte: Del Rey/IHJ, 2009, p. 159-181.

59 Em particular seus cursos no Collège de France de 1974-1975 (*Les anormaux*), 1976 (*Il faut défendre la société*), 1977-1978 (*Sécurité, Territoire, Population*), 1978-1979 (*Naissance de la biopolitique*) e 1982-1983 (*Le gouvernement de soi et des autres*) – editados e publicados pelo selo Gallimard/Seuil a partir dos anos 1990, além de suas conferências sobre a medicina, a maioria delas proferida nos anos 1970, que podem ser encontradas em diversas publicações.

nunca na cena metodológica. Muitas dúvidas persistem sobre conceitos como o de *biopolítica*[60], *biopoder* e *governamentalidade*. Por exemplo, é preciso saber se as "lutas contra o sofrimento, nas quais a saúde pode ser apresentada como horizonte normativo", poderiam ser concebidas como "lutas biopolíticas (ou por uma outra biopolítica – não liberal, não neoliberal?) ou antes como lutas contra a biopolítica (contra formas de poder que se inscrevem na biopolítica em geral)"[61]. Logo, as possibilidades de uma leitura *foucaldienne* da relação entre direito e emergência são, em todos os sentidos da expressão, minha música para o futuro.

Como fecho desta introdução, recordo Paul Valéry, que no romance *A ideia fixa*[62] descreve um homem atormentado, tomado por grande sofrimento. Dentro de no máximo três anos, ele repetia a si mesmo, "estes fantasmas não terão mais força... E eu encontrava em mim o desejo insensato de fazer, com meu espírito, em alguns instantes, o que três anos de vida talvez tivessem feito. Mas como produzir o tempo?" – e então ele simplesmente se põe a caminhar. Assim, na incapacidade de acelerar o tempo, o que permitiria apresentar-lhes a chegada ao destino de pesquisa sonhado, eu decidi, por meio deste livro, compartilhar com o leitor a minha nova caminhada.

60 "... uma noção sempre prometida e adiada, deixada para mais tarde. Mesmo não encontrando nesses cursos o que realmente se refere ao nascimento da biopolítica, foi, no entanto, a análise daquela que, permanecendo no horizonte das pesquisas de Foucault, tornou necessário o desvio para o estudo do liberalismo e possibilitou a elaboração de noções muito precisas, concretas, situáveis historicamente, tais como governamentalidade, segurança, conduta e liberdade", Luiz Alberto Moreira Martins, "Genealogia do biopoder", *Psicologia & sociedade*; 21 (2): 157-165, p. 163.

61 Emmanuel Renault, "Biopolitique, médecine sociale et critique du libéralisme", *Multitudes* n. 34, 3/2008, p. 203.

62 Paris: Gallimard, 1934, p. 14.

PARTE I – DA EMERGÊNCIA DE UM DIREITO...

O *direito internacional da saúde* é o "primo pobre" da literatura jurídica internacional; "é verdade que a questão parece ser mais afeita à competência de médicos, epidemiologistas e especialistas em saúde pública do que a de meros juristas"[63]. Talvez por esta razão ele seja, amiúde, definido simplesmente como o *conjunto de regras jurídicas* destinadas à proteção ativa da saúde das pessoas, elaborado pelas organizações internacionais competentes[64]. Porém, tudo indica que excede largamente este conceito, como um dos campos do direito mais atingidos pela globalização, tanto em seu conteúdo como em sua forma de elaboração. Afinal, riscos provenientes da atmosfera, dos medicamentos e dos alimentos permeiam vertiginosamente a vida humana: "a globalização construiu a permeabilidade do estar vivo como risco permanente"[65].

63 Jean Salmon, "Rapport introductif" *in:* Rostane Mehdi e Sandrine Maljean-Dubois, *La société internationale et les grandes pandémies*, Paris: Pedone, 2007, p. 13.

64 Michel Bélanger, *Introduction ... op. cit.*, p. 2. Interconectado com os direitos nacionais, formaria um conjunto que envolve regras de direito público e privado, compreendendo uma plêiade de ramos temáticos (médico, farmacêutico, veterinário, da enfermagem, odontológico, cosmético, da cirurgia estética), alguns deles transversais (como o hospitalar e o da seguridade social), *ibid.*, p. 14-15.

65 Frédéric Gros, *Le principe sécurité*, Paris: Gallimard, 2012, p. 177.

A primeira parte deste livro dedica-se à emergência do ramo sanitário do direito internacional, destacando a transição de um direito *internacional* para um direito *mundial ou global* da saúde, como passagem da condição de *conjunto de normas internacionais* à condição de elemento de uma peculiar intersecção entre *ordem internacional e ordens nacionais.*

Esta evolução coincide com o percurso da Organização Mundial da Saúde, cuja crise atual não desmerece o vasto acervo político e normativo acumulado em quase sete décadas, tão valioso quanto pouco estudado no Brasil.

"Tentar sustentar que estas disciplinas [microbiologia e epidemiologia] explicam totalmente a aparição, o desenvolvimento e o curso das doenças, implica pensar que as relações agente/hospedeiro, tão destacadas por aqueles cujo prisma é a história natural da enfermidade, ocorrem em um mundo biológico que existe numa dimensão espaço-temporal distinta da do mundo social e suas condições econômicas, políticas e sociais; implica pensar, em outras palavras, que a maneira como se produz, se apropria e se consome numa sociedade não teria efeito sobre os processos de saúde/doença que tal sociedade enfrenta. (...) Neste sentido, o olhar biologicista deve ser prontamente superado. Assumir de uma vez por todas o caráter social das pandemias e usar então uma escala de análise adequada, permitirá que respostas estruturais e realmente transformadoras sejam pensadas, propostas e implementadas".

Liliana Henao-Kaffure, "El concepto de pandemia: debate e implicaciones a propósito de la pandemia de influenza de 2009", *Revista Gerenc. Polit. Salud* [Colômbia] 9(19) 2010, p. 65.

1. A CRIAÇÃO DA ORGANIZAÇÃO MUNDIAL DA SAÚDE

Não se pode compreender o significado e o alcance da pandemia de gripe A(H1N1) sem antes conhecer a Organização Mundial da Saúde. Neste capítulo, serão abordadas as iniciativas que precederam a criação desta entidade, a fim de melhor compreender a longa tradição histórica de combate à propagação das doenças, hoje representada pela OMS. A seguir, serão apresentados a carta constitutiva e o atual formato institucional da organização.

1.1. A epidemia é o homem[66]

As doenças possuem lugar de relevo no curso da civilização, obrigando todas as instituições humanas a confrontá-las[67]. Entre elas, destacam-se as doenças infecciosas[68]. O avanço dos estudos

---

66 A expressão é de diversos autores, entre eles Norbert Gualde, *Comprendre les épidemies – la coévolution des microbes et des hommes*, Paris: Les empêcheurs de penser en rond, 2006, p. 316; e Dominique Chevé, "La peste ou le fléau imaginé", *in:* Chevé *et al.*, *La Peste entre épidémies et sociétés,* Florença: Firenze University Press, 2007, p. 315.

67 Henry Sigerist, *Civilização e Doença*, São Paulo: Hucitec, 2011, p. 1-2.

68 "Infecção é a penetração, multiplicação e/ou desenvolvimento de um agente infeccioso em determinado hospedeiro; doença infecciosa são as consequências das lesões causadas pelo agente e pela resposta do hospedeiro manifestada por sintomas e sinais e por alterações fisiológicas, bioquímicas e histopatológicas. Quando o agente infeccioso penetra, multiplica-se ou desenvolve-se no hospedeiro, sem causar danos nem

genéticos sobre os microorganismos causadores de doenças em humanos, aliados à arqueologia e outras disciplinas, tem permitido compreender “a globalização antiga e contínua dos germes” ao revelar a trajetória seguida pelo homem desde sua saída da África[69]. Nossos ancestrais, o *homo abilis* e o *homo erectus*, eram, na verdade, intrusos num mundo de micro-organismos extremamente numerosos, como ainda o são e serão; “o planeta pertence às bactérias” ou, dito de outro modo, “nós possuímos bactérias que nos possuem”[70].

Para além da relação biológica entre o homem e o micróbio, as doenças “condicionaram a existência humana, dizimando populações, estimulando conflitos, infectando combatentes, promovendo êxodos, propiciando miscigenação, fortalecendo ou enfraquecendo povos”[71]. Note-se que a expressão “condicionar a existência” não significa apenas a possibilidade da morte, pois remete à brusca mudança das condições de vida durante e após uma *epidemia*, nos planos individual e coletivo.

Com efeito, a palavra epidemia, termo do latim médico, origina-se do grego *epidemos*: que circula entre o povo[72]. O estudo das epidemias identifica quatro grandes fases, ditas *transições*:

....

manifestações clínicas, considera-se a infecção subclínica, inaparente ou assintomática. Outras vezes, porém, por ação mecânica, por toxinas, por reação inflamatória ou hipersensibilidade ocorre o conflito parasito-hospedeiro, com destruição tissular e manifestações clínicas e patológicas, caracterizando a doença infecciosa”, cf. Fundação Oswaldo Cruz, “Doenças infecciosas e parasitárias”, *Biblioteca Virtual em Saúde*, disponível em: <http://www.bvsdip.icict.fiocruz.br>, consultada em 18/3/2012.

[69] Stefan Cunha Ujvari, *A história da humanidade contada pelos vírus*, São Paulo: Contexto, 2009, p. 8.

[70] Nicolas Gualde, *op. cit.*, p. 15 e p. 49. Por exemplo, a boca de um recém-nascido humano permanece estéril por apenas alguns minutos. Rapidamente, ela passa a ser habitada por um bilhão de bactérias por cm^2 de mucosa, número cem vezes menor que o do interior do intestino, *ibid.*, p. 16.

[71] Stefan Cunha Ujvari, *op. cit.*, p. 8.

[72] Segundo o *Grande Dicionário Houaiss da Língua Portuguesa*, a palavra provém do grego *epí* (sobre, em cima de) e do grego *dêmos* (região, povo, país), Rio de Janeiro: Objetiva, 2001, p. 1177.

"A primeira acompanha o período neolítico, quando da primeira grande transformação ecológica de origem antrópica. A segunda transição epidêmica data de 2.500 anos; ela segue o período em que diferentes civilizações começaram a comerciar ou a guerrear. A terceira transição acompanha as colonizações europeias, em particular a conquista da América, fonte de um formidável choque ecológico. A quarta e última é a que estamos vivendo: a transição da globalização, da Terra transformada em imensa aldeia"[73].

Para a medicina de hoje, uma epidemia significa "a evolução brusca, temporária e significantemente acima do esperado da incidência de uma determinada doença", causada por "alterações nos fatores relacionados ao agente (físico, químico ou biológico), hospedeiro e/ou ambiente, que constituem a estrutura epidemiológica de uma população em determinado período de tempo e espaço geográfico"[74].

Assim, a epidemia dá à doença uma dimensão particular, pois "toca todos os domínios da sociedade e desorganiza a vida da cidade, a única que coloca os cadáveres na rua, que muda a tal ponto as mentalidades"[75]. Neste sentido, o "atalho antropológico" do subtítulo ("a epidemia é o homem") chama a atenção para o fato de que, ao longo da história, as epidemias exerceram bem mais do que uma pressão seletiva determinante sobre as populações. "Eventos sociais totais", elas confrontam o homem à ameaça radical, sob todas as formas (doença, mal, morte) e efeitos (desordens, violências, medos, estigmatização), a que o ser humano tem

73 Nicolas Gualde, *op. cit.*, p. 19.

74 Roberto Medronho, Guilherme Werneck e Maurício Perez, "Distribuição das doenças no espaço e no tempo", *in:* Roberto Medronho *et al.* (org.), *Epidemiologia*, 2.ed., São Paulo: Atheneu, 2009, p. 92. Esta expressão será discutida com maior profundidade mais adiante, quando for apresentado o debate sobre a existência ou não de uma *pandemia.*

75 Marie-Thérèse Blondeau, "Notes pour une édition critique de La Peste". *Roman 20-50*, n. 2, dezembro de 1986, p. 80.

respondido com "medidas de proteção e profilaxia, práticas científicas e médicas, expressões artísticas e simbólicas muito variadas"[76].

Entre as epidemias, por sua vez, a peste[77] desempenha um papel de primeiro plano, como "acontecimento seminal" da memória coletiva da humanidade[78]. Ao relatar o segundo ano da Guerra do Peloponeso (430-429 a.C.), Tucídides menciona a primeira aparição da peste em Atenas, a doença mais violenta e assassina de que, naquele tempo, se tinha notícia: "a epidemia nasceu, diz-se, na Etiópia, acima do Egito. De lá espalhou-se pelo próprio Egito, na Líbia e em grande parte dos Estados do rei da Pérsia. Depois ela abateu-se de repente sobre os atenienses"[79].

Para a medicina antiga, centrada no doente e não nos agentes patológicos, o contágio se explicava pelo desequilíbrio do clima ou do ambiente, que repercutiria sobre o corpo. Hipócrates, hoje considerado o "pai da medicina", teria acendido grandes fogueiras por toda a cidade de Atenas, a fim de artificialmente modificar o seu clima[80]. Nas sucessivas epidemias, a "desordem dos lugares"

---

76 Dominique Chevé, *op. cit.*, p. 315.

77 Doença infecciosa aguda, é popularmente conhecida como peste negra, "febre do rato" ou "doença do rato", e causada pela bactéria *Yersinia pestis*. É transmitida principalmente por picada de pulga infectada, que se manifesta sob três formas clínicas principais: bubônica, septicêmica e pneumônica. Segundo o Ministério da Saúde, a peste continua sendo potencialmente perigosa em diversas partes do mundo, inclusive no Brasil, onde, entre os anos de 1993 a 2007, foram notificados 74 casos de peste humana. Além do potencial epidêmico, a doença é de alta letalidade: na forma bubônica, quando não tratada, pode alcançar 50%, enquanto nas formas pneumônica e septicêmica podem alcançar uma letalidade próxima de 100%, cf. *Portal da Saúde*, disponível em: <http://portal.saude.gov.br/>, consultado em 18/3/2012.

78 John Kelly, *A grande mortandade*, Rio de Janeiro: Bertrand Brasil, 2011, p. 14.

79 Tucídides, *La Guerre du Péloponnèse*, trad. e ed. de Denis Roussel, Paris: Gallimard, 2012, p. 161.

80 Roberto Andrade Martins, *Contágio – História da prevenção das doenças transmissíveis*, São Paulo: 1997, p. 38.

foi imputada a diversas causas: "muitos nela viam miasmas a perturbar os humores, enviados pelos deuses. Ao desequilíbrio natural que é o contágio, corresponde o desequilíbrio religioso. Este pode responder a um desequilíbrio social"[81].

Embora afirme que "as palavras são impotentes para descrever as características deste mal", Tucídides já aporta em sua obra os elementos que serão encontrados na maior parte da literatura posterior sobre a peste, entre eles, a "depressão moral" ao perceber-se contaminado, o sofrimento físico "que ultrapassa as forças humanas", o temor ao contágio, a desordem da cidade, a pilhagem, a incapacidade de gerir os cadáveres; a grande mortalidade dos médicos, os mais expostos à doença, e sua impotência diante dela; a desigualdade na repartição do cuidado, a prática de crimes que a morte iminente privaria do castigo, e a crença na confirmação de profecias, pois "as pessoas se arranjavam para que suas lembranças estivessem de acordo com os sofrimentos do momento"[82].

Na figura n. 1, Nicolas Poussin retrata um episódio do Antigo Testamento, descrito no primeiro livro de Samuel como uma punição divina infligida aos filisteus que haviam roubado o *Arco da Aliança*[83]. Tratar-se-ia de um surto de peste numa antiga aldeia mítica de inspiração romana.

Durante séculos, a peste devastou o Oriente e o Ocidente. A violência destruidora da epidemia fez dela um dos "agentes maiores da história dos homens"; portanto, "nem o demógrafo, nem o economista, nem o historiador das mentalidades, da religião, da medicina ou das guerras podem contorná-la"[84].

81 Benoît Rossignol, "La peste antonine (166 ap. J.-C.)", *Hypothèses* 1/1999, p. 34.

82 Tucídides, *op. cit.*, p. 166.

83 Símbolo da aliança entre Deus e Israel, citado mais de 200 vezes na bíblia hebraica, cf. Chiara Mercuri , "Stat inter spinas lilium: le Lys de France et la couronne d'épines", *Le Moyen Age,* 2004/3 Tome CX, p. 503.

84 Frédérique Audoin-Rouzeau, *Les chemins de la peste – le rat, la puce et l'homme*, Presses Universitaires de Rennes, 2003, p. 15.

Figura n. 1 – *A Peste de Ashdod*, de Nicolas Poussin (1630-1631)

Fonte: Reprodução de Wikimedia Commons (Museu do Louvre, Paris)

Talvez uma das mais importantes sobreviventes da peste seja a sua arte. Como Poussin, artistas de distintas épocas, representaram "os pestilentos mortos e agonizantes, e o horror que eles suscitam entre os sobreviventes"[85]. Uma farta simbologia afirmou-se ao longo dos séculos. Especialmente a partir do século XIV, com a chamada *peste negra*, a iconografia é considerada como o "arquivo sensível" da epidemia, pois as representações da doença "dão corpo ao mal coletivo, expõem a agressão real e oferecem seus traços simbólicos"[86]. Entre estas incontáveis representações, encontram-se imagens de São Sebastião, dito um dos santos antipestilentos: "porque ele sobreviveu às flechas dos homens, ele foi encarregado de proteger contra as flechas de Deus"; ou de São Roque, cujo bubão aparecia em diferentes lugares do corpo, a depender do pudor

85 Jean Vitaux, *Histoire de la Peste*, Paris: PUF, 2010, p. 184.

86 Dominique Chevé e Michel Signoli, "Corps dans la tourmente épidémique – Images de peste en mandchourie", *Corps* 1/2007 (n. 2), p. 75.

do artista[87]. Em diapasão distinto, é conhecida a sinistra imagem do *médico da peste*: "alguns médicos inventaram uma máscara e um roupão para se protegerem do contágio. Esta vestimenta os tornou alvo fácil da sátira e da caricatura"[88], como demonstra a figura n. 2.

Figura n. 2 – ***Doutor Schnabel de Roma*****, de Paul Fürst (1656)**

Fonte: Reprodução de Wikimedia Commons (*Die Karikatur und Satire in der Medizin: Medico-Kunsthistorische Studie von Professor Dr. Eugen Holländer*, 2 ed., Stuttgart: Ferdinand Enke, 1921, fig. 79).

A peste negra, que teria exterminado um terço ou um quarto da população europeia – entre 20 e 30 milhões de pessoas – , foi trazida pelas rotas marítimas e terrestres da seda: "12 embarcações

87 Jacqueline Brossollet e Henri Mollaret, *Pourquoi la peste? Le rat, la puce et le bubon*, Paris: Gallimard, 1994, p. 29 e 53.

88 Henry Sigerist, *op. cit.*, p. 30.

genovesas contaminadas pela peste, que partiram de Constantinopla em novembro de 1347, fizeram escala em Messina, de onde o mal se difundiu rumo às ilhas vizinhas, e depois a Gênova e Marselha"[89]. Entre 1348 e 1350, a doença invadiu toda a França, seguindo as estradas e os rios. Ela "poupa as regiões montanhosas, mas devasta as cidades comerciantes e as zonas populosas. Nenhuma epidemia até então havia trazido tanta destruição"[90].

A exemplo do que havia ocorrido em outras epidemias, o homem interrogava-se sobre a origem de tamanha desgraça: "a catástrofe epidêmica é um momento que exige sentido pois as coisas e os fatos não mais correspondem a eles mesmos"[91]. A epidemia favorece, assim, a aparição dos *bodes expiatórios*:

> "Esta hemorragia humana exacerba as populações, que acusam os judeus e os leprosos de propagar o mal, envenenando a água dos poços. O Papa Clemente VI abre Avignon e Comtat-Venaissin a todos os perseguidos, proibindo rigorosamente os massacres, como o que ocorreu em Estrasburgo, onde 900 judeus foram queimados vivos numa fossa do seu cemitério. Paralelamente, ele condenava as manifestações de flagelantes que percorriam a Europa cantando cânticos e chicoteando-se durante 33 dias e meio, ou seja, os anos da vida de Cristo. Vestidos com longas roupas marcadas por uma cruz e um capuz sobre a cabeça, estes penitentes, estimados em 800.000, comprometiam a população a expiar suas faltas e a acalmar a cólera de Deus numa grande histeria coletiva. O chamado pontifical – nos seguintes termos: *já os flagelantes, sob o pretexto de piedade, fizeram correr o sangue dos judeus que a caridade cristã deve preservar e proteger... pode-se temer que por sua audácia e insolência, um grave grau de perversão seja alcançado, se medidas severas não forem tomadas* – foi ouvido

....

89 Monique Lucenet, "La peste, fléau majeur", *Histoire de la médicine*, Bibliothèque interuniversitaire de medicine et d'odontologie, s/d, publicado em <www.bium.univ-paris5.fr>, p. 2.

90 *Ibid.*

91 Benoît Rossignol, *op. cit.*, p. 34

pelo Rei Felipe VI que, em 13 de fevereiro de 1350, ordena o final desta seita danada e reprovada pela Igreja"[92].

Os judeus foram perseguidos, em especial na Alemanha, e queimados aos milhares, o que constitui o tema da Figura n. 3. Conhecida como a "matança dos judeus", trata-se de uma gravura da célebre obra *Liber chronicarum*[93], publicada em 1493. Considerando que os nobres e as autoridades municipais tinham muitas dívidas para com os judeus, "a peste lhes deu a oportunidade de se livrarem de seus desprezados credores"[94].

Figura n. 3 – *Matança de judeus*, de Michael Wolgemut e Wilhelm Pleydenwurff (1493)

Fonte: Reprodução de Wikimedia Commons

[92] Monique Lucenet, *op. cit.*, p. 3.

[93] Conhecida como *Nuremberg Chronicle*, escrita pelo médico Hartman Schedel, com ilustrações de Michael Wolgemut e Wilhelm Pleydenwurff. Disponível para download em Universidade de Sevilha, Biblioteca, *Fondo Antiguo* <http://fondosdigitales.us.es/media/books/168/liber-chronicarum.pdf>.

[94] Henry Sigerist, *op. cit.*, p. 125.

Esta breve referência à história das epidemias pretende frisar três aspectos que me parecem cruciais para a compreensão do seu impacto sobre a sociedade, em especial sob a perspectiva do direito.

O primeiro deles é a ideia de *desordem*, em diversos planos, ponto em comum entre todas as narrativas conhecidas. Uma epidemia "não é somente a devastação e o sofrimento causado pela propagação de uma infecção; é, ainda, a desorganização brutal que se segue, o aviltamento do Estado, a desagregação das autoridades, das estruturas sociais e das mentalidades"[95]. Há um momento em que Tucídides afirma: "não se era mais contido nem pelo temor de Deus, nem pelas leis humanas"[96]. De Lucrécio a Boccaccio, passando por Thomas Mann, Antonin Artaud e Albert Camus, afirma-se um clichê: "destruição massiva, desorganização massiva", eis o duplo e multissecular esquema da crise epidêmica, intacto até os nossos dias[97].

Em segundo lugar, se é verdade que, no mais das vezes, a fé declinou diante do horror causado pela epidemia[98], não faltaram na história das epidemias os episódios de apropriação das crenças pelo poder. Um exemplo impactante da relação entre política, doença e religião é o colapso dos impérios ameríndios, no qual as doenças trazidas pelo colonizador europeu, especialmente a varíola, tiveram

95 Patrick Zylberman, "Crises sanitaires, crises politiques", *Les Tribunes de la santé* 1/2012, n. 34, p. 38.

96 *Op. cit.,* p. 165.

97 Patrick Zylberman, *op. cit.*, p. 38.

98 Num relato sobre a peste de Toulon, no século XVIII, Michel Vergé-Franceschi sustenta que "a fé no Bom (?) Deus foi abalada. Lemontey escreveu acerca dos sobreviventes: 'usa-se os prazeres da riqueza com um ardor que beira ao desvario ... as mulheres perdem todo o pudor'. Libertados de um cônjuge frequentemente imposto pelo pai, o tio ou o tutor, os sobreviventes atiram-se em novos casamentos rápidos, concluídos por escolha pessoal ou ditados por interesses econômicos: 722 casamentos desde 1721, quatro vezes mais do que em 1720! Ou seja, 1.544 cônjuges sobre cerca de 5 mil sobreviventes! (...) Outra consequência da peste foi a de povoar Toulon de não toulonenses. (...) Aí estão as verdadeiras consequências da peste, demográficas e mentais", cf. "1720-1721 : la peste ravage Toulon", *Annales de Bretagne et des Pays de l'Ouest,* 114-4, 2007, Parágrafo 20.

um papel hoje inconteste. Os astecas, por exemplo, diante da incompreendida imunidade dos espanhóis, interpretaram a morte massiva do seu povo – estimada em um terço ou metade da população –, como uma clara vitória do Deus cristão sobre os seus deuses[99].

No Velho Mundo, um outro exemplo, o da crença na "cura milagrosa" pelo simples toque, atribuída aos Reis da França e da Inglaterra ("O rei te toca, Deus te cura"), remonta provavelmente ao século XII[100]. A figura n. 4 é particularmente ilustrativa da extensa repercussão desta prática.

Figura n. 4 – *Bonaparte visitando os pestilentos de Jaffa em 11 de março de 1799*, de Antoine-Jean Gros (1804)

Fonte: Reprodução de Wikimedia Commons (Museu do Louvre)

Em 1804, Napoleão Bonaparte encomendou uma obra de propaganda ao Barão Antoine-Jean Gros, provavelmente a fim de

99 Michael Oldstone, *Viruses, plagues, and history: past, present, and future*, Nova Iorque: Oxford University Press, 2011, p. 5.

100 Tradição estudada na magistral obra de Marc Bloch, *Les rois thaumaturges*, Paris: Gallimard, 1983.

obnubilar as notícias sobre as atrocidades da Campanha da Síria[101]. A obra retoma oportunamente a tradição dos reis taumaturgos, eis que Napoleão foi sagrado Imperador semanas após a sua apresentação. A cena retratada é a controversa visita de Napoleão, em 1799, aos soldados franceses que foram vítimas de um surto de peste bubônica[102]. Entretanto, diz-se que Napoleão jamais tocou os doentes; ao contrário, teria ordenado o seu sacrifício. Mais do que uma audaciosa falsidade, o quadro é percebido como uma representação pública do futuro Imperador e dos soldados franceses "em meio a tudo que excede o controle do Estado"[103].

O terceiro aspecto a destacar diz respeito à relevância do comércio, eis que o estabelecimento das rotas comerciais atribuiu à propagação das doenças contagiosas uma evidente vocação internacional. Uma das normas internacionais sanitárias mais marcantes da história surgirá justamente do temor à peste. No século XIV, mais por pragmatismo do que por ciência, Veneza instituiu a primeira intersecção normativa entre saúde e comércio internacional: a quarentena[104]. Acreditava-se que a peste "vinha de fora e invadia

101 David O'Brien, "Propaganda and the Republic of the Arts in Antoine-Jean Gros's Napoleon Visiting the Battlefield of Eylau the Morning After the Battle", *French Historical Studies* v. 26, n. 2, 2003, p. 299. Uma destas atrocidades foi o massacre de 3 a 4 mil prisioneiros turcos em Jaffa (território que hoje faz parte da cidade de Tel Aviv, Israel), denunciado por Sir Robert-Thomas Wilson, em seu famoso livro *History of the British expedition to Egypt*, publicado em 1804. Parte deles foi morta a golpes de baionetas e armas brancas, por economia de munição, cf. M. Miot, "Récit du massacre des prisionniers turcs à Jaffa, témoin oculaire", *L'Ambigu: ou Variétés littéraires, et politiques*, v. 47, 1814, p. 296-298.

102 Darcy Grimaldo Grigsby, "Rumor, Contagion, and Colonization in Gros's Plague-Stricken of Jaffa (1804)", *Representations* n. 51 (Verão, 1995), p. 7.

103 *Ibid.*, p. 35.

104 Deisy Ventura, "Saúde Internacional", *in:* Maria Célia Delduque *et al.*, *O Direito Achado na Rua – Introdução Crítica ao Direito à Saúde*, v. 4, Brasília: CEAD/UnB, 2009. E ainda: "Os evidentes embaraços que o isolamento prolongado das embarcações causava aos negócios permitem entender porque as primeiras autoridades sanitárias foram, em sua maioria, os comerciantes, e não os médicos", *ibid.*

a comunidade"; assim, em épocas de epidemias, as cidades mantinham seus portões fechados e vigiavam cuidadosamente as estradas:

> "fumigava-se a correspondência e se banhavam, em vinagre, moedas e outros objetos. Sabia-se que a peste tinha origem no Oriente e que vinha por estradas e, em particular, pelas vias marítimas; os pontos mais perigosos, portanto, estavam nas cidades portuárias. Em 27 de julho de 1377, o Conselho da cidade de Ragusa [atual Dubrovnik, na Croácia] ordenou que se impedisse a entrada na cidade de todos os viajantes oriundos de países assolados pela peste, a não ser que tivessem passado um mês na ilha de Mercano [atual Mrkan, na Croácia], *ad purgandum*. Veneza seguiu o exemplo e segregou, na ilha de San Lazzaro, quem vinha do mar. Eventualmente, estendeu-se este período, de um mês, para quarenta dias, origem do nome *quarentena* para uma das mais importantes medidas sanitárias nascidas na Idade Média"[105].

Para alguns, a reclusão não era suficiente. No século XVI, o Ducado de Milão mantinha agentes em território suíço para examinar viajantes na via de São Gotardo: "o medo da peste impunha esta intromissão sobre a soberania de uma potência estrangeira"[106].

1.2. As origens da "saúde internacional"

Ao longo dos séculos XVIII e XIX, numerosas reclamações foram trocadas entre Estados marítimos sobre restrições do comércio impingidas por quarentenas consideradas abusivas e também em oposição às medidas reputadas extraterritoriais, que visavam à prevenção de epidemias; ao final do século XIX, acordos bilaterais instituíram a prevenção conjunta da propagação de certas doenças infecciosas, prevendo inclusive a notificação de tais enfermidades[107].

Em 23 de julho de 1851, abriu-se a primeira Conferência Sanitária Internacional, em Paris – vinte anos após a irrupção do cólera

105 Henry Sigerist, *op. cit.*, p.98.

106 *Ibid.*

107 Jean Salmon, *op. cit.*, p. 29.

na Europa –, com o objetivo de chegar a um acordo, entre doze Estados, sobre as prescrições mínimas da quarentena marítima, a fim de "prestar importantes serviços ao comércio e à navegação, sempre salvaguardando a saúde pública"[108]. A segunda Conferência, que curiosamente não contava com médicos entre os membros das delegações nela representadas, ocorreu novamente em Paris, em 1859; a terceira, realizou-se em Constantinopla, em 1866; a quarta, em Viena, em 1874; a quinta, em Washington, em 1881; outras conferências ocorreram em Roma (1885), Veneza (1892), Dresde (1893), mais uma vez em Paris (1894) e novamente em Veneza (1897), todas elas resultando em convenções de alcance limitado, referentes à prevenção do cólera ou da peste[109].

Em 1926, uma nova convenção sanitária internacional cobre a febre amarela, o tifo e a varíola, empregando os mesmos métodos das convenções anteriores: desinfecção de navios, pessoas, roupas e mercadorias a partir do momento em que uma infecção é deflagrada; isolamento dos *suspeitos*, quarentena ou tratamento de doentes em lugares isolados; desratização e eliminação de mosquitos dos navios[110]. Aquela época foi marcada por um novo comportamento, dito *higienista*: de um lado, lutava-se para fazer desaparecer as epidemias; de outro, educava-se a população para que facilitasse a luta contra a doença – assim, naquele momento, o indivíduo tornou-se o alvo principal da saúde pública, em detrimento do ambiente social e político no qual ele evolui[111].

Nos primeiros 100 anos da chamada *diplomacia sanitária internacional*, começada em 1851, um "imenso corpo de direito internacional sobre saúde pública, hoje largamente esquecido, foi criado", cujas características básicas são: a tendência de internacionalizar a saúde em função do comércio; a necessidade de cooperação que

108 OMS, *Les dix premières années de l'organisation mondiale de la santé*, Genebra: OMS, 1958, p. 6.

109 *Ibid.*, p. 11-14.

110 Jean Salmon, *op. cit.*, p. 31.

111 Patrice Bourdelais, *op. cit.*, p. 21.

os riscos de contaminação impunham aos Estados; o envolvimento de corporações multinacionais e de atores não governamentais em numerosas iniciativas; e a grande diversidade entre os resultados dos diferentes regimes jurídicos adotados[112].

Paralelamente, transcorreu a institucionalização de repartições sanitárias. O escritório sanitário de Alexandria constitui provavelmente o mais antigo organismo sanitário do mundo, porque ele remonta à criação, por Mehemet Ali, em 1831, de um organismo destinado a combater as epidemias propagadas pelos peregrinos aos lugares santos do Islã[113]. Em 1927, o escritório de Alexandria tornou-se a repartição regional de outro organismo, desta vez com pretensão de universalidade: o *Escritório Internacional da Higiene Pública*, criado em 1907, com sede em Paris, e considerado "a primeira instituição internacional na área da saúde"[114] [115].

....

112 David Fidler, The globalization of public health: the first 100 years of international health diplomacy", *Bulletin of the WHO*, 2001, 79 (9), p. 846.

113 Denys Simon, "L'interprétation de l'accord du 25 mars 1951 entre l'OMS et l'Égypte", *Revue Générale de Droit International Public*, out.-dez./ 1981, p. 797.

114 Ricardo Seitenfus, *Manual das Organizações Internacionais,* 5 ed., Porto Alegre: Livraria do Advogado, 2012, p. 237.

115 Bem mais tarde, em 21/5/1980, a OMS apresentou sua primeira demanda de *opinião consultiva* ao *Tribunal Internacional de Justiça* (criado em 1945, com sede em Haia, tendo seu Estatuto o valor de anexo à *Carta de São Francisco* que constituiu a Organização das Nações Unidas, ONU). Seu escopo foi obter uma interpretação fidedigna do acordo de sede firmado com o Egito sobre a instalação da repartição em Alexandria. As questões da OMS versavam sobre os efeitos de eventual transferência desta repartição para a Jordânia. Em acórdão de 20/12/1980, o TIJ emitiu "uma espécie de *julgamento de Salomão,* remetendo às partes envolvidas a preocupação de regrar a transferência da repartição de acordo com diretivas flexíveis fundadas em princípios equitativos, tendo em conta as circunstâncias particulares do caso", cf. Denys Simon, *op. cit.,* p. 841. Atualmente, a OMS tem escritórios no Cairo, Egito, e em Amã, Jordânia. A segunda demanda de opinião consultiva formulada pela OMS foi recusada pelo TIJ, v. *Legality of the Use by a State of Nuclear Weapons in Armed Conflict,* Advisory Opinion, I.C.J. Reports 1996, p. 66.

Nas Américas, uma *Repartição Sanitária Internacional das Repúblicas Americanas* foi criada, na cidade de Washington, em 1902, vindo a tornar-se, mais tarde, a *Organização Pan-Americana da Saúde* – OPAS[116].

Em 1920, começa a funcionar a *Organização de Higiene da Sociedade das Nações*[117], com sede em Genebra, baseada no artigo 23 *f* do Pacto de 1919, segundo o qual "os Estados-membros esforçar-se-ão para tomar medidas de ordem internacional a fim de prevenir e combater as doenças"[118]. Dificuldades políticas impediram a fusão da organização genebrina com a parisiense, o que não as privou de manter um vínculo orgânico[119].

A organização da Sociedade das Nações

> "tinha orçamento pequeno, e defrontou-se com oposição velada de outras organizações nacionais e internacionais, inclusive do Serviço de Saúde Pública dos Estados Unidos. Apesar dessas complicações, que limitavam a eficácia da Liga, tanto o *Office Internationale d'Hygiène Publique* quanto a *Health Organisation* sobreviveram

---

116 Brown *et al.*, *op. cit.*, p. 627. Sobre a OPAS [hoje OPS], ver especialmente Paul Weindling, As origens da participação da América Latina na Organização de Saúde da Liga das Nações, 1920 a 1940. *Hist. cienc. saude-Manguinhos* 2006, v. 13, n. 3, p. 555-570.

117 "Tanto a expressão Sociedade como Liga [das Nações] são oficiais. No entanto possuem conotações distintas, pois a primeira fornece uma ideia de relacionamento harmonioso e igualitário, enquanto a segunda acentua o aspecto contratual, objetivando lutar contra alguém ou contra algo", Ricardo Seitenfus, *op. cit.,* p. 105.

118 O primeiro *informativo semanal* da *Seção de Higiene* do Secretariado da Sociedade das Nações foi publicado em 1/4/1926, contendo informações sobre a peste, o cólera, a febre amarela e a varíola recebidos na semana que terminou em 31/3/1926. Até hoje, a OMS mantém este informativo, rebatizado *The Weekly Epidemiological Record* (WER), disponibilizando todos os seus arquivos em seu *site* oficial na internet, disponível em: <www.who.org>.

119 Sociedade das Nações, *Bulletin de l'Organisation d'hygiène – Bibliographie des travaux techniques de l'Organisation d'hygiène des Nations Unies, 1920-1945,* v. XI, Genebra, 1945.

durante a Segunda Guerra mundial, e estiveram presentes no crítico momento do pós-guerra, quando seria definido o futuro da saúde internacional"[120].

A partir de 1946, o Escritório de Paris foi dissolvido e seu serviço epidemiológico foi oficialmente transferido à *Comissão Interimária* [responsável pela implantação da] *da OMS*, em 1º de janeiro de 1947[121]. Conforme o *Protocolo relativo ao Escritório de Higiene Pública*[122], as tarefas outrora a ele confiadas por diversas convenções internacionais foram então transferidas à nascente OMS[123].

1.3. O surgimento da OMS

A *Conferência das Nações Unidas sobre a organização internacional*, ocorrida em São Francisco (Estados Unidos), em 1945, resultou na *Carta de São Francisco*, tratado constitutivo da *Organização das*

---

120 Brown *et al.*, *op. cit.*, p. 627.

121 Os arquivos do Escritório de Higiene compreendem principalmente patentes sanitárias marítimas, certificados de desratização, correspondência com os Estados sobre o acordo de Roma etc. O inventário destes arquivos encontra-se disponível no *site* oficial da OMS: <www.who.org>.

122 Concluído em Nova Iorque, em 22/7/1946 e internalizado no Brasil pelo Decreto n.26.042, de 17/12/1948, sob a denominação de *Repartição*, sendo a expressão *Escritório* mais utilizada pela doutrina – texto original disponível em: <http://www.admin.ch/ch/f/rs/i8/0.810.11.fr.pdf>.

123 São elas: *Convenção Sanitária Internacional*, de 21/6/1926, e suas modificações de 1938 e 1944; *Convenção Sanitária Internacional para a Navegação Aérea*, de 1933, e suas modificações de 1933; *Acordo internacional relativo às facilidades a conceder a marinheiros do comércio para tratamento de doenças venéreas*, de 1924; *Convenção do ópio*, de 1925; *Convenção para limitar a fabricação e regulamentar a distribuição de entorpecentes*, de 1931; *Convenção relativa ao soro antidiftérico*, de 1930; *Convenção internacional sobre a proteção mútua contra a dengue*, de 1934; *Acordo internacional concernente à supressão das patentes de saúde*, de 1934; *Acordo internacional concernente à supressão de vistos consulares sobre patentes de saúde*, de 1934; e o *Acordo internacional sobre o transporte de corpos*, de 1937, *ibid.*, Anexo I.

Nações Unidas – ONU, firmado em 26 de junho e vigente desde 24 de outubro daquele mesmo ano. Em seu artigo 59, a Carta prescreve:

> "A Organização, quando for caso, iniciará negociações entre os Estados interessados para a criação de novas organizações especializadas que forem necessárias ao cumprimento dos objetivos enumerados no artigo 55".

O artigo 55 da Carta, por sua vez, estipula:

> "Com o fim de criar condições de estabilidade e bem-estar, necessárias às relações pacíficas e amistosas entre as Nações, baseadas no respeito do princípio da igualdade de direitos e da autodeterminação dos povos, as Nações Unidas promoverão:
>
> A elevação dos níveis de vida, o pleno emprego e condições de progresso e desenvolvimento econômico e social;
>
> A solução dos problemas internacionais econômicos, sociais, **de saúde** e conexos, bem como a cooperação internacional, de caráter cultural e educacional;
>
> O respeito universal e efetivo dos direitos do homem e das liberdades fundamentais para todos, sem distinção de raça, sexo, língua ou religião" (sem grifo no original)[124].

124 O artigo 57 acrescenta que "As várias organizações especializadas, criadas por acordos intergovernamentais e com amplas responsabilidades internacionais, definidas nos seus estatutos, nos campos econômico, social, cultural, educacional, **de saúde** e conexos, serão vinculadas às Nações Unidas" (sem grifo no original), e serão designadas como "organizações especializadas". Conforme o artigo 58, a ONU "fará recomendações para coordenação dos programas e atividades das organizações especializadas". O artigo 13 determina que a "Assembleia Geral promoverá estudos e fará recomendações, tendo em vista: a) Fomentar a cooperação internacional no plano político e incentivar o desenvolvimento progressivo do direito internacional e a sua codificação; b) Fomentar a cooperação internacional no domínio econômico, social, cultural, educacional e **da saúde** e favorecer o pleno gozo dos direitos do homem e das liberdades fundamentais, por parte de todos os povos, sem distinção de raça, sexo, língua ou religião" (sem grifo no original).

Não restam dúvidas, portanto, de que a saúde é um dos campos de atividade cobertos pelas competências do sistema onusiano desde sua origem[125]. Neste sentido, a Conferência de São Francisco adotou uma proposta de declaração apresentada pelas delegações do Brasil[126] e da China, com o seguinte teor:

> "As delegações do Brasil e da China recomendam que uma conferência geral seja convocada nos próximos meses com vista ao estabelecimento de uma organização internacional da saúde. Elas têm a intenção de consultar os representantes de outras delegações a fim de chegarem a um acordo sobre a convocação, em data próxima, de tal conferência, à qual cada um dos governos aqui representados será convidado a enviar representantes. Elas recomendam que, quando da elaboração de um plano visando à criação de uma Organização Internacional da Saúde, proceda-se

125 "As organizações internacionais multiplicam-se à medida que aumenta a conscientização a respeito dos problemas especificamente internacionais, ante os quais são impotentes os Estados, mesmo os que se arrogam a condição de mais poderosos, evidenciando as crescentes necessidades de operação coordenada", Hildebrando Accioly *et al.*, *Manual de Direito Internacional Público*, 16 ed., São Paulo: Saraiva, 2008, p. 394.

126 A delegação brasileira na Conferência de São Francisco foi chefiada por Estêvão Leitão de Carvalho. O protagonismo brasileiro deve-se, em parte, ao fato de que o Brasil era percebido pelos Estados Unidos "como parceiro confiável e *aliado fiel*", a ponto de se ter cogitado seu pertencimento ao Conselho de Segurança da ONU na qualidade de sexto membro permanente, cf. Eugênio V. Garcia, "De como o Brasil quase se tornou membro permanente do Conselho de Segurança da ONU em 1945", *Revista brasileira de política internacional* 2011, v. 54, n. 1, p. 175. Ao menos até a *Conferência de Dumbarton Oaks*, em 1944, "as credenciais pouco democráticas de Vargas não eram obstáculo a uma estreita cooperação entre os dois países. Enquanto prevalecessem os imperativos estratégicos da guerra e da alta política mundial, em tempos de polarização ideológica e embate global com o nazifascismo, de menor relevância era a natureza do regime político brasileiro. A longa noite autoritária do Estado Novo não obscurecia o fato de que o Brasil, com Vargas e Oswaldo Aranha, havia-se revelado um apoio vital aos EUA nos momentos de necessidade", *ibid.*, p. 160.

ao exame aprofundado dos métodos a seguir, com respeito a tal organização, para amalgamá-la a outras instituições, nacionais ou internacionais, que já existem ou poderiam ser criadas posteriormente no domínio da saúde. Elas recomendam que a Organização Internacional da Saúde, que é o objeto desta proposição, seja vinculada ao Conselho Econômico e Social"[127].

Assim, o Conselho Econômico e Social da ONU convocou uma *Comissão Técnica Preparatória* (de uma futura conferência para criação de uma organização internacional de saúde), que se reuniu em Paris, entre 18 de março e 5 de abril de 1946, presidida pelo belga René Sand[128]. Sua missão foi a de elaborar uma proposta de carta constitutiva para a nova organização, além de um projeto de ordem do dia para a Conferência.

Reunindo dezesseis especialistas de saúde pública que nela atuaram *intuitu personae*[129], a Comissão contou ainda com representantes de quatro organizações: a *Organização Sanitária Panamericana*, a *Organização de Higiene das Nações Unidas*, o *Escritório das Nações Unidas para o Auxílio e a Reabilitação* (UNRRA) e o *Escritório Internacional de Higiene Pública*[130].

....

127 ONU, AG-012, *Fonds d'archives de la Conférence des Nations Unies sur l'Organisation internationale* (UNCIO), S-1018, Commissions et comités techniques de l'UNCIO, II/3/32, documento 614.

128 Físico de formação, René Sand foi um dos precursores da medicina social e um grande internacionalista do entreguerras. Sobre sua biografia, v. Alain Anciaux, *René Sand et la culture des valeurs humaines*, Ottawa: Conseil international de l'action sociale, 1988; e, mais recentemente, Kerstin Eilers, "René Sand (1877-1953) and His Contribution to International Social Work, IASSW-President 1946-1953", *Social Work & Society* v. 6, 2008, p. 142-148.

129 Oriundos de Argentina, Bélgica, Brasil, Canadá, China, Egito, Estados Unidos, França, Grécia, Índia, Inglaterra, Yugoslávia, México, Noruega, Polônia e Tchecoslováquia. Participaram, ainda, onze conselheiros ou suplentes, cf. OMS, *Actes officiels de l'OMS n. 1 – Résumé des débats de la Commission technique préparatoire de la Conférence internationale de la santé*, Genebra: OMS, outubro de 1947, p. 5-6.

130 *Ibid.*

Da análise das atas das reuniões desta Comissão, emerge o importante papel exercido pelo brasileiro Geraldo Horácio de Paula Souza (1889-1951). Nascido em Itu, numa família tradicional de fazendeiros, Paula Souza era Professor da *Faculdade de Medicina de São Paulo*, quando foi enviado a Baltimore (Estados Unidos)[131]. Lá permaneceu, de 1918 a 1921, cursando uma especialização em saúde pública na *Johns Hopkins University*, graças a um convênio com a *Fundação Rockefeller* que visava à criação de um laboratório de higiene, vinculado à cátedra de higiene. O laboratório, rebatizado, em 1924, de *Instituto de Higiene*, deu origem à atual *Faculdade de Saúde Pública* da Universidade de São Paulo, e foi dirigido por Paula Souza, de 1922 até sua morte.

É provável que o espaço destacado de atuação dos sanitaristas brasileiros daquele período deva-se, ao menos em parte, aos vínculos que estabeleceram durante sua formação. Entre 1917 e 1942, a *Fundação Rockefeller* leva aos Estados Unidos (especialmente à *Johns Hopkins University*) mais de 300 estudantes, sobretudo brasileiros, promovendo, em benefício do continente norte-americano, uma reorientação dos fluxos de estudantes outrora majoritariamente dirigidos à Europa, e em particular à Faculdade de Medicina de Paris[132]. A finalidade deste intercâmbio foi a de formar as elites capazes de assumir a direção das faculdades de medicina, dos hospitais e das administrações de saúde pública

---

131 Jayme Brener (org.), *A Casa de Higeia: o percurso da Faculdade de Saúde Pública de São Paulo 1918-2010*, São Paulo: Ex Libris, 2010, p. 34-46. No Brasil, à testa do *Serviço Sanitário do Estado de São Paulo* entre 1924 e 1927, foi um dos mais importantes formuladores de políticas públicas de saúde do Brasil, exercendo influência decisiva sobre o *Código Sanitário* de 1925. Foi igualmente chefe da área social do *Serviço Social da Indústria* (SESI) de 1946 até seu falecimento. Ver ainda Lina Faria, "A Casa de Geraldo de Paula Souza: texto e imagem sobre um sanitarista paulista", *Hist. cienc. saude-Manguinhos* 2005, v. 12, n. 3, p. 1011-1024.

132 Ludovic Tournès, "La fondation Rockefeller et la naissance de l'universalisme philanthropique américain", *Critique internationale* n. 35, 04-06/2007, p. 189.

que a Fundação financiava na América do Sul. Naturalmente, tais atores tendiam a ser os representantes de seus Estados em foros internacionais, sendo também vocacionados para trabalhar como agentes internacionais. Embora impregnados da percepção norte-americana, outorgavam aos jovens organismos internacionais uma aura de maior representatividade.

Paula Souza, por exemplo, de 1927 a 1929, trabalhou na Seção de Saúde da *Liga das Nações*; em 1944, foi convidado a chefiar a área de controle epidêmico do UNRRA, nos Estados Unidos[133]. Presidiu a *Sub-Comissão para o estudo da ordem do dia* da vindoura conferência[134] e, alguns meses depois, tornou-se um dos vice-presidentes da Conferência Internacional da Saúde[135].

Por iniciativa do psiquiatra George Brock Chisholm (1896-1971)[136], a Comissão Técnica alterou a denominação inicialmente proposta pelo Brasil e pela China, de uma Organização *Internacional* da Saúde, para Organização ***Mundial*** da Saúde, com o escopo de "bem demarcar que a organização, diferentemente de outras instituições,

133 Jayme Brener (org.), *op. cit.*, p. 34-46.

134 Além de participar de duas outras sub-comissões: a de metas e objetivos, e a para o organismo diretor. No debate sobre o capítulo relativo aos objetivos da nova organização, uma de suas falas chama particular atenção: "no que concerne ao parágrafo (b) 'Prevenir as doenças e evitar sua propagação', o Dr. Paula de Souza sublinha, que no domínio internacional, há países que 'exportam' doenças e outros que as 'importam'. Seria necessário estabelecer uma diferenciação entre estes dois grupos e formular, neste ponto, princípios claramente definidos", cf. OMS, *Actes officiels de l'OMS n. 1, op. cit.*, p. 17.

135 Os demais Vice-Presidentes foram James Kofoi Shen (China), André Cavaillon (França), Wilson Jameson (Reino Unido) e F. G. Krotkov (União Soviética), *Actes officiels de l'OMS n. 2 – Débats et actes finaux de la Conférence Internationale de la Santé*, Genebra, junho de 1948, p. 6.

136 Veterano da Primeira Guerra Mundial, à época Ministro Adjunto da Saúde do Canadá, veio a ser o secretário executivo da *Comissão Interina da OMS*, de 1946 a 1948, e o primeiro diretor-geral da OMS, de 1948 a 1953.

excederá o âmbito internacional"[137]. No momento desta deliberação, em 22 de março de 1946, o médico Szeming Sze, técnico sênior da *Administração Nacional da Saúde* da China, explicou à Comissão Técnica que Brasil e China, ao empregar o termo *internacional*, quiseram demarcar-se das instituições que se definiam como "das Nações Unidas", considerando a necessidade de adotar um "nome concebido em termos mais amplos". Ainda segundo a ata,

> "o Dr. Sze apoia, então, calorosamente o nome de *Organização Mundial da Saúde* que foi proposto. A Organização poderá se felicitar por ser a primeira a reconhecer que o mundo entra numa nova era"[138].

Em 11 de junho de 1946, o Conselho Econômico e Social da ONU adota a resolução que aprova as recomendações da Comissão Técnica e transmite à Conferência Internacional da Saúde as diversas observações feitas pelos membros do Conselho a respeito do projeto de Constituição da nova organização[139].

Em Nova Iorque, de 19 de junho a 22 de julho de 1946, teve lugar, finalmente, a Conferência Internacional da Saúde, reunindo 64 Estados[140], além de observadores: das autoridades aliadas de

....

137 Na proposta de Chishom, "organização *mundial* ou *universal* da saúde", OMS, *Actes officiels de l'OMS n. 1, op. cit.*, p. 17.

138 *Ibid.*, p. 19. O entusiasmo da delegação chinesa (apoiada por Argentina, Brasil, México, República Dominicana e Ucrânia) não impediu que, durante a Conferência Internacional da Saúde, ocorressem acalorados debates em torno do nome da organização, eis que o Reino Unido (apoiado por Austrália, Holanda e Panamá) insistia em ressaltar o pertencimento da organização às Nações Unidas, cf. *Actes officiels de l'OMS n. 2, op. cit.*, p. 16.

139 *Ibid.*, p. 119-121.

140 Entre os membros das Nações Unidas, 51 Estados: Arábia Saudita, Argentina, Austrália, Bélgica, Bolívia, Brasil (sendo delegados brasileiros, além de Paula Souza, Alberto Carneiro, Roberto de Oliveira Campos e João Augusto de Araújo Castro), Canadá, Chile, China, Colômbia, Costa Rica, Cuba, Dinamarca, Egito, Equador, Estados Unidos (com a maior delegação, de 24 membros), Etiópia, França,

controle da Alemanha, da Coréia e do Japão; de organizações internacionais[141] e da *Fundação Rockefeller* – cuja presença (com cinco representantes) não deve surpreender, pois ela foi uma grande colaboradora da Sociedade das Nações, sobretudo de seus comitês técnicos[142].

....

Grécia, Guatemala, Haiti, Holanda, Honduras, Índia, Irã, Iraque, Líbano, Libéria, Luxemburgo, México, Nicarágua, Noruega, Nova Zelândia, Panamá, Paraguai, Peru, Polônia, República Dominicana, República das Filipinas, República Socialista Soviética da Bielorrússia, República Socialista Soviética da Ucrânia, Reino Unido, Salvador, Síria, Tchecoslováquia, Turquia, União das Repúblicas Socialistas Soviéticas, União Sul-africana, Uruguai, Venezuela e Yugoslávia. Entre os não membros, 13 Estados: Albânia, Áustria, Bulgária, Finlândia, Hungria, Irlanda, Islândia, Itália, Portugal, Sião, Suécia, Suíça e Transjordânia, cf. listas das delegações e de seus membros, *ibid.*, p. 7-15.

141 Foram elas: UNRRA, Escritório Sanitário Panamericano, Federação Sindical Mundial, Liga das Sociedades da Cruz Vermelha, Escritório Internacional de Higiene Pública, Organização Provisória da Aviação Civil Internacional, Organização Internacional do Trabalho, Organização para a Alimentação e a Agricultura e Organização das Nações Unidas para a Educação, a Ciência e a Cultura.

142 Em 1922, por exemplo, ela concede uma subvenção de 340 mil dólares à Organização da Higiene, cf. Paul Weindling, "Philanthropy and World Health: The Rockefeller Foundation and the League of Nations Health Organisation", *Minerva* v. 35 (3), 1997, p. 269. Tal cooperação se explica facilmente: "As grandes fundações filantrópicas (*Russel Sage, Carnegie, Rockefeller, Milbank Memorial Fund, Julius Rosenwald Fund, Twentieth Century Fund, Commonwealth Fund*) foram criadas ao longo das duas primeiras décadas do século XX, numa América em plena explosão econômica. Elas são, de um lado, produtos do capitalismo selvagem, pois foram fundadas por grandes industriais que são seus atores (Carnegie, Rockefeller, Rosenwald, Filene...), mas se pretendem igualmente organismos de regulação dos problemas sociais engendrados pela industrialização desenfreada dos anos 1860-1890. A meio caminho entre o mundo dos *barons voleurs* e o da reforma social, as fundações são atrizes ambíguas da era dita progressista dos anos 1890-1920, marcada por reformas que verão nascer a América moderna", Ludovic

Resultaram da Conferência Internacional da Saúde[143]:

- a Constituição da OMS, assinada por 61 Estados, dois deles sem formular reservas ao texto;
- a ata final, firmada por 61 Estados, dos quais 59 o fizeram sem reservas;
- o acordo para estabelecer uma Comissão Interina, subscrito por 61 Estados, 47 deles sem reservas;
- e o Protocolo relativo ao Escritório Internacional de Higiene Pública, assinado por 60 Estados, 18 deles sem apresentar reservas.

Durante a Conferência, as questões mais controversas não foram as propriamente jurídicas – e sim as relativas à criação e às funções dos novos escritórios regionais da organização, assim como as relações da nascente OMS com as instituições regionais de saúde já existentes. Terminou por decidir que a Organização Sanitária Pan-Americana, representada pelo *Pan-American Sanitary Bureau*, as Conferências Sanitárias Pan-Americanas, e todas as outras organizações regionais intergovernamentais de saúde que já existissem antes da data da assinatura desta Constituição fossem, em tempo oportuno, integradas à Organização, por meio de uma ação comum, baseada no consentimento mútuo das autoridades competentes[144].

Tournès, *op. cit.,* p. 175. Para Tournès, "o vínculo orgânico entre a saúde dos indivíduos e o progresso do corpo social é o fio condutor da filosofia *rockefelleriana.* Esta ideia se concretiza pela criação, em 1901, do *Rockefeller Institute for Medical Research,* depois, em 1903, do *General Education Board,* e mais tarde, em 1909, da *Sanitary Commission for the Eradication of Hookworm Disease* destinada a promover práticas de higiene para eliminar a ancilostomíase [conhecida como amarelão], doença endêmica do Sul dos Estados Unidos", p. 179. Um resumo da história da Fundação encontra-se em seu *site* oficial: <http://www.rockefellerfoundation.org>.

143 *Actes officiels de l'OMS n. 2, op. cit.,* p. 6.

144 Art. 54 da Constituição da OMS.

1.4. A Constituição da OMS

Ao contrário de outras organizações internacionais em que a expressão *Constituição* gerou enorme dissenso – e, a seguir, o rechaço das populações de seus Estados-membros[145] –, no seio da OMS, uma Constituição emergiu naturalmente no sentido de *estatuto* da instituição, "que determina todas as atividades da vida da organização. O ato constitutivo é a norma suprema da ordem jurídica por ela criada"[146].

Embora não contenha um rol de direitos, apartando-se, assim, dos modelos constitucionais nacionais, a Constituição da OMS possui indubitavelmente um dos preâmbulos mais citados da história do direito dos tratados:

....

145 "O Tratado de Lisboa, sem que as regras jurídicas mantidas sejam fundamentalmente diferentes [do projeto de Constituição Europeia], inscreve-se num processo que se traduz pela morte do signo. Se nos dedicarmos ao jogo obrigatório da comparação entre o [projeto de] tratado constitucional e o Tratado de Lisboa, qualquer que possa ser a semelhança de certas de suas disposições, constata-se que elas se distinguem irredutivelmente, como sublinha de modo muito significativo Jean-Louis Quermonne, por seu grau de ambição: 'de um lado: nada menos que a referência à obra constitucional da Convenção de Filadélfia; de outro: um ato notarial, laborioso resultado de uma conferência intergovernamental de caráter diplomático'. É então o superinvestimento mitológico que faz a diferença. Esta constatação, a despeito de sua relativa banalidade, é sem dúvida uma das chaves que permite melhor apreender a um só tempo os desafios conjunturais das controvérsias em torno da constitucionalização da construção europeia, e, mais além, de interrogar-se acerca dos desafios teóricos de um debate que não deixa de dividir a doutrina", Denys Simon, "La constitution européenne comme mythe", *in:* Jean-Claude Masclet *et al.* (orgs.), *L'Union européenne, Union de droit, union des droits – Mélanges en honneur du Professeur Philippe Manin*, Paris: Pedone, 2010, p. 206.

146 Constance Chevallier-Govers, "Actes constitutifs des organisations internationales et constitutions nationales", *Revue Générale de Droit International Public*, 04-06/2001, p. 340.

"Os Estados-membros desta Constituição declaram, em conformidade com a Carta das Nações Unidas, que os seguintes princípios são basilares para a felicidade dos povos, para as suas relações harmoniosas e para a sua segurança: a saúde é um estado de completo bem-estar físico, mental e social, e não consiste apenas na ausência de doença ou de enfermidade.

Gozar do melhor estado de saúde que é possível atingir constitui um dos **direitos fundamentais** de todo o ser humano, sem distinção de raça, de religião, de credo político, de condição econômica ou social.

A saúde de todos os povos é essencial para conseguir a paz e a segurança e depende da mais **estreita cooperação dos indivíduos e dos Estados**. Os resultados conseguidos por cada Estado na promoção e proteção da saúde são de valor para todos. **O desigual desenvolvimento em diferentes países no que respeita à promoção de saúde e combate às doenças, especialmente contagiosas, constitui um perigo comum**.

O desenvolvimento saudável da criança é de importância basilar; a aptidão para viver harmoniosamente num meio variável é essencial a tal desenvolvimento.

A **extensão a todos os povos dos benefícios dos conhecimentos médicos, psicológicos e afins** é essencial para atingir o mais elevado grau de saúde.

Uma **opinião pública esclarecida** e uma **cooperação ativa da parte do público** são de uma importância capital para o melhoramento da saúde dos povos.

Os **Governos têm responsabilidade pela saúde dos seus povos**, a qual só pode ser assumida pelo estabelecimento de medidas sanitárias e sociais adequadas.

Aceitando estes princípios com o fim de cooperar entre si e com os outros para promover e proteger a saúde de todos os povos, as partes contratantes concordam com a presente Constituição e estabelecem a Organização Mundial da Saúde como um organismo especializado, nos termos do artigo 57 da Carta das Nações Unidas" (sem grifo no original).

Além de uma definição de saúde que marcará o século XX, já mencionada na Introdução, ele enuncia, pela primeira vez como direito fundamental, o direito a *gozar do melhor estado de saúde possível*[147], e isto sem discriminação racial, religiosa, política, econômica ou social.

Mas a Constituição da OMS ultrapassa a visão de saúde como bem jurídico individual, compreendendo igualmente as dimensões coletiva e de desenvolvimento[148]. No plano coletivo, a Carta reconhece a responsabilidade dos governos pela saúde dos povos, a ser exercida também por meio de políticas sociais. Ela é pioneira em sua época, ao abordar o controverso tema da participação social. Não somente menciona o papel da *opinião pública* e da *cooperação ativa* da cidadania, como estipula, em diversos de seus dispositivos, a participação de organizações não governamentais nas instâncias da organização.

Quanto ao desenvolvimento, o preâmbulo elucida que, vinculada à paz e à segurança internacionais, a saúde depende da cooperação

....

147 "Mas é claro que houve precedentes. Antes do século XVIII, a responsabilidade em caso de doença ou enfermidade caiu, predominantemente, nas mãos de entidades privadas, tais como instituições de caridade e igrejas. As instituições estatais normalmente só intervinham em casos de doenças epidêmicas ou pandêmicas, principalmente estabelecendo formas de quarentenas. No centro de todas essas considerações, em sua maioria de saúde coletiva, estavam esforços para proporcionar saneamento adequado, em particular nas cidades maiores. No século XVIII, a consciência de saúde pública e sua importância para a sociedade cresceu rapidamente, ainda que o conceito de saúde pública moderna só tenha se desenvolvido nos dias da revolução industrial, quando condições insalubres de trabalho e de vida, causadas em grande medida pela produção em massa, levaram a epidemias e outros graves problemas de saúde, retratados nos romances de Charles Dickens", Eibe Riedel, *op. cit.*, p. 21.

148 A fórmula "bem jurídico individual, coletivo e de desenvolvimento" é de Sueli Gandolfi Dallari e Vidal Serrano Nunes Jr., *op. cit.*, p. 7.

dos Estados, que devem compartilhar os benefícios dos conhecimentos alcançados, pois a desigualdade no nível de desenvolvimento dos Estados constitui um "perigo comum"[149].

Como toda a Constituição, a Carta define a estrutura institucional e o processo decisório da nova organização. Seu quadro orgânico reflete, de modo geral, a tendência da jovem *família onusiana*:

> "A estrutura típica de uma agência especializada baseia-se no *plenário*, no qual todos os membros estão representados. Esse órgão elege um *conselho executivo mais reduzido*; nele, a participação pode ser determinada não apenas pelo critério geográfico, mas também por condições funcionais"[150].

Logo, somando-se o Secretariado (composto pela Direção-Geral e pelo pessoal administrativo), está constituído o triângulo institucional básico da OMS, que detalharemos a seguir.

A Assembleia é o plenário em que cada Estado-membro[151] tem direito a um voto[152]. Ela reúne-se anualmente para fixar a política geral da Organização, tomar decisões, fazer recomendações, votar o orçamento e criar as comissões necessárias às atividades da OMS.

---

149 Neste sentido, a Constituição da OMS é precursora de uma tendência hoje instalada no direito internacional: "Para além da progressiva normatização dos comportamentos internacionais, o direito internacional torna-se, sob certo aspecto, cada vez menos universal. Ele tende a diferenciar-se levando em conta o domínio de atuação das normas, a especificidade das regiões e o grau de desenvolvimento dos Estados", Alberto do Amaral Jr., *Curso de Direito Internacional Público*, 3 ed., São Paulo: Atlas, 2012, p. 24.

150 (*Sem grifo no original*) Malcolm N. Shaw, *Direito Internacional*, São Paulo: Martins Fontes, 2010, p. 903.

151 Conforme o artigo 11 da Carta, "cada Estado-membro será representado por um máximo de três delegados, sendo um deles designado pelo Estado-membro como chefe da delegação. Esses delegados deverão ser escolhidos de entre *as pessoas mais qualificadas pela sua competência técnica no domínio da saúde*, preferivelmente representando a administração nacional de saúde do Estado-membro", *sem grifo no original*. Os delegados serão acompanhados por substitutos e conselheiros (art. 12).

152 Artigo 59 da Constituição.

As decisões da Assembleia da Saúde sobre a adoção de convenções ou acordos (que serão tratados mais adiante), a aprovação de acordos com as Nações Unidas e organizações e instituições intergovernamentais, e as alterações da Constituição são tomadas por *maioria de dois terços* dos Estados-membros presentes e votantes; os demais assuntos, por *maioria simples*; este sistema de votação estende-se ao Conselho Executivo e às comissões da Organização[153].

Podemos agrupar as principais funções da Assembleia, previstas especialmente no artigo 18 da Constituição, em três grupos:

- de condução política da organização (alínea a);
- de órgão supremo da estrutura institucional: (m) tomar quaisquer outras medidas tendentes a realizar o objetivo da Organização (l) criar quaisquer outras instituições que considere convenientes; (b) indicar os Estados-membros com direito a designar uma pessoa para fazer parte do Conselho; (c) nomear o Diretor-Geral; (d) rever e aprovar os relatórios e as atividade do Conselho e do diretor-geral, dar ao Conselho instruções em relação com os assuntos sobre os quais possam considerar-se convenientes medidas, estudos, investigações ou elaboração de relatórios; (e) criar as comissões que considere necessárias às atividade da Organização; (f) fiscalizar a política financeira da Organização e rever e aprovar o orçamento; (h) convidar qualquer organização internacional ou nacional, governamental ou não governamental, que tenha responsabilidades relacionadas com as da Organização, a nomear representantes para participar, sem direito de voto, nas suas sessões ou nas das comissões e conferências reunidas sob a sua autoridade – no caso de organizações nacionais, com o consentimento do Governo interessado; j) relatar ao Conselho Econômico e Social, em conformidade com as disposições de qualquer acordo realizado entre a Organização e as Nações Unidas;

153 Artigo 60 da Constituição.

- de iniciativa em matéria de debate, estudo e eventual regulamentação de temas: (g) dar instruções ao Conselho e ao diretor-geral para chamar a atenção dos Estados-membros e das organizações internacionais, governamentais ou não governamentais, sobre qualquer assunto respeitante à saúde que a Assembleia considere apropriado; (i) considerar recomendações que tratem de saúde, feitas pela Assembleia Geral, pelo Conselho Econômico e Social, pelo Conselho de Segurança ou pelo Conselho de Tutela das Nações Unidas e informá-los das medidas tomadas pela Organização para levar a efeito tais recomendações; (k) promover e dirigir investigações no domínio da saúde pelo pessoal da Organização, pelo estabelecimento das suas próprias instituições ou pela cooperação com instituições oficiais ou não oficiais de qualquer Estado-membro, com o consentimento do respectivo Governo; adotar convenções e regulamentos (artigos 19 e 21).

Ao Conselho Executivo, em consonância com seu próprio nome, compete aplicar as decisões da Assembleia, preparar suas sessões e endereçar-lhe proposições; deve, ainda, apresentar à Assembleia da Saúde, para exame e aprovação, seus programas gerais de trabalho[154]. Cabe também ao Conselho:

> "tomar medidas de urgência dentro das funções e recursos financeiros da Organização para tratar de acontecimentos que exijam ação imediata. *Em particular pode autorizar o Diretor-Geral a tomar as medidas necessárias para combater as epidemias, participar no empreendimento de socorros sanitários a levar às vítimas de uma catástrofe* e realizar estudos ou investigações sobre a urgência dos quais tenha sido chamada a atenção do Conselho por qualquer Estado-membro ou pelo Diretor-Geral"[155].

Uma peculiaridade da organização em relação à família das Nações Unidas é a composição do Conselho Executivo, pois o artigo

154 Artigo 28 da Constituição.

155 *Ibid., in fine, sem grifo no original.*

24 da Constituição fazia referência a "18 [hoje 34] *pessoas* indicadas por outros tantos Estados-membros", determinando que

> "a Assembleia da Saúde, tendo em conta uma distribuição geográfica equitativa, elegerá os Estados-membros, com direito a indicar uma pessoa para fazer parte do Conselho. Cada um destes Estados-membros nomeará para o Conselho *uma pessoa tecnicamente qualificada no domínio da saúde*, que poderá ser acompanhada por substitutos e conselheiros"[156].

Tal redação, sobretudo quando analisada à luz dos trabalhos preparatórios da Constituição[157], poderia dar a entender que seus membros não representariam o respectivo país de origem, o que significaria a impossibilidade de receber instruções de seu governo – a quem tampouco necessitaria prestar contas, pois sua palavra não prejulgaria a posição de seu Estado de origem na Assembleia Geral[158]. No entanto, em 1998, a 51ª Assembleia

---

156 Outros artigos corroboram esta interpretação, especialmente o artigo 18 ("As funções da Assembleia da Saúde serão: ...b) Indicar os Estados-membros com direito a designar uma pessoa para fazer parte do Conselho;") e o artigo 67 b ("Os representantes dos Estados-membros, as pessoas designadas para fazer parte do Conselho e o pessoal técnico e administrativo da Organização gozarão semelhantemente dos privilégios e imunidades que são necessários para o livre exercício das suas funções relativas à Organização").

157 De acordo com as atas, além de clareza do perfil técnico, e não diplomático, pretendido para o Conselho Executivo, acrescente-se que o representante do Brasil propôs a criação de um conselho consultivo de especialistas em questões de saúde, a fim de "impedir que a organização se tornasse excessivamente 'burocrática'", e permitir que, com o tempo, ela se transformasse numa "academia internacional da saúde". Apesar de uma "acolhida simpática", a proposta foi recusada, pois a Conferência entendeu que a OMS teria poderes suficientes para criar tal organismo quando lhe parecesse oportuno, *Actes officiels de l'OMS* n. 2, *op. cit.*, p. 19.

158 Claude-Henri Vignes, "Mythe et réalité: le statut des membres du Conseil Exécutif de l'OMS", *Revue Générale de Droit International Public*, out.--dez./1999, p. 687.

Mundial da Saúde elucidou a interpretação do artigo 24 da Carta, acolhendo o parecer da Comissão encarregada do assunto, no sentido de que os membros do Conselho Executivo nele tomam assento "na qualidade de representantes governamentais"[159]. Um mito teria dado lugar à realidade, pois os membros do Conselho sempre mantiveram estreita vinculação aos seus Estados de origem: "se os atores mudam de figurino, eles jogam sempre a mesma peça"[160].

Ao longo do tempo, o número de membros do Conselho foi ampliado pela Assembleia Mundial da Saúde, a fim de garantir a melhor repartição geográfica dos assentos. A tabela n. 1 indica a atual composição do Conselho Executivo da OMS.

159 OMS, documento WHA51/40, de 16/5/1998. O texto é particularmente revelador da predominância da intergovernamentalidade: "Exame da Constituição e entendimentos regionais. Estatuto dos membros do Conselho Executivo. Clarificação da interpretação do artigo 24 da Constituição da OMS. A 51ª Assembleia Mundial da Saúde; lembrando o papel desempenhado pela OMS como autoridade diretiva e coordenadora, no domínio da saúde, dos trabalhos que possuem caráter internacional; reafirmando que os membros do Conselho Executivo devem ser tecnicamente qualificados no domínio da saúde; reconhecendo que a OMS encontra sua força na vontade dos Estados de agir conjuntamente para alcançar objetivos comuns; destacando o papel significativo que desempenham os governos no seio dos órgãos diretores de outras instituições especializadas do sistema das Nações Unidas; destacando a ambiguidade que resulta das diferenças entre as versões linguísticas autênticas da Constituição no que concerne ao estatuto dos membros do Conselho Executivo; considerando que é importante esclarecer as disposições do artigo 24 da Constituição; tendo presente a disposição do artigo 75 da Constituição que autoriza a Assembleia da Saúde a resolver os problemas de interpretação da Constituição; DECIDE que os Estados-membros chamados a designar um delegado para o Conselho Executivo o designarão na qualidade de representante governamental tecnicamente qualificado no domínio da saúde".

160 Claude-Henri Vignes, *op. cit.*, p. 696.

Tabela n. 1 – Composição atual do Conselho Executivo[161] (região/Estado/mandato)

ÁFRICA	Camarões Moçambique Nigéria Senegal Seychelles Serra Leoa Tchad	2011-2014 2010-2013 2011-2014 2011-2014 2010-2013 2011-2014 2012-2015
AMÉRICAS	Barbados Cuba Equador Estados Unidos México Panamá	2010-2013 2012-2015 2010-2013 2010-2013 2011-2014 2012-2015
ÁSIA DO SUDESTE	Maldivas Mianmar Timor Leste	2012-2015 2011-2014 2010-2013
EUROPA	Armênia Azerbaijão Bélgica Croácia Lituânia Noruega Suíça Uzbequistão	2010-2013 2012-2015 2012-2015 2012-2015 2012-2015 2010-2013 2011-2014 2011-2014
MEDITERRÂNEO ORIENTAL	Irã Líbano Marrocos Qatar Iêmen	2012-2015 2012-2015 2010-2013 2011-2014 2010-2013
PACÍFICO OCIDENTAL	Austrália China Malásia Mongólia Papua Nova Guiné	2012-2015 2010-2013 2012-2015 2010-2013 2011-2014

Quanto ao Diretor-Geral, "sujeito à autoridade do Conselho" e "principal funcionário técnico e administrativo da Organização", é nomeado pela Assembleia da Saúde[162], sob proposta

161 Elaborado a partir de OMS, *Composition du Conseil Exécutif*, disponível em: <www.who.org>, consultado em 10/4/2013.

162 Artigo 31 da Constituição.

do Conselho[163]. *Ex officio*, o Diretor-Geral é secretário da Assembleia da Saúde, do Conselho, de todas as comissões e comitês da Organização e das conferências por ela convocadas, podendo delegar estas funções[164]. O Diretor-Geral prepara e apresenta anualmente ao Conselho os relatórios financeiros e as previsões orçamentárias da Organização[165], e nomeia o pessoal do Secretariado, de acordo com o regulamento de pessoal estabelecido pela Assembleia da Saúde[166].

O artigo 37 da Carta assegura a independência da Direção-Geral e do pessoal da OMS, determinando que eles não deverão, no exercício das suas funções,

> "solicitar nem receber instruções de nenhum Governo nem de nenhuma autoridade estranha à Organização. Deverão abster-se de qualquer ação que possa afetar a sua situação de funcionários internacionais. Cada Estado-membro compromete-se, por seu lado, a respeitar o caráter exclusivamente internacional do Diretor-Geral e do pessoal e a não procurar influenciá-los".

A tabela n. 2 identifica os Diretores Gerais da OMS desde a sua criação.

Tabela n. 2 – Diretores da OMS

Nome	**País de origem**	**Mandato**
Dra. M. Chan	China (Hong-Kong)	Desde 2007
Dr. A. Nordström (interino)	Suécia	2006–2007
Dr. L. Jong-wook	República da Coreia	2003–2006
Dra. G. H. Brundtland	Noruega	1998–2003
Dr. H. Nakajima	Japão	1988–1998
Dr. H. Mahler	Dinamarca	1973–1988
Dr. M. G. Candau	Brasil	1953–1973
Dr. B. Chisholm	Canadá	1948–1953

163 Um longo parecer sobre a designação do Diretor-Geral foi elaborado recentemente pela Consultoria Jurídica da OMS: *Désignation pour le poste, Note du Conseiller juridique*, EB130/INF.DOC./1, Genebra, 15/11/2011.

164 Artigo 32 da Constituição.

165 Artigo 34 da Constituição.

166 Artigo 35 da Constituição.

Destaca-se, nesta lista, a presença do sanitarista carioca Marcolino Gomes Candau (1911-1983), que dirigiu a organização durante duas décadas. Foi a época da construção da sede, em Genebra, e igualmente de uma das atualizações do Regulamento Sanitário Internacional, além do lançamento do bem-sucedido programa de erradicação da varíola[167].

167 Nísia Trindade de Lima aponta o papel de Candau no Brasil, juntamente com o já citado Paula Souza: "Merece registro a participação de Paula Souza no grupo de sanitaristas brasileiros que, na década de 1940, estava recriando a *Sociedade Brasileira de Higiene*, muitos com atuação no Sesp [*Serviço Especial de Saúde Pública*], entre eles Marcolino Candau e Maneco Ferreira. Com a instauração do *VII Congresso Brasileiro de Higiene*, realizado em 1947, e presidido por Marcolino Candau, retomam-se as atividades da antiga *Sociedade Brasileira de Higiene*, criada em 1923. O colóquio realizou-se em São Paulo, na Faculdade de Higiene e Saúde Pública, dirigida por Geraldo de Paula Souza, e pautou-se pela defesa de uma atuação em âmbito nacional que conferisse a esse grupo protagonismo semelhante ao que alcançara o movimento sanitarista da Primeira República", "O Brasil e a Opas: uma história em três dimensões", *in:* Jacobo Finkelman (org.) *Caminhos da saúde pública no Brasil*, Rio de Janeiro: Ed. Fiocruz, 2002, p. 60, disponível em: <http://www.fiocruz.br/editora/media/04-CSPB00.pdf>. A autora acrescenta: "A associação entre urbanização intensa, pobreza e doença era constante, reeditando, em novas bases, o impacto do fenômeno urbano do século XIX ... Muitos pronunciamentos do diretor-geral da OMS, Marcolino Candau, referem-se a esse problema. Aliás, sua gestão no organismo mundial de saúde também mereceria análise mais aprofundada, uma vez que o sanitarista brasileiro permaneceu no cargo por vinte anos e vinha de uma experiência de organização de ações de saúde no Brasil e na vice-direção da Opas", *ibid.*, p. 83. Sobre Candau, ver, por ex., "Dr. M.G. Candau and WHO", *British Medical Journal*, editorial de 26/5/1973 2 (5864), p. 433-434; Martin Kaplan, "Dr. M. G. Candau, a personal apreciation", *World Health Forum*, v. 4, 1983, p. 2-3, disponível em: <http://whqlibdoc.who.int/whf/1983/vol4-no1/WHF_1983_4(1)_p3-4.pdf>. De Candau, ver, entre muitos outros, com Ernani Braga, "Novos Rumos para a Saúde Pública Rural", *Revista da Fundação Especial de Saúde Pública* 2 (2), p. 569-590, 1948.

Em 1948, Genebra torna-se a sede da OMS[168]. No entanto, desde logo os artigos 44 a 54 da Carta a concebem como uma organização regionalizada. Assim, é a Assembleia quem deve determinar "as áreas geográficas em que é conveniente estabelecer uma organização regional", e, com o consentimento da maioria dos Estados-membros situados em cada região, estabelecer não mais do que uma organização regional para corresponder às necessidades particulares dessa região"[169].

As organizações regionais são dirigidas por um Gabinete – que deve executar, na região, as decisões da cúpula da OMS[170] –, chefiado por um Diretor[171], com o auxílio e sob o controle dos comitês regionais[172], que compõe-se de representantes dos Estados-membros e membros associados da região em questão, com a possibilidade de participação de territórios ou grupos de territórios[173].

Conforme o artigo 50 da Carta, as funções do comitê regional compreendem a formulação de diretrizes para "assuntos de caráter exclusivamente regional", a cooperação com outros comitês regionais e qualquer outra organização internacional com a qual tenha interesses comuns, dar pareceres à Organização, por intermédio do Diretor-Geral, sobre os assuntos internacionais de saúde cuja importância ultrapasse a área da região, além de outras missões para a promoção da saúde, especialmente as que lhe forem conferidas pela Assembleia da Saúde, pelo Conselho ou pelo Diretor-Geral.

....

168 Por força do acordo de sede, cf. *Accord entre le Conseil Fédéral Suisse et l'Organisation Mondiale de la Santé pour régler le statut juridique de cette organisation en Suisse*, de 21/8/1948, aprovado pela Assembleia Federal suíça em 29/9/1955 e vigente com efeitos retroativos desde 17/7/1948. Texto original disponível em: <http://www.admin.ch/ch/f/rs/i1/0.192.120.281.fr.pdf>.

169 Art. 44 da Constituição.

170 Art. 51 da Constituição.

171 Art. 52 da Constituição.

172 Art. 46 da Constituição.

173 Art. 47 da Constituição.

Na atualidade, a OMS compreende seis regiões – *África, Américas, Ásia do Sudeste, Europa, Mediterrâneo Oriental e Pacífico Ocidental* – e 147 escritórios nacionais. O mapa n. 1 permite analisar a distribuição geográfica destes escritórios, e os Estados cobertos por cada região da OMS.

Mapa n. 1 – Distribuição dos escritórios da OMS no mundo[174]

A seguir, no Capítulo 2, a descrição da dinâmica da OMS permitirá compreender o debate atual sobre a sua reforma, assim como o papel crucial que desempenhou durante a pandemia de gripe A(H1N1).

174 OMS, *Trabajar en pro de la salud*, Genebra: OMS, 2006, p. 3.

"A OMS é dominada basicamente por três ou quatro. Eles são um grupo que vota, mas também comanda, com outros países, o lado mais retrógrado da OMS. Eles têm atitudes inaceitáveis, como a de recusar que se introduza, em qualquer resolução da OMS, a expressão 'direito à saúde'. Da última vez, precisamos mostrar para a delegação americana que isso está na Declaração dos Direitos Humanos, de 1948, que eles também assinaram".

Paulo Buss, Entrevista concedida a Isabela Schincariol, *Portal ENSP – Notícia*, s/d.

2. A DINÂMICA DA ORGANIZAÇÃO MUNDIAL DA SAÚDE

Crise e reforma são palavras comuns no léxico das instituições, particularmente na esfera internacional.

Na literatura, há consenso sobre a existência de uma crise e a necessidade de reforma da OMS: "a governança mundial da saúde é lamentavelmente deficiente"; "a OMS possui, graças à sua Constituição, vastos poderes, mas seu potencial nunca se realizou"; em quase sete décadas, "a OMS só editou um regulamento importante (o RSI) e um tratado (a convenção-quadro para a luta antitabaco)"; enfim, a OMS "distanciou-se de sua competência de fazer o direito porque ela se apresentou principalmente como uma agência científica e técnica"[175].

No presente capítulo, estudaremos as funções da OMS e o direito que ela produz, a fim de compreender o processo de reforma no qual se encontra, com particular atenção ao tema da participação social.

2.1. As funções da OMS

Já em sua origem, foram atribuídas à OMS amplas e numerosas funções, previstas pelo artigo 2º da Constituição. Poderíamos classificá-las da seguinte forma:

- **competências autônomas**: (f) estabelecer e manter os serviços administrativos e técnicos julgados necessários, compreendendo

[175] Lawrence Gostin, "Meeting the Survival Needs of the World's Least Healthy People – A Proposed Model for Global Health Governance", *JAMA* v. 298, n. 2, 11/7/2007, p. 226.

os serviços de epidemiologia e de estatística; (g) estimular e aperfeiçoar os trabalhos para eliminar doenças epidêmicas, endêmicas e outras; (j) promover a cooperação entre os grupos científicos e profissionais que contribuem para o progresso da saúde; (k) propor convenções, acordos e regulamentos e fazer recomendações respeitantes a assuntos internacionais de saúde e desempenhar as funções que neles sejam atribuídas à Organização, quando compatíveis com os seus fins; (n) promover e orientar a investigação no domínio da saúde; (q) fornecer informações, pareceres e assistência no domínio da saúde; (r) ajudar a formar entre todos os povos uma opinião pública esclarecida sobre assuntos de saúde; (v) de modo geral, tomar as medidas necessárias para alcançar os fins da Organização;

- **no plano *onusiano***: (a) atuar como autoridade diretora e coordenadora dos trabalhos internacionais no domínio da saúde; (b) estabelecer e manter colaboração efetiva com as Nações Unidas, organismos especializados, administrações sanitárias governamentais, grupos profissionais e outras organizações que se julgue apropriado; (e) prestar ou ajudar a prestar, a pedido das Nações Unidas, serviços sanitários e facilidades a grupos especiais, tais como populações de territórios sob tutela;
- **em relação aos governos nacionais**: (c) auxiliar os Governos, a seu pedido, a melhorar os serviços de saúde; (d) fornecer a assistência técnica apropriada e, em caso de urgência, a ajuda necessária, a pedido dos Governos ou com o seu consentimento;
- **em temas específicos:** (h) promover, em cooperação com outros organismos especializados, quando for necessário, a prevenção de danos por acidente; (i) promover, em cooperação com outros organismos especializados, quando for necessário, o melhoramento da alimentação, da habitação, do saneamento, do recreio, das condições econômicas e de trabalho e de outros fatores de higiene do meio ambiente; (l) promover a saúde e o bem-estar da mãe e da criança e favorecer

a aptidão para viver harmoniosamente num meio variável; (m) favorecer todas as atividades no campo da saúde mental, especialmente as que afetam a harmonia das relações humanas; (s) estabelecer e rever, conforme for necessário, a nomenclatura internacional das doenças, das causas de morte e dos métodos de saúde pública; (t) estabelecer normas para métodos de diagnóstico, conforme for necessário; (u) desenvolver, estabelecer e promover normas internacionais com respeito aos alimentos, aos produtos biológicos, farmacêuticos e semelhantes; (o) promover o melhoramento das normas de ensino e de formação prática do pessoal sanitário, médico e de profissões afins; (p) estudar e relatar, em cooperação com outros organismos especializados, quando for necessário, as técnicas administrativas e sociais referentes à saúde pública e aos cuidados médicos sob os pontos de vista preventivo e curativo, incluindo os serviços hospitalares e a segurança social.

Como instituição encarregada de dirigir e coordenar a ação sanitária internacional no seio do sistema das Nações Unidas, a OMS oferece então uma espécie de "enquadramento político e técnico" aos países, a fim de enfrentar numerosos problemas de saúde pública[176]. No entanto,

> "a OMS está também a serviço de seus 193 Estados-membros, que se reúnem a cada ano quando da Assembleia Mundial da Saúde, em Genebra, para definir a política da organização, aprovar seu orçamento e seus planos e, por intermédio de seu Conselho Executivo, eleger o seu Diretor-Geral a cada cinco anos. As aspirações científicas e técnicas da OMS relativas à saúde no mundo são constantemente condicionadas pela multiplicidade de pontos de vista, necessidades e preferências dos Estados-membros"[177].

Logo, como será reiterado nas páginas que seguem, a tensão inerente ao intergovernamentalismo tem marcado o exercício das atribuições da OMS.

176 OMS, A64/10 ..., *op. cit.*, p. 12, item 13.

177 *Ibid.*

Outra classificação, mais dinâmica e atual, agrupa suas funções **em três categorias**[178].

A primeira corresponde à tradição histórica das instituições sanitárias, de luta contra as grandes patologias e de organização da vigilância epidemiológica. Neste âmbito, a OMS adotou, ao longo de sua história, diferentes versões do *Regulamento Sanitário Internacional*, fixando os direitos e obrigações dos Estados (como organização sanitária, regulamentação de transportes internacionais e medidas para evitar a propagação de enfermidades) em relação a certas doenças específicas (como peste, cólera, varíola e febre amarela). O novo RSI será objeto do próximo capítulo.

A segunda categoria de missões da OMS diz respeito à elaboração de normas sanitárias internacionais, tais como a edição de uma farmacopeia internacional, a codificação da *Denominação Comum Internacional dos medicamentos* (DCI, mais conhecida no Brasil com o nome genérico)[179] e *Classificação Estatística International de Doenças e Problemas Relacionados com a Saúde* (CID)[180]. O alcance destas normas será analisado mais adiante. Ainda nesta categoria, pode-se acrescentar, entre muitas outras atribuições, que a OMS

178 A classificação é de Anne Laude, Bertrand Mathieu e Didier Tabuteau, *Droit de la santé*, coleção Thémis droit, Paris: PUF, 2007, p. 143.

179 Trata-se do nome não comercial de uma substância ativa; em inglês, *International Nonproprietary Name* – INN. Desde 1953, a OMS mantém listas dos medicamentos *genéricos* propostos; e desde 1955, dos recomendados, disponíveis em <www.who.int/medicines/services/inn/en/index.html>. A proposição de novos DCIs pode ser feita pelos Estados por meio eletrônico, no mesmo endereço.

180 Em inglês, *International Statistical Classification of Diseases and Related Health Problems*, ICD. A classificação sistemática das doenças, que já existia no século XIX, passou, no alvorecer do século XX, a ser discutida em conferências internacionais. Depois de sua criação, a OMS ampliou o seu escopo e encarregou-se de suas revisões, cf. OMS, *History of the development of the ICD*, disponível em: <http://www.who.int/classifications/icd/en/HistoryOfICD.pdf >. A CID encontra-se hoje em sua décima versão (CID-10). Suas listas atualizadas podem ser consultadas em <http://www.who.int/classifications/icd/icd10updates/en/>.

centraliza a informação dos Estados sobre os efeitos indesejáveis dos medicamentos[181], inclusive a farmacodependência. Por outro lado, desde 1977, ela mantém uma lista-modelo dos medicamentos considerados essenciais, atualizada a cada dois anos, a fim de promover a atenção primária à saúde, contribuindo para que os governos aperfeiçoem a seleção e a utilização de medicamentos conforme o seu custo[182].

Por fim, um terceiro ramo funcional da OMS seria o de suas intervenções sanitárias, tanto diretamente, por meio da definição e da implementação de programas de luta contra as grandes doenças (tuberculose, malária ou paludismo e varíola), como pela via do apoio à pesquisa sobre doenças transmissíveis (gripe, doenças parasitárias, Aids etc.) ou não transmissíveis (câncer, doenças cardiovasculares etc.)[183]. Ela oferece, igualmente, assistência técnica aos países menos avançados (vacinação contra doenças infecciosas, provisão de água potável etc.) e fixa objetivos

181 A propósito, a OMS publicou recentemente um manual de orientação para os Estados-membros interessados em desenvolver ou melhorar sistemas que permitam aos consumidores relatar as reações adversas de medicamentos: *Safety monitoring of medical products: reporting system for the general public*, Genebra: OMS, 2012, disponível em: <www.who.org>.

182 Atualmente na 17ª versão para adultos, revisada em 2010; e na 3ª versão para crianças, revisada em 2011, cf. *WHO Model Lists of Essential Medicines*, disponível em: <www.who.org>.

183 Exemplo recente é o estudo relativo a episódios depressivos maiores (*Major depressive episodes*, MDE) que demonstra a forte ligação destes distúrbios com as condições sociais dos pacientes, cf. Evelyn Bromet *et al.*, "Cross-national epidemiology of DSM-IV major depressive episode", BMC Medicine 2011 9:90, disponível em: <www.biomedcentral.com>. A pesquisa sobre MDE faz parte da The World Mental Health Survey Initiative <www.hcp.med.harvard.edu/wmh>, um projeto da (OMS) que integra e analisa pesquisas epidemiológicas sobre distúrbios mentais e comportamentais. O Brasil faz parte do projeto, cf. Laura Helena Andrade *et al.*, "Mental Disorders in Megacities: Findings from the São Paulo Megacity Mental Health Survey", *PLoS ONE* 7(2): 14/2/2002.

sanitários mundiais, como, por exemplo, o desenvolvimento da atenção primária à saúde[184].

Ainda no terceiro ramo funcional, cabe salientar que a OMS elabora importantes relatórios sobre problemas de saúde pública, a fim de produzir e difundir informações, e propor estratégias aos Estados-membros e atores sociais. Tais relatórios são fundamentais na constituição da imagem que "o mundo faz de si mesmo" em matéria de saúde. Por exemplo, em relatório conjunto com a Unicef, divulgado em 6 de março de 2012, a OMS revelou que 783 milhões

184 Preconizada pela Declaração de Alma-Ata (Cazaquistão), resultante da Conferência Internacional sobre Cuidados Primários de Saúde, ocorrida entre 6 e 12 de setembro de 1978; texto disponível em: <www.opas.org.br>. Esta declaração é considerada paradigmática no reordenamento dos sistemas nacionais de saúde, tradicionalmente centrado na doença e não em suas causas, ao estipular que "Os cuidados primários de saúde são cuidados essenciais de saúde baseados em métodos e tecnologias práticas, cientificamente bem fundamentadas e socialmente aceitáveis, colocadas ao alcance universal de indivíduos e famílias da comunidade, mediante sua plena participação e a um custo que a comunidade e o país possam manter em cada fase de seu desenvolvimento, no espírito de autoconfiança e autodeterminação. Fazem parte integrante tanto do sistema de saúde do país, do qual constituem a função central e o foco principal, quanto do desenvolvimento social e econômico global da comunidade. Representam o primeiro nível de contato dos indivíduos, da família e da comunidade com o sistema nacional de saúde, pelo qual os cuidados de saúde são levados o mais proximamente possível aos lugares onde pessoas vivem e trabalham, e constituem o primeiro elemento de um continuado processo de assistência à saúde". Até meados dos anos 1980, a maioria dos países consagrou tais princípios em suas políticas de saúde, logo modificadas em numerosos Estados, diante da consagração das políticas ditas neoliberais, em particular na América Latina, cf. Núria Homedes e Antonio Ugalde, "Reformas de salud y equidad en América Latina", Ciência e Saúde Coletiva, 16 (6) 2011, p. 2690. Com a crise econômica e o descrédito dos discursos de reforma pró-mercado das duas últimas décadas, o discurso da Atenção Primária à Saúde (APS) foi retomado, embora de modo seletivo, ou seja, por meio de programas específicos, ver Marcos Cueto, "The origins of primary health care and selective primary health care", American Journal of Public Health 2004, Novembro 94(11): 1864–1874, disponível em: <www.ncbi.nlm.nih.gov>.

de pessoas não têm acesso à água potável (cerca de 11% da população mundial), que 2,5 bilhões de pessoas não possuem instalações sanitárias adequadas, e que 1,1 bilhão de pessoas defecam a céu aberto (cerca de 15% da população mundial)[185].

No mesmo sentido, desde 1995, a organização publica um relatório que ela mesma define como "publicação-farol da OMS"; trata-se do *Relatório mundial da saúde,* cujo objetivo é apresentar um balanço da situação sanitária mundial, a fim de fornecer informações aos Estados, aos doadores de recursos, às organizações internacionais e ao público em geral, especialmente faculdades, hospitais universitários e escolas. A tabela n. 3 apresenta os temas que foram até hoje abordados nestes relatórios.

Tabela n. 3 – Temática dos Relatórios Mundiais da Saúde[186]

2010	O financiamento dos sistemas de saúde: o caminho rumo a uma cobertura universal[187]
2008	Cuidados primários de saúde: agora mais do que nunca[188]
2007	Um futuro mais seguro: a segurança sanitária no século XXI
2006	Trabalhar juntos pela saúde [crise do pessoal da saúde][189]
2005	Dar chance a cada mãe e a cada criança[190]
2004	Mudar o curso da história [estratégia para a Aids]
2003	Moldar o futuro [principais ameaças para a saúde]
2002	Reduzir os riscos e promover uma vida sã

185 OMS/UNICEF, *Progress on Drinking Water and Sanitation: 2012 Update,* disponível em: <http://whqlibdoc.who.int/publications/2012/9789280646320_eng_full_text.pdf>.

186 Periodicidade anual até 2008. Disponíveis em: <www.who.int/whr/previous/en/>. Não foram elaborados relatórios nos anos de 2011 e 2012. Segundo a OMS, o próximo relatório versará sobre o tema da pesquisa em saúde.

187 Disponível em português, ver <www.who.int/whr/2010/whr10_pt.pdf>.

188 Disponível em português, ver <www.who.int/whr/2008/08_contents_pr.pdf>.

189 Disponível em português, ver <http://www.who.int/whr/2006/06_overview_pr.pdf>.

190 Disponível em português, ver <http://www.who.int/whr/2005/prelims-pr.pdf>.

2001	Saúde mental: nova concepção, novas esperanças
2000	Por um sistema de saúde mais eficiente
1999	Por uma real mudança [herança sanitária do século XX e questões de desenvolvimento]
1998	A vida no século XXI: uma perspectiva para todos [prospectiva até 2025 em matéria de expectativa de vida, doença e meios de combatê-la]
1997	Vencer o sofrimento, enriquecer a humanidade [doenças não transmissíveis]
1996	O estado de saúde no mundo [doenças infecciosas antigas e novas]
1995	Reduzir as disparidades [entre ricos e pobres]

Este breve panorama sobre as funções da organização permite fazer dois comentários. O primeiro é a ampliação de seus domínios de atuação, partindo de uma origem marcadamente *higienista*[191] para chegar a uma grande abertura temática. Não somente a OMS amplia a sua concepção de saúde pública, que passa a compreender problemas sociais dos mais variados, como também nela vê para si um ambicioso lugar. É o que revela seu Programa de Trabalho em vigor (2006-2015), que assim define as *funções essenciais* da OMS:

- "exercer liderança em domínios essenciais para a saúde e criar parcerias quando uma ação conjunta é necessária;
- fixar as prioridades de pesquisa e incitar à aquisição, aplicação e difusão de conhecimentos úteis;
- fixar as normas e os critérios a encorajar, e seguir sua aplicação;

191 Até os anos 1960, por exemplo, muitas vezes a OMS adotou a seguinte concepção como sua: "Saúde pública é a ciência e a arte de prevenir as doenças, de prolongar a vida e de melhorar a saúde e a vitalidade mental e física dos indivíduos, por meio de uma ação coletiva concertada visando a tornar são o ambiente; lutar contra as doenças; ensinar as regras de higiene pessoal; organizar os serviços médicos e de enfermagem na perspectiva do diagnóstico precoce e do tratamento preventivo das doenças; implementar medidas sociais aptas a assegurar a cada membro da coletividade um nível de vida compatível com a preservação da saúde", Charles-Edward Amory Winslow [fundador da *Yale School of Public Health*], *The evolution and significance of the modern public health campaign*, New Haven: Yale University Press, 1923.

- conceber políticas conformes à ética e fundadas sobre dados probatórios;
- fornecer apoio técnico, fazer-se agente de mudança e reforçar duravelmente as capacidades institucionais dos Estados;
- supervisionar a situação sanitária e avaliar as tendências em matéria de saúde"[192].

Mais adiante, o estudo da reforma da OMS revelará que esta compreensão das funções da OMS encontra-se hoje em questão.

O segundo aspecto que emerge da análise, ainda que sumária, das funções da OMS, é a constatação de uma evidente variedade e de uma grande relevância da atuação normativa da OMS, aspecto que será aprofundado a seguir.

2.2. A normatividade tradicional da OMS

Como costuma ocorrer nas organizações internacionais, as atividades da OMS baseiam-se num *corpus juris* que compreende, além da Constituição, as regras de procedimento e as resoluções de seus órgãos diretivos, algumas decisões específicas da Assembleia Mundial da Saúde que concernem seu pessoal e financiamento, além da "prática consolidada" em seu real funcionamento[193].

Mais do que editar regras *interna corporis*, não há dúvidas de que a OMS foi concebida de modo a aportar sua contribuição ao direito internacional clássico, de origem convencional. Conforme o artigo 19 da Constituição, a Assembleia tem "autoridade para adotar convenções ou acordos respeitantes a qualquer assunto que seja da competência da Organização".

192 OMS, *Engaging for Health – 11th General Programme of Work, 2006-2015 – A Global Health Agenda,* aprovado em maio de 2006 pela Assembleia Mundial da Saúde, disponível em: <http://whqlibdoc.who.int/publications/2006/GPW_eng.pdf>.

193 Gian Luca Burci e Claude-Henri Vignes, *The World Health Organization.* The Hague: Kluwer Law International, 2004, p. 19.

Contudo, até hoje, a OMS adotou apenas um acordo, que é a *Convenção-Quadro sobre Controle do Tabaco*, de 21 de maio de 2003, aprovada por unanimidade na 51ª Assembleia Mundial da Saúde. Até setembro de 2011, ela havia sido assinada por 168 Estados, e estava em vigor em 156 deles[194].

Do ponto de vista formal, o "primeiro tratado de saúde pública"[195] é uma expressão do mais ortodoxo direito internacional público, eis que a segunda parte do artigo 19 da Carta determina:

> "Será necessária uma maioria de dois terços dos votos da Assembleia da Saúde para a adoção de tais convenções ou acordos, *que entrarão em vigor para cada Estado-membro quando aceitos por ele em conformidade com as suas normas constitucionais*"[196].

No mesmo sentido, o artigo 20 da Constituição assim dispõe:

> "Cada Estado-membro compromete-se a tomar, no prazo de dezoito meses depois da adoção duma convenção ou acordo pela Assembleia da Saúde, as medidas em relação com a aceitação de tal convenção ou acordo. Cada Estado-membro notificará o Diretor-Geral das medidas tomadas e, se não aceitar a convenção ou acordo no prazo prescrito, enviará uma comunicação informando das razões da não aceitação. Em caso de aceitação, cada Estado-membro concorda em apresentar um relatório anual ao Diretor-Geral em conformidade com o capítulo XIV".

Por conseguinte, a concepção dualista da Carta é patente, deixando aos Estados uma integral *margem de discricionariedade* em relação aos direitos e obrigações que institui, podendo subscrevê-los

---

194 Com vigência internacional desde 27/2/2005, por força do artigo 36 da própria Convenção (oitenta dias após o depósito da quadragésima ratificação). Cf. quadro disponível em: <http://www.who.int/tobacco/framework/countrylist/en/index.html>. No Brasil, sua internalização foi concluída pelo Decreto n. 5.658 de 2/1/2006.

195 OMS, *An international treaty for tobacco control*, nota de 12/8/2003, disponível em: <http://www.who.int/features/2003/08/en/index.html>.

196 Sem grifo no original.

ou não. Esta característica corrobora um conceito tradicional de direito da OMS:

> "é *a priori* um *direito de coordenação das atividades normativas dos Estados-membros em matéria de saúde*, mas não necessariamente um direito de harmonização, e ainda menos de unificação, pois a OMS não está habilitada a propor, e menos ainda a impor, uma *legislação sanitária modelo*"[197].

Mas se é verdade que o valor coercitivo da convenção depende de internalização pelos Estados, também é inegável que o acordo sobre tabaco teve imensa repercussão, pautando políticas públicas específicas em diversos países e reforçando um verdadeiro movimento de regulação, que tem promovido mudanças com impacto social significativo, particularmente no uso do espaço público – inclusive em países que, até os anos 2000, não regulavam, ou restringiam levemente, a utilização do tabaco[198]. Sem dúvida, a influência da convenção da OMS sobre as regulações nacionais sobre o tabaco só pode ser aferida caso a caso[199]. Mas a mera discussão sobre a incorporação ou não de tal norma, ainda que malfadada, pode suscitar um movimento para adoção de um conjunto de medidas de governo, ou mesmo de normas no seio dos Estados.

---

197 Michel Bélanger, *Introduction ..., op. cit.*, p. 13.

198 É o caso da Espanha em que, a exemplo de outros países europeus, havia intenso consumo de tabaco em locais públicos. Após a adoção de uma primeira lei restritiva, de 2006, a Espanha adotou, em 30/12/2010, a *Ley n. 42 por la que se modifica la Ley 28/2005, de 26 de diciembre, de medidas sanitarias frente al tabaquismo y reguladora de la venta, el suministro, el consumo y la publicidad de los productos del tabaco*, uma das primeiras a proibir o consumo de tabaco inclusive em alguns lugares abertos – texto disponível em: <http://www.boe.es>. A nova lei entrou em vigor em 2/1/2011 e refere a Convenção da OMS em seu preâmbulo.

199 Sobre a regulamentação brasileira, ver Wesllay Carlos Ribeiro *et al.*, "Reflexões sobre a regulamentação jurídica do setor tabagista e saúde pública", *Revista de Direito Sanitário*, v. 12, n. 2, jul.-out./2011, p. 59-81.

2.3. A *"soft law"* da OMS

Além das convenções, a OMS pode adotar Recomendações e Regulamentos, que serão tratados no segundo capítulo. Quanto às Recomendações, nos termos do artigo 23 da Constituição, "a Assembleia da Saúde terá autoridade para fazer recomendações aos Estados-membros com respeito a qualquer assunto dentro da competência da Organização".

Em relação às Recomendações, vale lembrar um elemento geral da atuação das organizações internacionais. Já amplamente reconhecidas pelo direito internacional público como contribuições à formação do costume internacional[200], na prática, as Recomendações e outros recursos podem ir muito além: "como a maioria das agências especializadas da ONU, [a OMS] criou meios para tornar suas decisões vinculativas para seus membros", pois, "embora não sejam capazes de legislar no sentido usual deste termo, podem valer-se de pressões eficazes para desencorajar a não observância de suas recomendações ou convenções"[201].

Assim, segundo o atual Consultor Jurídico da OMS, Gian Luca Burci, embora a OMS produza escassa normatividade tradicional (como convenções e regulamentos), ela é muito bem-sucedida na introdução de regras de "natureza recomendatória", produzindo "uma pletora de padrões técnicos, guias e boas práticas"[202]. Ele sustenta que a *soft law* da OMS pode ser exemplificada, entre outros, com o *Código de prática mundial para o recrutamento internacional do pessoal de saúde*[203].

....

200 "Para ser um elemento formador do costume, as recomendações devem traduzir a *opinio juris* e ser seguidas de uma prática conforme. Não expressando necessariamente uma real *opinio juris*, sua função limita-se seguidamente à de 'fermento' do processo costumeiro", Dinh, *op. cit.*, p. 419.

201 Malcolm N. Shaw, *op. cit.*, p. 903.

202 *Lectures on the New Field of International Health Law*, resumo da conferência ministrada em 22/2/2012, publicado em <healthreformwatch.com>, consultado em 24/3/2012.

203 OMS, WHA63.16, Genebra, 21/5/2010, disponível em: <http://www.who.int/hrh/migration/code/full_text/en/index.html>.

Com efeito, embora absolutamente desprovido de caráter coercitivo, o Código em questão destina-se, conforme seu artigo 2.2, a servir de guia aos Estados-membros em sua colaboração com atores tais como o pessoal da saúde, os recrutadores de pessoal, os empregadores, as organizações de profissionais da saúde, as organizações infrarregionais, regionais e mundiais interessadas, sejam públicas ou privadas, inclusive as não governamentais, e todas as pessoas envolvidas no recrutamento internacional do pessoal de saúde. O artigo primeiro precisa que seu objetivo é "definir e promover princípios e práticas não obrigatórias para o recrutamento internacional ético de pessoal da saúde", servindo de referência aos Estados-membros para "instaurar o quadro jurídico e institucional necessário ao recrutamento internacional de pessoal de saúde, ou melhorá-lo", além de fazer "indicações úteis para elaborar e aplicar os acordos bilaterais e outros instrumentos jurídicos internacionais".

Neste ponto, o código em apreço contém um dispositivo bastante revelador. Segundo o artigo oitavo da *norma suave*,

> "1. Os Estados-membros são encorajados a difundir e aplicar o Código em colaboração com todos os atores estipulados no artigo 2.2, de acordo com as responsabilidades nacionais e infranacionais.
>
> 2. Os Estados-membros são encorajados a integrar o Código em suas leis e políticas aplicáveis.
>
> 3. Os Estados-membros são encorajados a consultar, de acordo com o necessário, todos os atores estipulados no artigo 2.2 quando da tomada de decisões, e de associá-los a outras atividades ligadas ao recrutamento internacional de pessoal da saúde.
>
> 4. Todos os atores visados pelo artigo 2.2 deveriam se esforçar individual e coletivamente para a realização dos objetivos do presente Código. Todos deveriam observar o Código, independentemente da atitude dos demais a fazer o mesmo.

Os recrutadores e os empregadores deveriam cooperar plenamente para o respeito do Código e promover os princípios que ele enuncia, independentemente da disposição de um Estado-membro para aplicar o Código.

5. Os Estados-membros deveriam, na medida do possível, de acordo com as suas responsabilidades jurídicas e em colaboração com os atores envolvidos, estabelecer e atualizar, com intervalos regulares, um registro de todos os recrutadores autorizados pelas autoridades competentes a trabalhar em seu território.
6. Os Estados-membros deveriam, na medida do possível, encorajar e promover o respeito das boas práticas pelas agências de recrutamento, utilizando apenas aquelas que respeitam os princípios diretores do Código.
7. Os Estados-membros são encorajados a observar e avaliar a amplitude do recrutamento internacional ativo de pessoal da saúde originário de países confrontados a penúrias graves de agentes de saúde, e avaliar a importância e o impacto das migrações circulares".

Ora, este código, antes de mais nada, dirige-se a diversos atores além do Estado, que são expressamente convidados a segui-lo, independentemente da conduta estatal. Isto permite constatar que ele se encaixa entre os "fenômenos" que "influenciam comportamentos, organizam a sociedade e resultam da combinação de necessidades sociais, valores e relações de poder"[204], sem para isto depender de regulamentação estatal. Dito de outro modo, o Código arma os atores não estatais, nacionais e transnacionais, de um utensílio: o *padrão internacional* formulado como regra, que tanto pode ser usado para pressionar os legisladores ou autoridades administrativas nacionais, como ser empregado diretamente, à parte do Estado.

[204] É o modo como Salem Nasser refere-se à *soft law*, em seu *Fontes e normas do direito internacional – um estudo sobre a soft law*, 2 ed., São Paulo: Atlas, 2006, p. 160.

Neste momento, é importante ressaltar duas peculiaridades do campo da saúde pública em relação ao que se costuma chamar, nem sempre com razão, de *soft law*[205]. O primeiro é que – diferentemente do comércio, campo em que por excelência as normas suaves se proliferaram[206] – a saúde pública é função primordial do Estado, essencial para a garantia dos direitos fundamentais. Logo, qualquer que seja o tipo de norma utilizado, e por qualquer ator, o crivo constitucional da efetividade dos direitos humanos não pode ser descartado nesta área.

O segundo é o de que, a depender do grau de coordenação entre os órgãos executivo e legislativo de um país, ou mesmo interministerial de cada governo, diferentes segmentos do Estado podem adotar estes padrões, direta ou indiretamente, total ou parcialmente, de modo opaco ou transparente, podendo inclusive gerar regulações antagônicas, ou inconsistência jurídica. É por isto que a permeabilidade das normas internacionais da saúde, sejam elas suaves ou duras, só pode ser aferida caso a caso.

Por outro lado, o código ora analisado, em seu artigo sexto, trata da pesquisa e da coleta de dados, encorajando os Estados-membros a implantar ou a reforçar e atualizar os sistemas de informação sobre o pessoal da saúde, inclusive sobre migrações de pessoal e seus efeitos sobre os sistemas de saúde. Incentiva, ainda, a reunir e analisar dados, e a servir-se deles na elaboração de políticas mais eficazes para o pessoal de saúde, além de promover programas de pesquisa sobre o assunto. O mesmo artigo estimula a OMS a zelar para que dados comparáveis e confiáveis sejam produzidos. Os artigos sete e nove do mesmo diploma, por sua vez,

205 "O que nos parece, além de desnecessário, incômodo, é a ideia de que tudo que não for regra de conduta específica, tudo que não cria direitos e obrigações imediatamente identificáveis, realizáveis e passíveis de demanda, seja *soft law*. Como quer que seja, a ausência ocasional de regras precisas não é estranha ao direito internacional, especialmente no universo dos costumes", Salem Nasser, *op. cit.*, p. 104.

206 Sobre a muito citada *lex mercatoria*, ver Marcelo Neves, *op. cit.*, p. 189-197.

concebem um sistema de troca de informações e uma rede de autoridades nacionais, apoiados pelo Secretariado da OMS. Em outras palavras, como plataforma de informação privilegiada, a organização aumenta potencialmente sua capacidade de influir.

Outro exemplo que se pode aportar, já referido anteriormente entre as funções da OMS, é a Classificação Internacional das Doenças, CID. Normas como a CID possuem uma permeabilidade imensurável.

Concebida originalmente como uma forma de identificar as causas da morte, a CID converteu-se em "um instrumental muito mais amplo": trata-se de "uma sistematização das doenças, sintomas, sinais e motivos de consultas"[207]. Os Estados-membros da OMS devem adotá-la na elaboração de estatísticas das causas de morte (mortalidade) e das doenças que levam a internações hospitalares ou atendimentos ambulatoriais (morbidade), eis que se trata de um padrão internacional de classificação diagnóstica para propósitos epidemiológicos gerais e administrativos da saúde, "incluindo análise de situação geral de saúde de grupos populacionais e o monitoramento da incidência e prevalência de doenças e outros problemas"[208]. No Brasil, a CID constitui atualmente uma exigência legal para praticamente todos os benefícios e atestados relacionados ao paciente, figurando em campos específicos de formulários relativos ao atendimento médico, ou requerendo a simples informação destes códigos em atestados e no receituário comum assinado por médicos[209].

A CID oferece também um valioso exemplo do quanto pode ser vasto o campo de embates culturais, econômicos e políticos, amiúde escondidos do grande público, que é levado a conceber a

207 Ruy Laurenty, "Pesquisas na área de classificação de doenças", *Saúde soc.*, São Paulo, v. 3, n. 2, 1994, p. 114. Sobre a história da CID, ver Laurenty, "Análise da informação em saúde: 1893-1993, cem anos da CID", *Rev. Saúde Pública*, 25, p. 407-417, 1991.

208 Heloisa Brunow Ventura Di Nubila; Cassia Maria Bucalla. "O papel das Classificações da OMS – CID e CIF nas definições de deficiência e incapacidade", *Rev. bras. epidemiol.*, São Paulo, v. 11, n. 2, Junho 2008, p. 327.

209 *Ibid.*

identificação de uma doença como "verdade" ou "mera" técnica. Ora, "todo conceito empírico da doença conserva uma relação com o conceito axiológico da doença"; por conseguinte, o método que faz qualificar como patológico um dado fenômeno biológico não é objetivo, pois, ainda que a patologia possa ser considerada com objetividade pelo médico que a trata, tal intenção não é capaz de esvaziar de subjetividade o seu objeto[210]. Em apoio a esta ideia, vale recordar que um dos aspectos mais polêmicos da CID é a classificação dos distúrbios mentais e do comportamento[211]. Muitos autores debruçaram-se sobre a "fabricação" de doenças pela indústria farmacêutica[212].

Ora, quando se fala deste *direito suave* da OMS, é inevitável recordar que há, de fato, "uma suavidade na regulação da biopolítica, como se pôde falar, no século XVIII, de uma suavidade do comércio", eis que uma série de regulamentações adaptáveis e incitativas encorajam seus destinatários a agir num determinado *sentido*, a eles apresentado como o mais promissor, e "a perfeição de um sistema" existe exatamente quando, ao invés de uma imposição, cada uma de suas partes voluntariamente participa de sua manutenção[213]. Assim, como já foi mencionado na introdução deste livro, a internacionalização do direito, inclusive – ou, talvez, sobretudo – o "suave", não é neutra: ela tem um sentido.

A propósito, um dos mais polêmicos exemplos do sentido da internacionalização do direito que emana da OMS é o *Codex*

210 Georges Canguilhem, *Le normal et le pathologique*. Quadrige Grands Textes. Paris: PUF, 2011, p. 156-157.

211 Em princípio compatível com o *Manual Estatístico e Diagnóstico de Doenças Mentais*, o DSM (*Diagnostic and Statistic Manual of Mental Disorders*), adotado, após a Segunda Guerra mundial, pela *Associação de Psiquiatria Americana*, disponível em: <www.psych.org>.

212 Como, por exemplo, Ray Moynihan relativamente à disfunção sexual feminina, em "The making of a disease female sexual dysfunction", *British Medical Journal* 2003; 326:45.

213 Frédéric Gros, *Le principe sécurité*, Paris: Gallimard, 2012, p. 214.

Alimentarius (do latim *Lei ou Código dos Alimentos*). Trata-se de uma coletânea de normas alimentares adotadas internacionalmente, apresentadas de modo uniforme, que inclui disposições de natureza consultiva, sob a forma de diretrizes, códigos de práticas e recomendações[214]. Esta compilação de *standards* internacionais é incontestavelmente o *corpus juris* mais importante no âmbito do comércio mundial de produtos alimentares[215].

O Codex Alimentarius é elaborado por uma Comissão que foi instituída, em 1961, pela OMS e pela *Organização das Nações Unidas para a Agricultura e a Alimentação* (FAO)[216]. Esta *Comissão do Codex Alimentarius* (CCA) reune-se anualmente e é composta por 186 membros (185 Estados e a União Europeia), e 219 observadores (dos quais 50 são organizações intergovernamentais, 153 são Organizações não governamentais e 16 são organismos das Nações Unidas)[217]. O Codex Alimentarius adquiriu uma importância inédita após a criação da *Organização Mundial de Comércio* (OMC), pois suas normas são reconhecidas pelo sistema de solução de controvérsias da organização, em particular quando se discute a aplicação dos seus acordos *sobre Medidas Sanitárias e Fitossanitárias* (AMSF) e *sobre Barreiras Técnicas ao Comércio* (ABTC).

Logo, da condição de meros padrões ou recomendações, as normas do Codex passaram a ser oponíveis aos Estados-membros da OMC, por intermédio das decisões do sistema de solução de

---

214 Organização Pan-Americana da Saúde, *Higiene dos Alimentos – Textos Básicos*. Brasília: OPS, 2006, p. 4, disponível em: <http://www.anvisa.gov.br/divulga/public/alimentos/codex_alimentarius.pdf>.

215 Makane Moïse Mbengue e Urs P. Thomas, "Le codex Alimentarius, le protocole de Cartagena et l'OMC: une relation triangulaire en émergence?", *Revue européenne des sciences sociales* XLII-130 2004, disponível em: <http://ress.revues.org/482>, §1.

216 Para uma apresentação geral do Codex, ver Qué es el Codex Alimentarius? 3.ed. Roma: OMS/FAO, 2006, disponível em: <ftp://ftp.fao.org/codex/Publications/understanding/Understanding_ES.pdf>.

217 Lista disponível em: <http://www.codexalimentarius.org/>, consultada em 8/4/2013.

controvérsias da organização[218]. Não é que os acordos da OMC tenham tornado as normas do Codex obrigatórias, mas simplesmente, do modo como elas são interpretadas pelos grupos especiais e pelo Órgão Permanente de Apelação da OMC, a eventual inconformidade de uma medida nacional aos *standards* do Codex é, de fato, muito difícil de justificar perante a OMC[219].

Tal convergência explica-se, em grande parte, pela evidência de que tanto o AMSF[220] da OMC como o Codex Alimentarius "tratam os produtos principalmente como *commodities* e não como alimentos em sua dimensão total e em sua importância vital para os seres humanos", seguindo "as diretrizes e a lógica do sistema industrial de produção, que direciona hoje toda a produção agropecuária", em detrimento da necessária resposta internacional aos "graves problemas do acesso da população à comida (*food security*) e à segurança sanitária (*food safety*)"[221]. Entre os incontáveis problemas que este código suscita encontram-se a regulação dos alimentos geneticamente modificados e a sub-representação crônica dos países em via de desenvolvimento em suas negociações[222].

Para Geraldo Lucchese, o Codex Alimentarius é um dos elementos do processo internacional de regulamentação sanitária que expressa

218 Maryvonne Lassalle-de Salins, "Réduire l'incertitude sur le résultat des négociations intergouvernementales: les apports d'une lecture organisationnelle. Le cas du Codex Alimentarius", *Négociations* 1/2009, n. 11, p. 146.

219 Henri Culot, "Soft law et droit de l'OMC", *Revue internationale de droit économique* 3/2005, t. XIX, p. 283.

220 "O Acordo AMSFS faz parte dos regulamentos da OMC e preocupa-se especialmente em não permitir que as medidas sanitárias sejam utilizadas como barreiras disfarçadas ao comércio. Trata igualmente os desiguais, pois é muito mais fácil de ser cumprido ou aproveitado em direção aos interesses domésticos pelos países desenvolvidos", Geraldo Lucchese, "A internacionalização da regulamentação sanitária", *Ciênc. saúde coletiva* 2003, v. 8, n. 2, p. 554.

221 *Ibid.*, p. 553.

222 Makane Moïse Mbengue e Urs P. Thomas, *op. cit.*, §36.

de modo mais "duro" o fenômeno da globalização, pois "deixa pouco espaço para a busca e implantação de alternativas, arranjos e mediações domésticas às exigências do mercado internacional", capturando as "frágeis instituições nacionais dos países em desenvolvimento – o parlamento, as instâncias negociadoras da área das relações exteriores, as agências regulatórias e assim por diante"[223]. Este fenômeno é ainda mais inquietante quando se considera que a tomada de decisão no âmbito intergovernamental "muda o contexto" das relações entre os setores público e privado nacionais: a necessidade de construir coalizões encoraja o governo a cooperar com a indústria, que, por sua vez, a fim de aumentar as chances de ter seus interesses contemplados, tende a assumir os custos desta cooperação, resultando em relações "por vezes muito estreitas entre empresas e governos"[224].

Não é difícil entender que o determinismo econômico reine no plano das organizações multilaterais da área econômica e financeira, mas é surpreendente que ele predomine também em organizações internacionais da área social, pois

> "a Comissão do Codex tem suas raízes na FAO e na OMS, cujas missões são muito mais abrangentes e importantes sob o ponto de vista humano. Por isso, deveria buscar um caminho de maior autonomia em relação aos interesses econômicos imediatos, dos países-membros e de suas empresas, pois deve zelar pela vida futura e pela imagem de organismos preocupados com a alimentação e a saúde pública mundiais"[225].

Enfim, não restam dúvidas de que a simples análise da normatividade tradicional, ou seja, de convenções e regulamentos da OMS, é insuficiente para medir a sua influência normativa nos ordenamentos nacionais.

---

223 Geraldo Lucchese, *op. cit.*, p. 554.

224 Maryvonne Lassalle-de Salins, "Les délégués des Etats dans les processus décisionnels des organisations intergouvernementales : la défense d'une position nationale au sein du codex alimentarius", *Revue française d'administration publique* 2008/2, n. 126, p. 406.

225 Geraldo Lucchese, *op. cit.*, p. 554.

2.4. A reforma da OMS

Durante o ano de 2010, a Direção-Geral organizou uma consulta informal aos Estados-membros e aos Comitês Regionais, que resultou em numerosas críticas à gestão financeira da entidade. A publicação do relatório destas consultas[226] teria, segundo a OMS[227], provocado o processo de reforma da organização.

Uma parte dos consultados encorajou a busca de recursos junto ao setor privado, usando a "imagem de marca" da organização para alargar a base de doadores. Ao mesmo tempo, a OMS deveria fazê-lo com prudência suficiente para evitar a distorção de suas prioridades e salvaguardar sua independência. Muitos participantes mostraram-se críticos em relação ao atual enfoque da *mobilização de recursos* adotado pela OMS, destacando a necessidade de evitar: solicitações múltiplas do mesmo doador, diferentes abordagens emanadas de diferentes níveis de organização, e uma cultura empresarial que faz da competição interna pela coleta de fundos um complicador na definição de prioridades da organização. Por outro lado, o Secretariado deveria elaborar documentos fáceis e breves, que explicassem quais são as prioridades insuficientemente financiadas, ressaltando que os programas de trabalho devem ser mais claros e melhor estruturados para que possam ser usados como instrumentos de captação de fundos[228].

Pessoal e financiamento da OMS são dois elementos cruciais do debate sobre a reforma institucional. Conforme o artigo 35 da Constituição, o recrutamento do pessoal da OMS deve ser pautado pela "eficácia, integridade e a representação de caráter internacional do Secretariado", a fim de que sejam mantidas "no mais elevado grau",

226 OMS, *Le financement futur de l'OMS – Synthèse d'une consultation*, EB128/INF.DOC./2, Relatório do Secretariado, Genebra, 16/12/2010.

227 Cf. cronologia oficial da reforma, disponível em: <http://www.who.int/about/who_reform/process/fr/index.html>, consultada em 11/4/2013.

228 OMS, *Le financement futur de l'OMS – Synthèse d'une consultation*, *op. cit.*

tendo em conta, ainda, "a importância de recrutar o pessoal numa base geográfica tão ampla quanto possível"[229].

O organograma da sede da OMS bem demonstra a crescente complexidade das tarefas de seu quadro orgânico, como indica a tabela n. 4.

Tabela n. 4 – Estrutura da sede da OMS[230]

<table>
<tr><td colspan="2" align="center">Diretor-Geral
Diretor-Geral Adjunto
Gabinete do Diretor-Geral (ODG)

Comunicação (DCO)
Órgãos diretores (GBS)
Serviços de controle interno (IOS)
Conselheiro jurídico (LEG)
Ombudsman (OMB)
Coordenação com as organizações das Nações Unidas (UNI)
Escritório junto a Organização das Nações Unidas, Nova Iorque (WUN)</td></tr>
<tr><td>Saúde da família, da mulher e da criança (FWH)
• Envelhecimento e qualidade de vida (ALC)
• Vacinação, vacinas e produtos biológicos (IVB)
• Saúde da mãe e saúde e desenvolvimento do recém-nascido, da criança e do adolescente (MCH)
• Saúde e pesquisa genética (RHR)</td><td>Sistemas de saúde e inovação (HIS)
• Sistemas de saúde: políticas e pessoal (HPW)
• Financiamento dos sistemas de saúde (HSF)
• Medicamentos essenciais e produtos de saúde (EMP)
• Ética e determinantes sociais (ESD)
• Estatísticas sanitárias e sistemas de informação (HSI)
• Gestão e compartilhamento do saber (KMS)
• Saúde pública, inovação e propriedade intelectual (PHI)
• Programa Segurança dos Pacientes (PSP)
• Centro OMS para o desenvolvimento sanitário, Kobe (WKC)</td></tr>
</table>

229 O artigo 36 adiciona que "as condições de serviço do pessoal da Organização estarão, tanto quanto possível, em conformidade com as das outras organizações das Nações Unidas".

230 Cf. *site* oficial (excluídas as secretarias com parceiros), novembro de 2012, consultado em 10/4/2013, disponível em: <http://www.who.int/about/structure/organigram/en/index.html>.

Administração (GMG)	HIV/Aids, tuberculose, paludismo e doenças tropicais negligenciadas (HTM)
• Finanças (FNM) • Centro mundial de conferências e de formação, Tunis (CGT) • Centro mundial de serviços, Kuala Lampur (GSC) • Gestão de recursos humanos (HRD) • Tecnologias da informação e telecomunicações (ITT) • Apoio e serviço operacionais (OSS) • Planificação, coordenação de recursos e acompanhamento de resultados (PRP)	• Luta contra as doenças tropicais negligenciadas (NTD) • Programa mundial de luta anti-malária (GMP) • HIV/Aids (HIV) • *Stop* tuberculose (STB)
Segurança sanitária e ambiente (HSE) • Segurança sanitária de alimentos, zoonoses e doenças de origem alimentar (FOS) • Capacidades mundiais, alerta e ação (GCR) • Pandemias e epidemias (PED) • Saúde pública e ambiente (PHE)	**Poliomelite, situações de urgência e colaboração com os países (PEC)** • Colaboração com os países (CCO) • Gestão dos riscos ligados às situações de urgência e ação humanitária (ERM) • Poliomelite: operações e pesquisa (POL)
Doenças não transmissíveis e saúde mental (NMH) • Manejo de doenças não transmissíveis (MND) • Saúde mental e abuso das substâncias psicoativas (MSD) • Nutrição para a saúde e o desenvolvimento (NHD) • Prevenção das doenças não transmissíveis (PND) • Prevenção da violência, do traumatismo e da deficiência (VIP)	

Consoante a informação oficial da OMS, mais de 7 mil pessoas de mais de 150 nacionalidades trabalhariam para a organização, tanto em seus escritórios regionais e nacional como na sede genebrina[231]. No entanto, a tabela n. 5, recentemente elaborada pelas *Associações de Pessoal da OMS*, no intuito de complementar

231 Cf. *WHO – its people and offices*, <http://www.who.int/about/structure/en/index.html>, consultado em 11/4/2013.

os dados oficiais da Organização, revela que o quadro funcional da OMS tem sofrido uma significativa redução.

Tabela n. 5 – Distribuição do pessoal da OMS e supressões de postos atuais e futuros[232]

	Categorias profissionais e de nível superior em 2010	Administradores recrutados no plano nacional em 2010	Pessoal de serviços gerais em 2010	Postos suprimidos	Pessoal Temporário cujo contrato não foi renovado	Outros postos que poderão ser suprimidos
Sede	1.171	38	880	203	120	100-200
África	374	601	1.392	216	desconhecido	desconhecido
América	90	5	53	desconhecido	desconhecido	desconhecido
Ásia do Sudeste	132	46	372	0	desconhecido	desconhecido
Europa	193	86	255	16	desconhecido	desconhecido
Mediterrâneo Oriental	167	48	481	5	desconhecido	desconhecido
Pacífico Ocidental	184	56	313	11	desconhecido	desconhecido
Total	2.311	880	3.746	453	120	100-200

Segundo as Associações de Pessoal, a redução do quadro funcional da OMS não decorre apenas da recessão financeira mundial em curso, como indica a declaração de seu presidente:

> "Nós pensamos que estas reduções são também devidas a certos erros de gestão, a uma mobilização insuficiente de recursos, à falta de esforços de comunicação institucional e à má

232 OMS, *Déclaration du représentant des Associations du Personnel de l'OMS*, Documento de informação EB130/INF.DOC./2, Genebra, 19/1/2012, p. 2. Elaborado pelas associações com base em OMS, EB130/26 Add.1, de 1º/12/2011. A coluna sobre o pessoal temporário foi elaborada pelas associações com base em informações próprias.

planificação, assim como a uma falta de previsão e de discernimento quando a organização se portava melhor financeiramente. ... Em caso de déficit orçamentário, a primeira solução que vem ao espírito quase automaticamente é a redução do pessoal. Nós contestamos esta maneira de ver as coisas. ... Sem medidas de urgência para reter o pessoal e recrutá-lo, a OMS não mais estará em condições de conservar sua excelência técnica, sua independência e sua neutralidade, que são consideradas seus maiores trunfos"[233].

Com efeito, a situação financeira da OMS é apresentada, pela própria entidade, como inquietante[234].

Em reunião recente, o *Comitê de Programa, Orçamento e Administração do Conselho Executivo* comemorou o fato de que o déficit orçamentário da OMS teria diminuído para 100 milhões de dólares americanos, felicitando o Secretariado pelos "ganho de produtividade, pela transferência de funções e de pessoal, assim como pela supressão de postos"[235].

Uma das razões deste déficit pode ser atribuída ao câmbio. Nos últimos anos, o poder de compra da OMS reduziu-se drasticamente, pois as moedas nas quais suas receitas são obtidas estão fortemente desvalorizadas em relação ao franco suíço, com o qual a organização paga a maior parte de suas despesas. O gráfico n. 1 demonstra tal decréscimo.

---

233 *Ibid.*, p. 2-3.

234 Um orçamento detalhado da organização foi apresentado pelo Secretariado ao Conselho Executivo no documento OMS EB130/5, de 13/1/2012. Apesar de suas 18 páginas e de sua completude, o documento não é claro quanto ao período ao qual corresponde. Embora faça referência ao mês de novembro, é pouco provável que suas cifras refiram-se a apenas um mês de funcionamento da organização. Por esta razão, tais dados não serão comentados neste livro.

235 OMS, EB130/4 *Rapport du Comité du Programme, du Budget et de l'Administration du Conseil exécutif*, Genebra, 16/1/2012, considerando 4.

Gráfico n. 1 – Evolução do poder de compra ponderado da OMS (2000 a 2010)[236]

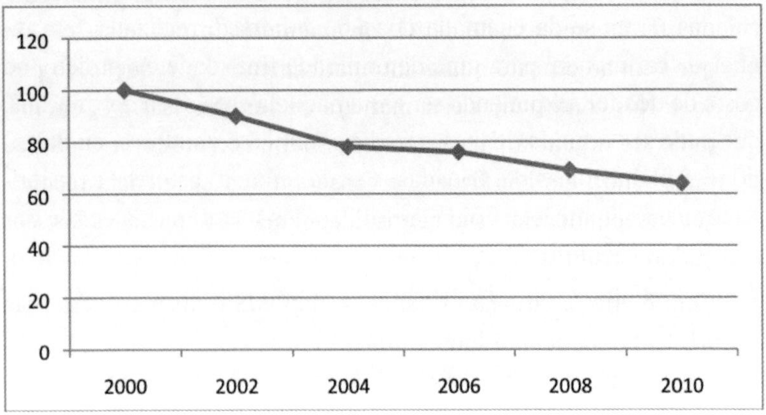

Por outro lado, os dados oficiais apontam um decréscimo das contribuições fixas para a organização, como indica o gráfico n. 2.

Gráfico n. 2 – Evolução das contribuições fixas **(abaixo)** e voluntárias **(acima)** de 1998-2013 (em milhões de US$)[237]

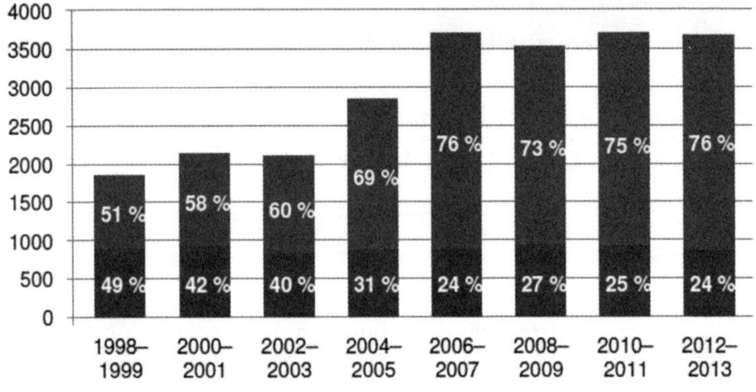

Assim, estima-se que, atualmente, entre as receitas fixas, as contribuições dos Estados-membros constituam menos de 20% das

236 OMS, EBSS/2/INF.DOC./2, Genebra, 25/10/ 2011, p. 7.

237 *Ibid.*, p. 2. Contribuições in natura excluídas. Para 2010-2013, trata-se de projeções.

receitas. Quanto às contribuições voluntárias, são em grande parte destinadas a programas específicos, aos quais são formalmente vinculadas. Trata-se da chamada doação *earmarked*, realizada "em dinheiro, 'carimbada' para uma determinada finalidade ou projeto, ao gosto do doador, só podendo ser gasta naquela específica destinação", que pode ser oriunda de países tradicionalmente doadores, ou de entidades filantrópicas ou privadas, "o que tende a distorcer as prioridades programáticas definidas pelos Estados-membros", além de dar margem a "conflitos de interesses que possam advir, por exemplo, de doações da indústria farmacêutica e outras entidades privadas"[238].

É importante frisar que a dificuldade de financiamento não está relacionada à pandemia, principal objeto deste livro. A partir dos anos 1980, os Estados doadores deram início à estratégia de investimento nos programas especiais em detrimento dos programas gerais, que permite não apenas escolher suas prioridades (e não as da organização), como constituir comitês diretores próprios para cada programa, compostos essencialmente pelos países doadores[239]. Nos anos 1970, estas contribuições variavam entre 20 e 25% do orçamento; no início dos anos 1990, elas já perfaziam mais da metade do orçamento global da OMS.

Com efeito, as contribuições voluntárias provêm de alguns Estados-membros que desejam financiar iniciativas precisas, mas também de fundações filantrópicas e do setor privado (inclusive de laboratórios farmacêuticos). No biênio 2010-2011, por exemplo, a *Fundação Bill Gates* foi a maior doadora voluntária de fundos à OMS (U$ 446.161.801), sobrepujando até mesmo as contribuições voluntárias dos Estados Unidos (US$ 438.285.683)[240].

238 Paulo Buss *et al.* "Governança em saúde e ambiente para o desenvolvimento sustentável", *Ciênc. saúde coletiva*, Rio de Janeiro, v. 17, n. 6, Junho 2012, p. 1484.

239 Bertrand Deveaud e Bertrand Lemennicier, *L'OMS: bateau ivre de la santé publique – Les dérives et les échecs de l'agence des Nations Unies*, Paris: L'Harmattan, 1997, p. 41.

240 OMS, A65/29 Add.1, *Annex – Voluntary contributions by fund and by donor for the financial period 2010–2011*, Genebra, 5/4/2012, p. 10.

O comportamento de seu fundador, Bill Gates, oferece uma clara demonstração das consequências da "privatização" da OMS. Convertido em um dos mais poderosos atores da saúde global, Gates já discursou em duas Assembleias Mundiais da Saúde, em 2005[241] e em 2011. Na segunda ocasião – além de recomendar o livro *Getting Better*, do economista Charles Kenny, que demonstraria o quanto "as pessoas vivem cada vez melhor" – , Gates procurou, em linguagem imperativa, influenciar as prioridades da ação em saúde pública: instou os 193 Estados-membros a fazer dos programas de vacinação e imunização a prioridade de seus sistemas de saúde[242]. Um trecho deste discurso dirige-se especialmente à indústria farmacêutica, de quem o orador é grande aliado: os laboratórios necessitariam, segundo Gates, oferecer preços de vacinas diferenciados para os países pobres. No momento em que o grande debate no seio da Assembleia Mundial da Saúde é o financiamento da pesquisa sobre doenças negligenciadas, Gates joga seu peso a favor do atual sistema de propriedade intelectual, pedindo apenas um desconto para os mais pobres[243].

Em 5 de maio de 2011, a Diretora Geral da OMS apresentou à 64ª Assembleia Mundial da Saúde um projeto de reforma da organização. No relatório em questão, que foi rapidamente aprovado pela Assembleia[244], Margaret Chan assim apresenta a necessidade de reforma da OMS:

> "Ao final desta década, demasiadamente dispersa e tendo assumido compromissos em excesso, a OMS percebe que precisa reformar-se. Suas prioridades não estão definidas de modo

241 Discurso disponível em: <http://www.who.int/mediacentre/events/2005/wha58/gates/en/index.html>.

242 OMS, A64/DIV/6, *Address by Mr Bill Gates to the 64 WHA*, Genebra, 23/5/2011, p. 1 e p. 6.

243 Agathe Duparc e Marc Allgöwer, "Bill Gates – donateur généreux et parfois dérangeant", *RTS Info*, 17/5/2011, disponível em: <www.rts.ch>, consultado em 18/3/2012.

244 OMS, WHA 64.2, *WHO reform*, Genebra, 20/5/2011.

suficientemente seletivo nem estratégico. A multiplicação do número de organismos que intervêm no setor da saúde traduziu-se por repetições inúteis e um esfacelamento da ação que tornam necessárias, mais do que nunca, maior coerência e melhor coordenação.

O apoio financeiro que a OMS recebe nem sempre dá prioridade às áreas em que a organização é mais capaz de promover os grandes progressos. A definição dos orçamentos é coercitiva e, com frequência, pouco considera as capacidades de execução ou os novos imperativos de austeridade financeira. Os procedimentos de recrutamento de pessoal e de fidelização, assim como os planos de carreira, seguem o modelo estabelecido há dezenas de anos, tornando a organização ainda mais rígida, incapaz de se adaptar rapidamente a problemas cada vez mais complexos"[245].

À primeira vista, seria possível pensar que a iniciativa de reforma vincula-se ao grande desgaste da OMS durante e após a crise sanitária de 2009-2010 e, talvez, ao resultado do labor do *Comitê de Revisão* do Regulamento Sanitário Internacional, que será estudado nos capítulos seguintes deste livro, considerando a gravidade das disfunções institucionais sobre as quais o Comitê se debruçou. Todavia, é consenso que a reforma em curso foi motivada por outras razões, operacionais e financeiras[246], anteriores às recomendações do Comitê de Revisão. Neste diapasão, segundo Chan, de nada adianta elaborar um enfoque "racional e objetivo" das funções da OMS, se

"o nível real de financiamento do qual dispõe a OMS e a medida na qual os créditos são condicionados ao uso em finalidades

245 OMS, *Le financement futur de l'OMS: réformes pour un avenir sain – Rapport du Directeur general*, A64.4, Genebra, 5/5/2011, considerandos 2 e 3. Com notável franqueza, sobretudo se tomada em conta a habitual parcimônia semântica da linguagem dos altos funcionários internacionais.

246 Cf. Gaudenz Silberschmidt, "How to set priorities for the World Health Organization", *Global Health Programme Working Paper* n. 6, Genebra: IHEID, 2011, p. 5.

específicas, têm repercussões maiores sobre a definição de prioridades e as medidas efetivamente implementadas"[247].

Os resultados esperados pela reforma seriam, resumidamente, três: dar um novo foco às atividades essenciais da OMS, a fim de enfrentar os desafios sanitários aos quais são confrontados os Estados no século XXI, definindo prioridades e recebendo os meios financeiros adequados para tanto; reforçar o financiamento e a gestão da OMS para ser mais eficaz, esclarecendo as responsabilidades que cabem à sede, aos escritórios regionais e aos nacionais; e transformar a *governança* para reforçar a saúde pública, esclarecendo, especialmente, o papel dos órgãos dirigentes[248]. Em todos os documentos relativos à reforma, encontra-se a ideia de que, sendo mais coerente, a OMS poderia desempenhar um papel mais importante no seio da *governança* mundial.

O Conselho Executivo decidiu implementar um processo de consulta dito "transparente e participativo", e *conduzido pelos Estados-membros*; determina, ainda, que os comitês regionais, com base em documentos preparados pela sede, promovam discussões estratégicas sobre a reforma da OMS; e convida os Estados a sustentar financeiramente o processo de reforma, além de engajar-se a seu favor[249]. Uma plataforma com documentos elaborados pelo Secretariado foi disponibilizada aos Estados e ao público geral na internet[250].

Em novembro de 2011, houve uma reunião extraordinária do Conselho Executivo, apresentada como "histórica", para tratar da reforma da OMS. Decidiu-se que os domínios de atividade

....

247 OMS, Direção-Geral, *Reform of priority setting at WHO – Opening remarks on WHO Reform: Meeting of Member States on programmes and priority setting*, Genebra, 27/2/2012, p. 2.

248 OMS, *WHO reform for a healthy future: an overview*, Genebra, 20/7/2011.

249 OMS, EB129(8) WHO reform, de 25/5/2011, publicada em EB129/DIV/2 de 16/6/2011, p. 3.

250 Inicialmente sob o título *Reforma da OMS para um futuro saudável*, hoje simplesmente *Reforma da OMS*, disponível em: <http://www.who.int/dg/reform/en/index.html>.

essenciais à OMS deveriam concentrar-se no desenvolvimento sanitário, no reforço dos sistemas e dos estabelecimentos de saúde, na produção de dados factuais sobre as tendências sanitárias e os determinantes da saúde, e no papel agregador da organização para melhorar a saúde no mundo[251]. Nessa ocasião, o Conselho também declarou que "a independência e a integridade da OMS devem ser protegidas da influência injustificada de grupos de pressão", e decidiu constituir um fundo de urgência para a ação da OMS em caso de emergência de saúde pública[252].

Entre 16 e 23 de janeiro de 2012, em sua reunião ordinária, o Conselho decidiu dar continuidade ao processo de reforma da OMS[253]. Uma "Reunião dos Estados-membros sobre os programas e a definição de prioridades" ocorreu em Genebra, nos dias 27 e 28 de fevereiro de 2012. Como preparação à 65ª AMS, uma série de documentos foi apresentada, entre eles um longo relatório da Direção-Geral[254].

Durante a 65ª AMS, os Estados-membros da Unasul defenderam "uma reforma da OMS mais ampla do que a revisão das formas de financiamento, como inicialmente previsto"[255]. A diplomata brasileira Maria Luísa Escorel de Moraes criticou a "pressa" com que foi conduzido o tema da reforma, revelando que foram rechaçadas as tentativas de incluir nos documentos o adjetivo "gradual", por influência dos grandes doadores, que são os maiores interessados

---

251 OMS, "WHO's Executive Board supports reform proposals – Reforms aim to better position WHO to improve health outcomes", *Note for the media*, Genebra, 4/11/2011.

252 *Ibid.* O texto não esclarece se a expressão concerne especificamente à uma ESPII, ou se refere a emergências de maneira geral.

253 OMS, EB130/DIV/3, Genebra, 23/1/2012.

254 OMS, A65/5 *WHO reform – Consolidated report by the Director-General*, Genebra, 25/4/2012, disponível em: <http://apps.who.int/gb/ebwha/pdf_files/WHA65/A65_5-en.pdf>.

255 UNASUL, ISAGS, *65ª AMS discutiu Reforma da OMS com destacada atuação da UNASUL, Informe*, maio de 2012, p. 1, disponível em: <http://isags-unasul.org/media/file/Informe2_portugues_FINAL_link.pdf>.

na aceleração do processo de reforma por já terem uma "posição articulada"; criticou igualmente a retirada da expressão "saúde e desenvolvimento" dos documentos em tela[256].

A propósito, a referência constante da Direção-Geral da OMS aos Estados-membros como os protagonistas da reforma parece revelar uma busca de legitimação que, no entanto, enseja inúmeras questões. Supondo que um número significativo de Estados tenha, de fato, uma concepção madura e detalhada de qual deve ser o trabalho da OMS, tal visão dificilmente seria consensual, traduzindo interesses que privilegiam diferentes campos da atuação da organização. Um exemplo das evidentes tensões entre os Estados é a posição do Brasil e da Índia, produtores de medicamentos genéricos, no debate sobre a contrafação de medicamentos. Durante a 63ª AMS, de 2010, brasileiros e indianos temiam que um exagero nesta regulamentação englobasse aspectos concernentes à propriedade intelectual, entravando o comércio de genéricos, que é vital para os países mais pobres. Eles chegaram a solicitar que a OMS rompesse uma parceria estabelecida com o *Grupo internacional de luta contra a contrafação de medicamentos* (Impact) – espécie de força-tarefa que reúne aduanas, polícias, representantes da Organização Mundial do Comércio (OMC) e do Banco Mundial, além de representantes da indústria farmacêutica[257].

É também o caso da crítica formulada pelos países da UNASUL em relação às prioridades de atuação da OMS que foram propostas pela Direção-Geral por ocasião da 65ª AMS. Segundo Chan, as "categorias" prioritárias seriam: 1) Doenças Transmissíveis; 2) Doenças Não Transmissíveis; 3) Promoção da saúde ao longo da vida; 4) Sistemas de Saúde; e 5) Prevenção, Vigilância e Resposta[258].

....

256 UNASUL, ISAGS, *65ª AMS discutiu Reforma da OMS ..., op. cit.*, p. 4.

257 Agathe Duparc, "L'Assemblée mondiale de la santé marquée par um clivage Nord-Sud", *Le monde*, 21/5/2010.

258 OMS, A65/40 *WHO reform, Report by the Director-General*, 22/3/2012, disponível em: <http://apps.who.int/gb/ebwha/pdf_files/WHA65/A65_ 40-en.pdf>.

Como coordenador nacional do Brasil na *UNASUL Saúde*, o sanitarista Paulo Buss indicou que não está sendo considerada a *produção social da saúde* dentre tais categorias, ora focadas na ruptura da normalidade biológica; sua sugestão é de que as atuais categorias 1, 2 e 5 sejam mescladas sob o nome *Vigilância em Saúde*, e que uma sexta categoria seja acrescentada para aportar os temas saúde, desenvolvimento e determinantes sociais da saúde[259].

Pressionados por estas tensões, a Direção-Geral, o Secretariado e o Conselho Executivo não escondem suas dificuldades de pautar a ação da OMS, e de construir um prisma coletivo capaz de ganhar a adesão massiva dos Estados. Ao recolher opiniões e tentar conciliar o inconciliável, a OMS corre o risco de ceder a uma pauta mínima de ação, gerada por equações instáveis entre as vontades dos Estados, ou talvez pior ainda, dos financiadores privados. Nesta perspectiva, parece claro que a questão do financiamento só poderia ser solucionada por meio do aumento da contribuição fixa dos Estados-membros da organização. Mas num momento de recessão econômica, e sob a pressão dos maiores financiadores da organização, que se encontram no setor privado, a Direção da OMS parece preferir uma solução gerencial a uma abordagem política.

Como Presidente da *Federação Mundial das Associações de Saúde Pública* (WFPHA), Paulo Buss sustenta que

---

259 UNASUL, ISAGS*, op. cit.*, p. 3. A posição do Brasil sobre o futuro da OMS, que tende a ser compartilhada em âmbito regional, parece ir no sentido de que "as referências políticas e técnicas da atuação da OMS nas próximas décadas deverão ser os desafios colocados pelos determinantes sociais da saúde e as ações intersetoriais, nos termos estabelecidos na *Conferência Mundial sobre Determinantes Sociais da Saúde*, o incentivo ao desenvolvimento de sistemas de saúde universais, equitativos e de qualidade, baseados nos princípios de Alma Ata, e os compromissos do desenvolvimento sustentável emanados da Rio+20", Paulo Buss *et al.* "Governança em saúde e ambiente para o desenvolvimento sustentável", *Ciênc. saúde coletiva*, Rio de Janeiro, v. 17, n. 6, Junho 2012, p. 1483.

"Neste momento a Associação está participando ativamente da crítica à ineficiência e à ineficácia da OMS. Com 60 anos de história, o sistema das Nações Unidas como um todo está dando profundos sinais de fadiga de materiais, e isso se refere ao mínimo. Não é somente a questão do Conselho de Segurança, mas também a falta de transparência nos processos de decisão, entre outros. (...) Hoje, no Brasil, fazemos uma crítica profunda à OMS e pedimos a sua reforma, mas a atual Diretoria-Geral assumiu esse processo e está, literalmente, procurando esterilizar o processo de reforma. Mas isso nós não vamos tolerar. A WFPHA vai bater nessa tecla. Não queremos que seja, e não pode ser, uma reforma cosmética. A Federação não pode ficar de joelhos para a Organização Mundial do Comércio (OMC) na discussão patente x paciente. Temos que defender os pacientes. Não há hierarquia entre as agências das Nações Unidas. Existe ou não existe visão política, e a OMS tem uma visão obtusa e está de joelhos para as organizações econômicas"[260].

Por ocasião da 132ª reunião do Conselho Executivo, um documento relativo à implementação da reforma da OMS assim redimensiona os objetivos do processo:

1. eixo programático – melhores resultados sanitários, correspondendo à OMS uma ação que responda às expectativas de seus Estados-membros e de seus parceiros, conforme às prioridades sanitárias fixadas de comum acordo, e que privilegie os domínios nos quais a organização exerce uma função única ou desfruta de uma vantagem comparativa, mediante um financiamento que facilite esta meta;
2. eixo de governança – maior coerência da ação sanitária no mundo, reservando à OMS o papel dirigente que permita a numerosos atores contribuir de modo ativo e eficaz para a saúde de todos os povos;

260 Entrevista concedida a Isabela Schincariol, *Portal ENSP – Notícia*, s/d, disponível em: <www.ensp.fiocruz.br>, consultada em 14/9/2012.

3. eixo de gestão – uma organização que vise à excelência, que seja eficaz, eficiente, reativa, objetiva, transparente e responsável[261].

Segundo o mesmo documento, ao longo dos últimos anos, os Estados-membros teriam adotado, por meio de resoluções e decisões dos órgãos diretivos da OMS, mais de 40 propostas referentes aos três grandes eixos da reforma. Um relatório da Direção Geral revela que a maioria destas propostas está em curso, tendo como horizonte de realização o ano de 2015, revelando, ainda, que significativa parte das metas necessita de maior detalhamento por parte dos órgãos diretivos para que tenha início[262].

Até o momento, o que se pode constatar é que, verdadeiros florões da linguagem tecnocrática, os documentos elaborados no âmbito da reforma são numerosos, volumosos, repetitivos e pouco inteligíveis[263]. Diante do que se pode compreender de tais documentos, as primeiras reações da sociedade civil são de inquietação: "a questão é saber se, em lugar de uma agência de saúde pública multilateral, a OMS não se tornará uma agência privada a serviço dos interesses de um punhado de doadores"[264].

2.5. A participação das ONGs

Diferentemente de outras organizações internacionais, desde sua origem a OMS preocupou-se em atrair organizações sociais,

261 OMS, EB132/INF./3 *Implementation of WHO reform, 2012 – High-level implementation plan.* Genebra, 8/1/2013, disponível em: <http://apps.who.int/gb/ebwha/pdf_files/EB132/B132_INF3-en.pdf>.

262 OMS, EB132/5 Add.8 *Implementation of WHO reform, 2012 – Report by the Director-General*, Genebra, 8/1/2013, disponível em: <http://apps.who.int/gb/ebwha/pdf_files/EB132/B132_5Add8-en.pdf>.

263 Os documentos mais importantes relativos à reforma encontram-se disponíveis em: <http://www.who.int/about/who_reform/documents/en/index.html>, consultado em 11/4/2013.

264 German Velasquez, ex-Diretor do Departamento sobre inovação e propriedade intelectual da OMS, *Le Monde*, 19/5/2011.

além de regular as relações que com elas estabeleceria. Assim, reza o já mencionado artigo 18 da Constituição:

"As funções da Assembleia serão: ...

... g) Dar instruções ao Conselho e ao diretor-geral para chamar a atenção dos Estados-membros e das organizações internacionais, governamentais ou não governamentais, sobre qualquer assunto respeitante à saúde que a Assembleia considere apropriado;

h) Convidar qualquer organização internacional ou nacional, governamental ou não governamental, que tenha responsabilidades relacionadas com as da Organização, a nomear representantes para participar, sem direito de voto, nas suas sessões ou nas das comissões e conferências reunidas sob a sua autoridade, nas condições prescritas pela Assembleia da Saúde; mas, no caso de organizações nacionais, os convites só serão enviados com o consentimento do Governo interessado".

O artigo 71 acrescenta que

"A Organização pode, em assunto dentro da sua competência, tomar todas as disposições convenientes para consultar e cooperar com organizações internacionais ou governamentais e, com aprovação do Governo interessado, com organizações nacionais, governamentais ou não governamentais".

As relações da OMS com a sociedade civil foram pautadas, já na primeira Assembleia Mundial da Saúde, por princípios que foram atualizados na terceira e na quadragésima assembleias, estando em vigor esta última atualização, que data de 1987[265]. Tais princípios

....

265 OMS, Resolução WHA40.25 – *Principes régissant les relations entre l'Organisation mondiale de la Santé et les organisations non gouvernementales, in:* OMS, *Documents fondamentaux.* 47 ed. [com emendas até 31/5/2009], Genebra, 2009, p. 81-86. Um estudo sobre a aplicação de tais princípios pode ser encontrado em Christophe Lanord, *A study of WHO's Official Relations system with Nongovernmental Organizations,* Genebra: WHO Civil Society Initiative, junho de 2002, disponível em: <http://www.who.int/civilsociety/documents/en/study.pdf>.

orientam a *acreditação* de ONGs junto à OMS, mas não oferecem um eixo para promover a *consulta* e a *colaboração* entre a instituição internacional e a sociedade, tampouco cobrindo a relação dos escritórios regionais e nacionais da OMS com as organizações sociais[266].

Participam do processo decisório da OMS as organizações[267] que mantêm *relações oficiais* com a organização. A mais recente lista consolidada, de janeiro de 2013, computa **187 ONGs em relações oficiais com a OMS**[268]. Desde 1948, tais organizações são automaticamente convidadas a participar das reuniões dos órgãos deliberativos da OMS, podendo intervir após a manifestação dos Estados-membros, desde que apresentem seus discursos com 24 horas de

266 OMS, *Towards a new policy of WHO engagement with NGOs – Consultation with NGOs*, Apresentação, Genebra, 22/10/2012, disponível em: <http://www.who.int/about/who_reform/documents/Presentation_NGO_18Oct2012.pdf>.

267 Para a OMS, sociedade civil compreende os movimentos sociais, o mundo associativo, as ONGs, as organizações locais, e outras entidades privadas com objetivo não lucrativo, cf. *OMS, société civile et organisations non gouvernementales: examen des interactions – Relations extérieures et organes directeur – Initiative société civil*, Genebra, 2002, p. 2. As dificuldades conceituais neste campo são evidentes. Para alguns, "a ação coletiva nas áreas sociais e, dentro delas, no campo da saúde, não corresponderiam a *movimentos sociais* com caráter autônomo, capazes de gerar condutas de conflito por diferentes orientações culturais no campo da saúde. As demandas nesse campo colocar-se-iam no plano organizativo e no seu limite no plano do confronto político em termos de sua organização. A saúde, bem como outras áreas sociais, passariam a expressar esse movimento mais geral, que encontra-se em processo, e que teria em seu horizonte a perspectiva de orientação cultural por uma sociedade que incorporasse seus contingentes marginalizados, diminuísse as disparidades sociais existentes e estabelecesse outros critérios de relação no plano jurídico-político", Rubens Adorno, "Movimento social e participação: a saúde na esfera pública", *Saúde e sociedade*, 1(2): 111-124, 1992, p. 121.

268 OMS, *English/French list of 187 nongovernmental organizations in official relations with WHO reflecting decisions of EB132*, January 2013, Disponível em: <http://www.who.int/civilsociety/relations/NGOs-in-Official-Relations-with-WHO.pdf >.

antecedência. No entanto, segundo a OMS, menos de 50% das ONGs em relações oficiais com a OMS participam das Assembleias Mundiais da Saúde, e menos de 30% participam das sessões de janeiro do Conselho Executivo[269].

Quem decide pelo entabulamento de relações oficiais de uma ONG com a OMS é o Conselho Executivo, após exame do relatório de seu *Comitê Permanente de Organizações Não Governamentais*. Em 2013, por exemplo, o Conselho Executivo da OMS, em sua 132ª sessão, adotou uma Resolução[270] que acolheu quase integralmente a proposta contida no relatório do Comitê[271], pondo fim às relações oficiais com duas organizações[272] e admitindo-as com seis novas entidades[273]. O principal critério adotado pelo Comitê consiste na

....

269 OMS, *Towards a new policy of WHO engagement with NGOs – Consultation with NGOs*, Apresentação, Genebra, 22/10/2012, disponível em: <http://www.who.int/about/who_reform/documents/Presentation_NGO_18Oct2012.pdf>.

270 OMS, Conselho Executivo, *Relations avec les organisations non gouvernementales,* EB132.R9, Genebra, 28/1/2013.

271 OMS, *Reports of committees of the Executive Board, Standing Committee on Nongovernmental Organizations*, EB132/34, de 26/1/2013.

272 São elas a *Associação Internacional de Epidemiologia* e a *Liga Internacional La Leche*. No caso da primeira, a entidade teria sido convidada a apresentar um relatório sobre a colaboração com a OMS, mas não teria respondido ao convite. Segundo a avaliação do Comitê, o plano de colaboração relativo ao período de 2010 a 2012 nunca foi implementado, tendo cessado igualmente o contato com a entidade. Quanto à segunda, após relatar diversas diligências de aproximação com a ONG em questão, o Comitê considera que "os recursos da Liga atualmente não permitem que ela se comprometa junto à OMS na planificação conjunta de atividades". O Comitê recomendou, ainda, a ruptura das relações da OMS com o *Global Health Council*, mas o Conselho não se manifestou a respeito. Segundo o Relatório do Comitê, a entidade teria cessado suas atividades, tornando-se um simples "quadro institucional", cf. *ibid*.

273 São elas: *The Global Alliance for Rabies Control Inc., WaterAid, Worldwide Network for Blood and Marrow Transplantation, Sociedade Europeia de Oncologia Médica, Worldwide Palliative Care Alliance* e *International Association for Hospice and Palliative Care Inc.*, ibid.

aplicação do item 4.5 dos já mencionados princípios norteadores das relações entre a OMS e as ONGs. Em virtude deste dispositivo, um plano de colaboração baseado em objetivos mutuamente acordados e no qual sejam listadas as atividades comuns deve ser a base das relações "oficiais" com as entidades.

Não resta dúvida sobre o fato de que estas relações merecem uma pesquisa específica e de fôlego, que excede largamente as possibilidades e os objetivos deste livro. Apenas no ano de 2013, o relatório do Comitê analisou a relação da OMS com 68 entidades, com base em documentos de circulação restrita[274]. Do que se pode extrair do relatório público, chama a atenção o tipo de avaliação feita pelo Comitê sobre as relações da OMS com entidades importantes como, por exemplo, a Oxfam[275].

Em 2011, a OMS anunciou a criação do *Fórum Mundial da Saúde*, cuja primeira reunião deveria ocorrer em Genebra, em novembro de 2012. Seu objetivo seria o de explorar, num quadro informal em que participariam numerosos atores, as formas de trabalhar conjuntamente com maior eficácia. Tratar-se-ia de um âmbito consultivo, integrado por governos, organizações dedicadas à saúde mundial, parceiros, organizações regionais, organismos multilaterais e bilaterais, entidades filantrópicas, organismos da sociedade civil, organizações do setor privado e outras[276]. Um coletivo de organizações,

274 Especialmente o EB132/NGO/WP/1, ao qual não se teve acesso.

275 Trata-se de uma confederação internacional composta por 17 organizações que atuam em mais de 90 Estados (cf. OXFAM Internacional, disponível em: <http://www.oxfam.org/en/about>). Segundo o relatório do Comitê, "a Oxfam indicou ter participado das reuniões da OMS ao longo do período 2010-2012, mas aparentemente não houve nenhuma atividade de colaboração. Na ocasião do precedente exame, esperava-se que um plano de colaboração seria convencionado. Porém, o administrador técnico designado pela OMS aposentou-se e um certo lapso de tempo transcorreu sem que seu sucessor fosse nomeado. Contactou-se a Oxfam com a intenção de esclarecer o estado de suas relações", ficando a análise do caso adiada para a próxima reunião do Conselho, *ibid.*

276 OMS, *Forum mondial de la santé – Note de synthèse*, 22/6/2011.

entre elas a legendária *Médicos sem fronteiras*, reagiu enfaticamente a esta proposta, considerando que ela "atenta contra os princípios da governança democrática, a independência e a eficácia da OMS, nela reforçando o já desmedido poder do setor lucrativo"[277].

A seguir, por meio da Decisão 65(9), a 65ª AMS, de 2012, pediu à Diretora-Geral que apresentasse ao Conselho Executivo, em sua 132ª reunião, ocorrida em janeiro de 2013, um projeto de "documento de política sobre o compromisso da OMS com as ONGs", e um "relatório sobre os acordos de acolhimento de parcerias em prol da saúde e sobre as propostas de harmonização das atividades com as parcerias acolhidas"; ademais, a 65ª AMS pediu à 133ª reunião do Conselho Executivo, ocorrida em maio de 2013, que fosse apresentado um projeto de "documento de política sobre as relações com entidades comerciais privadas"[278].

A 65ª AMS também determinou que a atuação da Diretora-Geral quanto à elaboração destes documentos fosse orientada por cinco "princípios", que instituem limites explícitos a uma reforma mais profunda do sistema de participação social:

i. o caráter intergovernamental da adoção de decisões no âmbito da OMS continua tendo uma importância capital;
ii. a formulação de normas, padrões, políticas e estratégias, que integram o núcleo do trabalho da OMS, deve continuar baseada no uso sistemático de dados probatórios e deve proteger-se da influência de todo e qualquer interesse;
iii. a necessidade de realizar as devidas consultas com todas as partes envolvidas, tendo em conta os princípios e diretrizes estabelecidos para os contatos da OMS com os Estados-membros e outros parceiros;

....

277 Agathe Duparc, "L'OMS, une agence de plus en plus privée", *Le Monde*, 19/5/2011.

278 OMS, A65/DIV/3 *Decisions and list of resolutions*, Genebra, 5/6/2013, p. 5-6, disponível em: <http://apps.who.int/gb/ebwha/pdf_files/WHA65/A65_DIV3-en.pdf>.

iv. toda nova iniciativa deverá oferecer benefícios claros e agregar valor, no sentido de enriquecer políticas ou aportar algo às capacidades nacionais, sob a perspectiva da saúde pública;
v. o aproveitamento dos mecanismos existentes é preferível à organização de foros, reuniões ou estruturas novas, devendo ser precedido de análise que demonstre claramente se eventual custo adicional trará melhores resultados[279].

Em cumprimento ao mandato para elaborar o documento de política sobre o compromisso da OMS com as ONGs, a Direção-Geral convocou um evento de consulta à sociedade civil, realizado em 18 de outubro de 2012, com três objetivos principais: promover a colaboração com as ONGs, desvinculando-a do estabelecimento de "relações oficiais"; melhorar as formas de consulta às ONGs, independentemente de relação oficial, para aperfeiçoamento das políticas e estratégias no campo da saúde; atualizar e aperfeiçoar os critérios de participação de ONGs nos órgãos diretivos da OMS[280]. Naquela ocasião, a OMS reconheceu que o número de ONGs com quem mantém "relações informais" é muito superior à cifra das organizações acreditadas, com quem mantém "relações oficiais"[281].

No discurso de abertura do evento, Margaret Chan abordou alguns dos mais polêmicos elementos da temática em tela. Embora tenha destacado a necessidade de um maior compromisso entre a OMS e as ONGs, Chan reconheceu a persistência de certa

---

279 *Ibid.*

280 OMS, *Issues Paper – Consultation on WHO's engagement with NGOs: Issues to consider in the formulation of a policy*, Genebra, 12/10/2012, disponível em: <http://www.who.int/about/who_reform/governance/who_reform_consultation_who_ngo_engagement_issues_paper.pdf>.

281 OMS, *Towards a new policy of WHO engagement with NGOs – Consultation with NGOs*, Apresentação, Genebra, 22/10/2012, disponível em: <http://www.who.int/about/who_reform/documents/Presentation_NGO_18Oct2012.pdf>.

"confusão" no debate e indicou que "algumas questões ainda deixam os Estados um pouco nervosos"[282].

Na visão de Chan, as ONGs ocupam um espaço político único, expressando "o poder social das pessoas comuns, em oposição aos poderes coercitivos e regulamentares dos governos, e ao poder econômico do mercado". Por conseguinte, as ONGs poderiam expressar-se francamente, diferentemente das organizações internacionais, que precisam mostrar-se "diplomaticamente discretas": "não nos é permitido enfurecer ou vociferar, mas alguns entre vocês o fazem muito bem", disse a Diretora-Geral. Ela sublinhou a importância das ONGs, entre outros domínios, na difusão das recomendações técnicas da OMS junto às populações desfavorecidas e marginalizadas; durante a negociação de instrumentos da governança mundial da saúde, como os da luta contra o tabagismo ou pelo acesso a medicamentos; na ação humanitária, particularmente em situações de conflito armado; e para reunião de pesquisadores, associações profissionais, institutos médicos e estudantes de medicina, com o intuito de influir sobre problemas específicos de saúde.

No entanto, Chan também ressaltou que "as ONGs não são um grupo uniformemente composto por organizações altruístas", mencionando algumas de suas numerosas subcategorias: Bingos (ONGs com interesses comerciais)[283], Pingos (ONGs de interesse público)[284], Gongos (ONGs administradas pelos governos)[285], e ainda Congos (ONGs organizadas pelas comunidades)[286] e Tangos (ONGs para assistência técnica)[287]. Segundo a Diretora-Geral,

....

282 OMS, *WHO Director-General addresses NGO community – Dr Margaret Chan – Opening remarks at a consultation on WHO engagement with nongovernmental organizations*, Genebra, 18/10/2012, disponível em: <http://www.who.int/dg/speeches/2012/consultation_20121018/en/index.html>.

283 *Business-interest NGOs.*

284 *Public-interest NGOs.*

285 *Government-operated NGOs.*

286 *Community-organized NGOs.*

287 *Technical-assistance NGOs.*

> "Os quadros institucionais e operacionais diferem de uma organização à outra. O alcance da intervenção é variável, assim como o grau de eficácia e a viabilidade dos resultados. Na melhor das hipóteses, seus programas estão estreitamente alinhados às diretrizes técnicas da OMS, mas nem sempre é o caso. Os Estados-membros da OMS suscitaram interrogações sobre sua legitimidade. Vocês intervêm, frequentemente em grande número, em diversos países, mas geralmente não são submetidas à regulamentação nacional. Eu ouvi protestos. Onde está o controle governamental? A quem as ONGs devem prestar contas?"[288].

Não obstante, Chan sustentou que a fonte de financiamento de uma ONG não condiciona, por si só, sua legitimidade, e que organizações financiadas por Estados raramente são acusadas de constituir "o braço armado da política exterior" de seus financiadores. Ela exemplificou a complexidade do tema citando as ONGs que representam o setor do transporte aéreo, claramente vinculadas a interesses comerciais. Para Chan, apesar de tais interesses, essas organizações têm desempenhado papel essencial na luta contra os surtos epidêmicos.

Por fim, a Diretora-Geral demarcou de maneira enfática os limites do diálogo com as ONGs, em clara referência às restrições feitas pela 65ª AMS ao seu mandato:

> "muitas vezes, nossos Estados-membros rejeitaram propostas de reforma que implicavam a instauração de novos mecanismos ou o acréscimo de novos níveis de complexidade. Em outros termos, minha capacidade de responder a certas demandas de vocês poderá ser limitada pela vontade formulada explicitamente pelos Estados-membros. Afinal, eles são os acionistas e proprietários desta organização"[289].

O relatório do evento traz diversas sugestões objetivas para o processo de reforma, além de elementos importantes para o debate,

---

288 OMS, *WHO Director-General addresses NGO community..., op. cit.*

289 *Ibid.*

especialmente sobre a definição, a transparência e a prestação de contas das ONGs, revelando a grande preocupação de numerosas entidades em relação à participação dos que representam interesses comerciais ou corporativos, no sentido de que a OMS deveria encontrar formas mais eficazes para proteger-se do conflito de interesses que daí resulta[290].

Como resultado desta consulta, a Direção-Geral encaminhou um informe, ainda bastante exploratório, ao Conselho Executivo[291]. Em sua 132ª reunião, o Conselho decidiu pedir à Chan que proponha princípios gerais sobre o compromisso da OMS com as ONGs, definindo procedimentos operativos separados para participação das ONGs e das entidades comerciais, e que harmonize as propostas de política para relações com cada um destes setores[292]. Entre outras medidas, determinou que a Diretora-Geral conduza consultas públicas via internet sobre o projeto, e estabeleceu ainda que, para respaldar suas propostas de políticas, Chan deve convocar dois procedimentos de consulta separados: um dos Estados-membros e das ONGs, outro dos Estados-membros e das entidades comerciais privadas[293].

....

290 OMS. WHO Reform: Towards a new policy of WHO engagement with NGOs – Consultation with NGOs 18 October 2012, Relatório, disponível em: <http://www.who.int/about/who_reform/governance/who_reform_report_ngo_consultation_nov2012.pdf>.

291 OMS, EB132/5 Add.2 *Key issues for the development of a policy on engagement with nongovernmental organizations – Report by the Director-General*, Genebra,18/1/2013, disponível em: <http://apps.who.int/gb/ebwha/pdf_files/EB132/B132_5Add2-en.pdf>.

292 OMS, EB132/DIV./3 *Decisions and list of resolutions*, 26/2/2013, p. 5, disponível em: <http://apps.who.int/gb/ebwha/pdf_files/EB132/B132_DIV3-en.pdf>.

293 *Ibid.*

PARTE II – ...AO DIREITO DA EMERGÊNCIA

Por ocasião da pandemia de gripe A(H1N1), foi pela primeira vez aplicada a mais recente versão do Regulamento Sanitário Internacional (RSI), de 2005. Não se trata mais, como antes, de "inscrever notificações dos Estados em um boletim epidemiológico semanal", e sim de manter um sistema ativo de vigília, em tempo real, mobilizado 24 horas por dia[294].

Na segunda parte deste livro, estudaremos o processo de elaboração do RSI(2005), que embasou juridicamente a resposta da OMS à pandemia de gripe A(H1N1), com o intuito de compreender o processo de declaração da primeira Emergência de Saúde Pública de Importância Internacional (ESPII). A seguir, analisaremos alguns mecanismos de controle da primeira aplicação deste direito da emergência: da própria OMS, um mecanismo regional e um mecanismo nacional. Trata-se de melhor compreender esta engrenagem, e refletir, graças ao estudo do caso da gripe A(H1N1), sobre os grandes desafios deste novo direito.

294 Solenne Delga, "Un droit international public de la santé contraignant pour les États?" *in:* Dominique Kerouedan (Dir.), *Santé internationale – Les enjeux de santé au Sud.* Paris: Presses de Sciences Po, 2011, p. 489.

"A crise sanitária é uma crise epidemiológica, médica e também, indissociavelmente, uma crise política e uma crise de governo. Ao lado dos enfoques clínicos e epidemiológicos, ela corresponde a uma dupla teoria do político (poder, violência, coerção) e do governo (estrutura de Estado, comportamento dos governantes). O domínio das crises sanitárias pelo Estado depende de sua própria capacidade de criar, desenvolver e gerir organizações complexas e especializadas (sistemas de saúde, agências, comitês de especialistas), de sua capacidade de assegurar a permanência do funcionamento e a mobilização dos recursos dessas organizações, e, enfim, do seu poder de controle sobre o uso da coerção na resposta à crise".

Patrick Zylberman, "Crises sanitaires, crises politiques", *Les Tribunes de la santé* 1/2012, n. 34, p. 40.

3. O PROCESSO DE ELABORAÇÃO

Além de servir de âmbito para a propositura, a negociação e a conclusão de tratados internacionais a respeito dos mais diversos temas, as organizações internacionais produzem *atos unilaterais* de *regulamentação internacional*. Eles são chamados de *direito derivado*, em oposição ao *direito originário* ou inicial, que corresponde ao tratado constitutivo da organização (do qual deriva toda e qualquer competência de um organismo interestatal)[295].

São igualmente conhecidos como *atos heteronormativos*, em oposição a *atos autonormativos*, no sentido de que os segundos são endereçados à própria organização, enquanto os primeiros dirigem-se a sujeitos de direito autônomos *vis-à-vis* da organização, como outras organizações internacionais, Estados-membros ou Estados não membros[296].

3.1. O poder regulamentar das organizações internacionais

A análise comparativa do direito de um número expressivo de instituições universais e regionais, dificultada por uma evidente

295 Pierre-Marie Dupuy e Yann Kerbrat, *Droit international public*, 10 ed., Paris: Dalloz, 2010, p. 213.

296 Ngyuen Quoc Dinh, atualizado por Patrick Daillier, Mathias Forteau e Alain Pellet, *Droit international public*, 8 ed., Paris: LGDJ, 2009, p. 406.

imprecisão terminológica[297], permite formular três observações a propósito do poder regulamentar externo das organizações internacionais: este poder é pouco frequente; na maior parte do tempo, ele administra o princípio fundamental do consenso interestatal; por fim, ele raramente é implícito[298].

De fato, a OMS é um dos raros exemplos de uma organização internacional dotada de *poder regulamentar externo*, juntamente com a *Organização da Aviação Civil Internacional* (Oaci)[299] e a *Organização Meteorológica Mundial* (OMM)[300]. A análise das cartas constitutivas destas organizações evidencia o liame entre as funções que elas exercem e as competências que delas decorrem.

Começando pela Oaci, conforme o artigo 44 da Convenção que a cria, os seus fins e objetivos são desenvolver os princípios e a técnica da navegação aérea internacional, favorecer o estabelecimento e estimular o desenvolvimento dos transportes aéreos internacionais, a fim de poder:

> "a) Assegurar o desenvolvimento seguro e ordeiro da aviação civil internacional no mundo; b) Incentivar a técnica de desenhar aeronaves e sua operação para fins pacíficos; c) Estimular o desenvolvimento de aerovias, aeroportos e facilidades à navegação aérea na aviação civil internacional; d) Satisfazer às necessidades dos povos do mundo no tocante ao transporte aéreo seguro, regular, eficiente e econômico; e) Evitar o desperdício de recursos

297 Esta imprecisão exige "a análise específica dos atos em causa para que se possa indicar a extensão de seus efeitos. A jurisprudência internacional tem, a propósito, papel decisivo na ampliação do grau de certeza nessa matéria", Alberto do Amaral Jr., *op. cit.*, p. 191.

298 Pierre-Marie Dupuy e Yann Kerbrat, *op. cit.*, p. 214.

299 Criada pela *Convenção sobre Aviação Civil Internacional*, concluída em Chicago, em 7/12/1944, a Oaci conta atualmente com 191 Estados-membros, entre os quais o Brasil, que incorporou a Convenção por meio do Decreto n. 21.713, de 27/8/1946.

300 Criada pela *Convenção da Organização Meteorológica Mundial* (Washington, 11/10/1947, e internalizada pelo Brasil graças ao Decreto n. 28.074, de 4/5/1950), disponível em: <www.wmo.int>.

econômicos causados por competição desrazoável; f) Assegurar que os direitos dos Estados contratantes sejam plenamente respeitados, e que todo o Estado contratante tenha uma oportunidade equitativa de operar empresas aéreas internacionais; g) Evitar a discriminação entre os Estados contratantes; h) Contribuir para a segurança dos voos na navegação aérea internacional; i) Fomentar, de modo geral, o desenvolvimento de todos os aspectos da aeronáutica civil internacional".

O artigo 37 da mesma Convenção, intitulado *Adoção de normas e processos internacionais*, estipula que

> "Os Estados Contratantes se comprometem a colaborar a fim de lograr a **maior uniformidade possível** em regulamentos, padrões, normas e organização relacionados com as aeronaves, pessoal, aerovias e serviços auxiliares, em todos os casos em que a uniformidade facilite e melhore a navegação aérea. Para este fim, *a Oaci adotará e emendará, oportunamente, segundo a necessidade, as normas internacionais e as práticas e processos* relativos aos pontos seguintes: a) Sistema de comunicação e auxílio à navegação aérea, inclusive as marcações terrestres; b) Características de aeroportos e áreas de pouso; c) Regras de tráfego e métodos de controle de tráfego aéreo; d) Licenças para o pessoal de voo e mecânicos; e) Navegabilidade das aeronaves; f) Registro e matrícula de aeronaves; g) Coleta e troca de dados meteorológicos; h) Livros de bordo; i) Mapas e cartas; j) Formalidades de alfândega e de imigração; k) Aeronaves em perigo e investigação de acidentes. Assim como todas as sugestões relacionadas com a segurança, regularidade e eficiência de navegação aérea que oportunamente forem necessárias" (sem grifo no original).

A seguir, o artigo 38, cujo título é *Diferenças entre as normas e processos internacionais*, determina que

> "Se um Estado se vê impossibilitado de cumprir em todos os seus detalhes certas normas ou processos internacionais, ou de fazer que seus próprios regulamentos e práticas concordem por completo com as normas e processos internacionais que tenham sido

objeto de emendas, ou se o Estado considerar necessário adotar regulamentos e práticas diferentes em algum ponto dos estabelecidos por normas internacionais, informará imediatamente a Oaci das diferenças existentes entre suas próprias práticas e as internacionais. Em caso de emendas, o Estado que não fizer estas alterações nos seus regulamentos ou práticas deverá informar o Conselho dentro do período de 60 dias a contar da data em que for adotada a emenda às normas internacionais, ou indicará o que fará a esse respeito. Em tal caso o Conselho notificará imediatamente a todos os demais Estados a diferença existente entre as normas internacionais e as normas correspondentes no Estado em apreço".

Trata-se de um mecanismo de *opting out*, de que trataremos mais adiante.

Desnecessário ressaltar a importância do trabalho da Oaci para o setor da aviação, e particularmente para a circulação de pessoas e de bens. Por exemplo, os recentes episódios pontuais de suspensão dos serviços de transporte aéreo em face dos efeitos de erupções vulcânicas levou a Oaci a produzir um manual de orientação, "aprovado pelos parceiros da indústria aeronáutica", contendo "fundamentos científicos para a tomada de decisões em caso de erupção vulcânica" que os Estados podem recomendar aos transportadores aéreos quando há previsão de contaminação do espaço aéreo por cinzas vulcânicas, "passando assim a responsabilidade dos voos aos exploradores, sob a supervisão das autoridades nacionais de regulamentação"[301].

Quanto à OMM, de acordo com o artigo 2º de sua carta constitutiva, são finalidades da organização: facilitar a cooperação mundial com o fim de estabelecer redes de estações que efetuem observações meteorológicas ou outras observações geofísicas atinentes à meteorologia, e incentivar a criação e a manutenção de centros meteorológicos encarregados de fornecer serviços meteorológicos; promover

301 *Flight Safety and Volcanic Ash*, Doc. 9974, Montreal, 5/3/2012, disponível em: <www.icao.int>.

o estabelecimento e a manutenção de sistemas para a troca de informações meteorológicas; promover a normalização das observações meteorológicas e assegurar a publicação uniforme de observações e estatísticas; promover as aplicações da meteorologia à aviação, à navegação marítima, à agricultura e a outras atividades humanas; promover as pesquisas e ensino da meteorologia, e concorrer para a coordenação dos aspectos internacionais nesses setores.

Os 183 Estados-membros da OMM estão representados no *Congresso Meteorológico Mundial*, seu organismo supremo. Segundo o artigo 6º da Convenção, "cada membro designa um dos seus delegados, que deverá ser, de preferência, o diretor do seu serviço meteorológico, no caráter de delegado-chefe". Entre as funções do Congresso, encontra-se a de "**adotar os regulamentos técnicos relativos às práticas e aos processos meteorológicos**" (art. 7º, *c*), assim como "determinar medidas de ordem geral, a fim de atingir os objetivos da Organização" (*d*). Os Estados-membros da OMM "devem envidar esforços para dar cumprimento às decisões do Congresso; caso, entretanto, seja impossível a um membro executar qualquer estipulação de uma resolução técnica adotada pelo Congresso, esse membro deve informar o Secretariado-Geral da Organização se sua incapacidade é provisória ou definitiva, bem como as razões que a motivaram" (art. 8º).

É inconteste, na atualidade, que os atos emanados unilateralmente das organizações internacionais podem contribuir para a formação de um costume ou facilitar ao juiz o reconhecimento da existência de um princípio geral de direito[302]. Mas o poder regulamentar externo está relacionado à outra possibilidade, que é a de "exercer seu poder normativo em relação aos Estados-membros"[303], adotando *disposições de efeito regulamentar* ou *decisões obrigatórias de alcance geral*[304].

....

302 Philippe Manin, *Droit international public*, Paris: Masson, 1979, p. 53.

303 Pierre-Marie Dupuy e Yann Kerbrat, *op. cit.*, p. 243.

304 Philippe Manin, *op. cit.*, p. 53

Seu campo de aplicação e seu regime jurídico são variáveis: algumas, como já foi mencionado, manifestam o poder de autorregulação da própria organização internacional; outras, ultrapassam o quadro propriamente interno da instituição, "para visar diretamente as condições legais de conduta dos Estados-membros nos domínios cobertos pela ação da organização, tal como é definido em sua carta constitutiva"[305].

Assim, um ato regulamentar erige-se sobre uma "armação procedimental"[306]; por vezes, o mesmo instrumento que prevê o procedimento, regula igualmente os efeitos do ato em questão. É o caso da OMS.

3.2. O poder regulamentar da OMS

Antes de mais nada, em virtude do artigo 21 da Carta,

"A Assembleia da Saúde terá autoridade para adotar os regulamentos respeitantes a:

a) Medidas sanitárias e de quarentena e outros procedimentos destinados a evitar a propagação internacional de doenças;

b) Nomenclaturas relativas a doenças, causas de morte e medidas de saúde pública;

c) Normas respeitantes aos métodos de diagnóstico para uso internacional;

d) Normas relativas à inocuidade, pureza e ação dos produtos biológicos, farmacêuticos e similares que se encontram no comércio internacional;

e) Publicidade e rotulagem de produtos biológicos, farmacêuticos e similares que se encontram no comércio internacional".

305 Pierre-Marie Dupuy e Yann Kerbrat, *op. cit.*, p. 243.

306 Robert Kolb, *Interprétation et création du droit international – Esquisse d'une herméneutique juridique moderne pour le droit international public*, Bruxelas: Bruylant, 2006, p. 256.

A seguir, o artigo 22 da Carta estabelece:

> "Os regulamentos adotados em conformidade com o artigo 21 entrarão em vigor para todos os Estados-membros depois de a sua adoção ter sido devidamente notificada pela Assembleia da Saúde, exceto para os Estados-membros que comuniquem ao Diretor-Geral a sua rejeição ou reservas dentro do prazo indicado na notificação".

De acordo com o relatório dos debates que figura na ata da Conferência Internacional da Saúde,

> "A contribuição mais importante aos métodos de legislação internacional no campo da saúde trazida pela Constituição da OMS reside, sem dúvida, no poder que ela confere à Assembleia de adotar regulamentos de largo alcance no domínio técnico. ... Este procedimento põe cada Estado-membro na obrigação de fazer conhecer sua recusa de um Regulamento. Em outros termos, ele deve 'livrar-se' desta obrigação por declaração anterior, em lugar de ter o direito de 'comprometer-se' por um ato oficial de aceitação"[307].

Assim, diferentemente dos acordos ou convenções já mencionados, que entram em vigor para os Estados-membros quando de sua incorporação às ordens nacionais pelos respectivos processos constitucionais, os regulamentos dispensam a incorporação às ordens jurídicas nacionais.

Por conseguinte, a competência da OMS para adotar regulamentos de aplicabilidade imediata (sem mediação, logo sem necessidade de incorporação às ordens nacionais) já foi aceita pelos Estados, na maior parte dos casos inclusive por seus parlamentos, quando aprovaram e ratificaram a Carta Constitutiva da organização. Mas a fim de preservar a margem de discricionariedade dos Estados, o mecanismo permite ou a rejeição completa do regulamento, ou a formulação de reservas, correspondendo à técnica de *opting out*, típica das normas técnicas internacionais.

[307] OMS, *Actes officiels de l'OMS n. 2, op. cit.*, p. 20.

Vale recordar que as técnicas de *opting in* e *opting out* desenvolveram-se em ramos diferentes, embora complementares, do direito internacional. Enquanto o *opting in* corresponde ao ato positivo pelo qual um Estado decide sujeitar-se a um ato ou instrumento convencional, logo, típico do direito dos tratados (representado por expressões como *assinatura, aprovação, ratificação* ou *adesão*), o *opting out* aparece normalmente nos processos decisórios relativos à adoção de normas técnicas pelas organizações internacionais, em que normalmente se vota por maioria simples ou qualificada, nos quais o Estado pode expressar sua intenção de não aplicar certa norma técnica, valendo-se do *opting out total* (expresso em vocábulos como *recusa* ou *não aprovação*) ou *parcial* (traduzido por termos como *objeção* e *reserva*)[308] Assim, "a *ratio legis* da técnica de *opting out* é guiada pela preocupação em encontrar um equilíbrio entre a autonomia da vontade dos Estados e o exercício das competências normativas das organizações internacionais"[309].

....

308 Makane Moïse Mbengue, "Technique de l'*opting out*: acceptation par les États des normes techniques internationales", *in: Les enjeux de la normalisation technique internationale – entre environnement, santé et commerce internatinal*, Paris: CERIC/La documentation française, 2006, p. 121.

309 *Ibid.*, p. 122. Por esta razão, o *opting out* não se limita às normas técnicas. Em um dos mais complexos sistemas jurídicos internacionais, que é o direito comunitário europeu, a técnica do *opting out* foi adotada para evitar um bloqueio geral no avanço de domínios específicos da integração europeia. O *opting out* corresponde tanto às numerosas derrogações de cláusulas dos tratados constitutivos concedidas aos Estados (por exemplo, a não participação do Reino Unido na *zona euro*, ou de diversos Estados-membros nos *Acordos Schengen*) como, igualmente, à *cooperação reforçada*, possibilidade criada pelo *Tratado de Amsterdam*, de 1997 (em vigor desde 1º/5/1999), que permite concretizar a *geometria variável* da integração, regulamentada com detalhes pelo *Tratado de Lisboa*, de 2007 (em vigor desde 1º/12/2009), em seus artigos 326 a 334 (versão consolidada do Tratado sobre o funcionamento da União Europeia, disponível em: <http://eur-lex.europa.eu>. A expressão aparece, ainda, quando se trata das técnicas de harmonização de legislações em matéria de mercado interior: "a harmonização opcional é aquela que autoriza

Na OMS, a possibilidade de recusa ou de reserva deve-se ao fato de que a Assembleia pode decidir por maioria de dois terços dos votos, permitindo assim ao Estado "vencido" na deliberação, que não está conforme a determinado dispositivo ou ao conjunto da norma, rejeitar a sua aplicação. Logo, esta *válvula de escape* viabiliza a adoção de padrões internacionais sem ferir as suscetibilidades de certos Estados. Em seu silêncio, presume-se a total concordância com o Regulamento.

É importante sublinhar que eventuais reserva ou recusa não constituem, portanto, exceção ao princípio da aplicabilidade imediata dos Regulamentos da OMS, eis que não dizem respeito à elaboração da norma, nem à deliberação que a aprovou, e sim à aplicabilidade destas normas em dado território. Ademais, tanto a recusa como as reservas são reversíveis, podendo o Estado, a qualquer tempo, revê-las.

Tal aplicabilidade imediata (ou desnecessidade de internalização pelos Estados-membros) dos Regulamentos da OMS é facilmente compreensível[310]. Primeiramente, quanto à *natureza* dos Regulamentos Sanitários Internacionais. Os conteúdos normativos previstos pelo artigo 21 da Carta, já mencionados, **ou são internacionais, e tendem a ser respeitados reciprocamente por todos os Estados do mundo, ou não podem existir**. Eles configuram

os Estados a conservar a sua regulamentação nacional (por vezes em caráter transitório), sem deixar de prescrever algumas regras comuns. O operador tem a escolha entre a regra harmonizada e a regra nacional. A harmonização total, ao contrário, prevê a substituição das regras comuns às regras nacionais", Claude Blumann (coord.), *Commentaire J. Mégret – Marché intérieur*, 3 ed., Bruxelas: IEE, 2006, p. 267.

310 Argumentos desenvolvidos em Deisy Ventura, *Rumbo a las políticas regionales de salud – Estudio preliminar sobre la incorporación del RSI en los derechos nacionales y comunitários*, parecer elaborado para o Centro de Pesquisas de Direito Sanitário da Universidade de São Paulo – Cepedisa, a pedido da Organização Panamericana de Saúde, disponível em: <http://new.paho.org/hq/dmdocuments/2008/rumbo-politiregion-salud-spa.pdf>, p. 5-6.

uma *gramática da saúde internacional*, capaz de garantir uma segurança mínima na circulação mundial de pessoas e de bens.

Em segundo lugar, a dispensa de incorporação dos regulamentos justifica-se quando se toma em consideração *a capacidade para exercício desta competência*. Difícil imaginar alguém melhor do que a Assembleia Mundial da Saúde para legislar sobre a prevenção da propagação *internacional* das doenças, sobre a maneira de proteger-se delas, de dominá-las, e de a elas reagir por meio de ações de saúde pública proporcionais aos riscos que implicam, evitando entraves inúteis à circulação e ao comércio internacionais.

Enfim, no que diz respeito à exequibilidade das normas, a complexidade técnica inerente aos temas abordados pelos Regulamentos enfrenta, ademais, o imperativo de encontrar comandos normativos aplicáveis às tão diferentes culturas, inclusive jurídicas, espalhadas pelo mundo. Tal variedade, que precisa ser compreendida para o eficaz combate às enfermidades, fez-se expressa nas intensas discussões, das quais participaram todos os Estados-membros da Organização, ocorridas durante os trabalhos preparatórios dos Regulamentos internacionais em tela. Ela jamais poderia ser contemplada por meio da simples cooperação internacional.

Neste sentido, um eventual dever de incorporação dos Regulamentos da OMS representaria uma ameaça para a segurança sanitária internacional, devida aos riscos

- "de incompreensão de aspectos técnicos do texto pelos atores políticos;
- de barganhas partidárias com um acervo normativo mundial inegociável;
- de lentidão desnecessária num processo que é pura urgência, eis que a propagação das doenças ignora formalidades;
- de modificação, pelo Parlamento, de um padrão internacional sanitário, gerando a formulação extemporânea de reservas e comprometendo a eficácia global do instrumento;

- de recusa extemporânea do Regulamento, sacrificando, entre outros aspectos, a imagem do país no exterior"[311].

É verdade que técnicas como o *opting out*, ou o recurso à notificação das diferenças entre normas, limita, em tese, o alcance do poder regulamentar da organização. Na prática, porém, as normas adotadas pela OMS respondem, em geral, à necessidade dos Estados, e representam um progresso em relação ao que antes existia. Isto faz com que dificilmente os Estados rechacem esta "importante obra de legislação realizada por este meio em domínios essenciais"[312].

3.3. Os primeiros Regulamentos Sanitários Internacionais

Uma das primeiras emergências que a OMS teve de enfrentar, quando de sua criação, foi a uniformização das técnicas de combate às doenças infecciosas, especialmente em face da "situação calamitosa em que os serviços nacionais de saúde pública se encontravam na Europa e na Ásia, continentes nos quais as principais hostilidades bélicas se tinham desenrolado"[313]. Numerosos instrumentos internacionais sobre questões sanitárias, entre os quais "nenhum substituía o outro, nem reunia as mesmas partes, entraram em vigor [durante a primeira metade do século XX]. Era indispensável

311 *Ibid.*, p. 6. O Brasil é exemplo de uma aventureira submissão do RSI (de 2005) ao Congresso Nacional. Ele foi aprovado pelo Decreto Legislativo n.395/2009, de 9/7/2009, três anos após o esgotamento do prazo para rechaço ou formulação de reservas previsto pelo Regulamento.

312 Philippe Manin, *op. cit.*, p. 55. Para Bertrand Badie, o "custo de ser cavaleiro solitário anda muito alto. Antes corrente e banal, o ato de não aderir a normas universais é cada vez menos aceito pela opinião pública internacional, pelos atores sociais internacionais, e especialmente pelas ONGs, mas também por um grande número de Estados", "La paix entre multilatéralisme et puissance", *in:* Guillaume Devin (dir.), *Faire la paix – la part des institutions internationales*, Paris: Sciences Po, 2009, p. 270.

313 Guido Soares, "O direito internacional sanitário e seus temas: apresentação de sua incômoda vizinhança", *Revista de Direito Sanitário*, v. 1, n. 1, 11/2000.

uniformizar e racionalizar esta regulamentação”[314], cuja complexidade bem demonstra a tabela n. 6.

Tabela n. 6 – Tratados concluídos sobre doenças infecciosas entre 1892-1951[315]

Ano	Tratado
1892	Convenção Sanitária Internacional
1893	Convenção Sanitária Internacional
1894	Convenção Sanitária Internacional
1897	Convenção Sanitária Internacional
1903	Convenção Sanitária Internacional, substituindo as anteriores
1905	Convenção Sanitária Interamericana
1912	Convenção Sanitária Internacional, substituindo a convenção de 1903
1924	Código Sanitário Panamericano
1924	Acordo para a Concessão de Facilidades aos Marinheiros Mercantes no Tratamento de Moléstias Venéreas
1926	Convenção Sanitária Internacional, substituindo a convenção de 1912
1927	Protocolo Adicional à Convenção Sanitária Panamericana
1928	Convenção Sanitária Panamericana para a Navegação Aérea
1930	Convenção relativa ao Soro Antidiftérico
1930	Acordo relativo a Medidas a tomar contra a Dengue
1933	Convenção Internacional Sanitária para a Navegação Aérea
1934	Convenção Internacional para a Mútua Proteção contra a Febre Dengue
1938	Convenção Sanitária Internacional, emendando a convenção de 1926
1944	Convenção Sanitária Internacional, modificando a convenção de 1926
1944	Convenção Internacional Sanitária para a Navegação Aérea, modificando a Convenção de 1933
1946	Protocolos para Prorrogação das Convenções Sanitárias de 1944
1951	Regulamento Sanitário Internacional

A necessidade de tal regulação aprofundou-se por diversos motivos, além da justaposição de variados instrumentos:

“A ciência médica havia feito progressos consideráveis, que convinha aplicar no plano internacional. O aumento constante do

314 Claude Henri Vignes, “Le RSI”, *Annuaire français de droit international*, Ano 1965, v. 11, n. 11, p. disponível em: <www.persee.fr>.

315 David Fidler, “The globalization”..., *op. cit.*, p. 845.

tráfego mundial, e logo dos riscos epidêmicos, exigia uma regulamentação adequada. Enfim, a multiplicidade de convenções sanitárias criava incontáveis dificuldades. Há uma centena de anos, a saúde pública era considerada como uma questão internacional, e tentava-se elaborar convenções gerais para por freio à anarquia das regulamentações nacionais"[316].

No imediato pós-guerra, então, a prioridade foi promover um *aggiornamento* que cobrisse a prevenção e o tratamento das moléstias ditas pestilenciais, quais sejam peste, cólera, tifo exantemático, febre amarela, febre recorrente e varíola[317]. Assim, o campo de ação do primeiro Regulamento Sanitário Internacional, adotado em 1951[318], é a um só tempo limitado e vasto:

> "Ele não visa a todas as infecções suscetíveis de propagação. As disposições que ele contém concernem apenas às doenças ditas quarentenárias. No projeto, aliás, cogitou-se a referência a doenças epidêmicas, o que poderia ter permitido a aplicação do Regulamento a outras doenças além das seis por ele enumeradas, ao menos daquelas que tivessem o caráter de epidemia. Mas os adjetivos foram substituídos para evitar toda extensão abusiva do Regulamento.
>
> Em compensação, o Regulamento não é limitado quanto às formas de transporte às quais ele se aplica, porque ele rege todos os meios de transporte da época, por ar, água, estradas ou vias férreas, e se aplica a todos os viajantes. Ademais, no campo que lhe é próprio, ele prevê uma série de medidas destinadas a evitar a propagação das doenças das quais se ocupa. Ele não se limita a fixar, de maneira detalhada, as normas de higiene que os Estados devem respeitar em suas instalações sanitárias nos postos de fronteira, nos portos e aeroportos abertos ao tráfego internacional,

---

316 Claude-Henri Vignes, "Le RSI" ..., *op. cit.*, p. 651.

317 Guido Soares, *op. cit.*, p. 80.

318 Aprovado pela 4ª Assembleia Mundial da Saúde.

mas prevê também as medidas sanitárias que devem ser observadas na partida, na chegada, e durante o trajeto entre portos e aeroportos de partida e chegada, para passageiros e mercadorias, precisando claramente que estas medidas constituem o máximo que os Estados podem exigir do tráfego internacional para sua proteção"[319].

O RSI de 1951 foi substituído por um novo Regulamento, em 1969, que foi, por sua vez, modificado em 1973, e novamente alterado em 1981. Tais modificações consistem essencialmente na redução do número de doenças cobertas (de seis a três, restando a febre amarela, a peste e o cólera) e no registro da erradicação mundial da varíola[320].

O RSI (1969) impõe uma obrigação de declaração das doenças por ele abrangidas, cujos casos devem ser notificados pelos Estados-membros à OMS até 24 horas depois de tomarem conhecimento de sua existência[321]. A OMS tem, então, a obrigação de difundir imediatamente a existência do surto[322], diante do qual os Estados são livres para tomar medidas de proteção[323]. Porém, se a notificação não for feita pelo(s) Estado(s) atingido(s), o RSI (1969) não atribui à OMS nenhum tipo de iniciativa, tampouco alguma forma de sanção.

319 Claude-Henri Vignes, "Le RSI" ..., *op. cit.*, p. 652. O autor acrescenta: "redigindo o RSI, a Organização não pretendia adotar um texto de alcance acadêmico. A saúde pública exigia uma aplicação efetiva do texto recém elaborado. Para isto, era preciso vincular o maior número possível de Estados, no esforço de dar ao Regulamento um alcance universal", *ibid.*, p. 653.

320 OMS, Avant-propos, *RSI (2005)*. 2 ed. Genebra, 2008, p. vii.

321 Artigo 3 RSI (1969).

322 Artigo 11.1 RSI (1969).

323 Segundo os artigos 24 a 49 do RSI (1969), as medidas tomadas pelos Estados devem evitar todo incômodo inútil, não devem causar nenhum prejuízo à saúde, ou dano à estrutura de navios e aeronaves. Mas não há controle algum da adoção destas medidas.

Além disso, a verificação e o seguimento dos eventos declarados ficavam a cargo dos Estados Partes[324], o que estava fora do alcance de muitos países que não possuem recursos materiais e humanos à altura dos procedimentos previstos[325]. No mesmo sentido, salvo o envio de uma equipe internacional ao terreno[326] – mas somente com o consentimento do governo e em caso de risco de propagação aos territórios vizinhos –, não era previsto um mecanismo de colaboração entre a OMS e o(s) Estado(s) atingido(s).

Comentando a versão de 1981 do Regulamento, um dos pioneiros do direito internacional sanitário no Brasil, Guido Soares, é crítico sobre sua utilidade – embora reconheça as grandes virtudes do RSI no plano da difusão da informação, além da normalização

324 Doravante, a expressão *Estados Partes* corresponde aos países que se sujeitam ao RSI, sejam eles membros ou não da OMS. A expressão *Estados-membros*, por sua vez, designa os Estados que são membros da OMS. A diferença é importante na medida em que o artigo 64 do atual RSI estipula: "Qualquer Estado não membro da OMS, que seja signatário de qualquer um dos acordos ou regulamentos sanitários internacionais listados no Artigo 58 [que correspondem, em parte, à Tabela n. 6] ou a quem o Diretor-Geral notificou a adoção desse Regulamento pela Assembleia Mundial de Saúde, poderá tornar-se signatário do Regulamento, notificando sua aceitação ao Diretor-Geral e, sujeito às disposições do Artigo 62, tal aceitação tornar-se-á efetiva na data de entrada em vigor desse Regulamento, ou, se a aceitação for notificada após essa data, três meses após a data de recebimento da notificação da aceitação pelo Diretor-Geral. Qualquer Estado não membro da OMS que tiver se tornado signatário deste Regulamento poderá a qualquer momento retirar sua participação no mesmo, por meio de uma notificação endereçada ao Diretor-Geral, que entrará em vigor seis meses após seu recebimento pelo Diretor-Geral. A partir dessa data, o Estado que se retirou deste Regulamento deverá voltar a aplicar as disposições de quaisquer acordos ou regulamentos sanitários internacionais listados no Artigo 58 do qual era anteriormente signatário".

325 Michèle Poulain, "Révision du RSI, réseau *alerte et action*: l'efficacité des outils de reaction de l'OMS à l'épreuve du SRAS et de la grippe aviaire", *in: La société internationale ..., op. cit.*, p. 103.

326 Artigo 11.3 RSI (1969).

mundial indireta de técnicas terapêuticas e de prevenção. Diz o Embaixador:

> "Ressalte-se sua relativa inflexibilidade, em face da velocidade dos conhecimentos científicos e técnicos na área de profilaxia e tratamento, ou mesmo em relação a uma reversão de certa tendência (recorrência de moléstias tidas como extintas enquanto epidêmicas, como no caso da varíola); por outro lado, a ênfase dada ao conceito de doença contrasta com a tendência atual das ciências da saúde de considerar antes a pessoa doente; enfim, há a consciência de que se torna cada vez mais importante realçar o conceito de luta antivetorial nas situações epidemiológicas"[327].

Por tudo isto, em 1995, a 48ª Assembleia Mundial da Saúde deflagrou o processo de revisão do RSI, que durou dez anos. Uma difícil negociação entre os Estados foi desbloqueada principalmente por ao menos duas razões.

A primeira está relacionada aos eventos de 11 de setembro de 2001, em Nova Iorque, e os subsequentes envios postais – também nos Estados Unidos – de envelopes contaminados com o bacilo do carbúnculo (*anthrax*)[328], que fizeram crescer o temor do mundo desenvolvido em relação ao terrorismo, e em particular ao bioterrorismo. Não se trata de uma novidade, eis que, já em 1946, o primeiro Diretor-Geral da OMS afirmava:

> "A guerra biológica, e também a guerra atômica, tornaram-se uma grande ameaça; se os médicos e outros ainda não se derem conta da responsabilidade que eles assumiram, e não agirem imediatamente, toda a raça humana corre o risco de uma destruição total. Uma tal ação evidentemente não pode se deter nas fronteiras"[329].

327 *Op. cit.*, p. 80.

328 Sobre o carbúnculo como arma biológica, v. Inglesby, O'Toole, Henderson *et al.* "Anthrax as a Biological Weapon, 2002: Updated Recommendations for Management", *JAMA* 2002;287(17):2236-2252.

329 OMS, *Actes officiels de l'OMS n. 1, op. cit.*, p. 13.

Todavia, após os atentados de 11 de setembro de 2001, redimensionou-se o impacto da segurança sobre as liberdades fundamentais, na contramão da extraordinária consagração jurídica dos direitos humanos que o mundo conheceu na segunda metade do século XX. Particularmente nos Estados Unidos, os ataques terroristas de 2001 teriam "despertado a comunidade política para a importância da saúde pública"; ademais, "na era do terrorismo", "a balança entre interesses individuais e o bem comum" deveria ser "recalibrada"[330]. Há consenso sobre o fato de que o cruzamento entre as questões científicas e as questões militares no quadro da "guerra global contra o terrorismo", engendrou uma forte securização das questões sanitárias sob o rótulo da "biossegurança", pois a tomada de consciência sobre o "potencial terrorista" dos agentes infecciosos ocasionou uma vasta reorganização dos programas científicos após o 11 de setembro[331].

Por tudo isto, a obsessão securitária teria inculcado nos Estados-membros da OMS, sob a liderança dos Estados Unidos, a disposição de assumir obrigações, outrora reputadas desnecessárias ou excessivamente dispendiosas, em nome do desenvolvimento de uma capacidade coletiva de resposta a eventos internacionais com grande repercussão sanitária. Assim, se "a segurança de um Estado depende da segurança de outros Estados", também "a segurança das pessoas numa parte do mundo depende da segurança das pessoas em outras partes do mundo"[332].

De fato, a segurança é uma "palavra de ordem que permite focalizar energias muito heterogêneas", diferentemente da saúde, que é "um conceito muito vago e aberto a uma temporalidade

330 Lawrence O. Gostin, "Public Health Law In An Age Of Terrorism: Rethinking Individual Rights And Common Goods", *Health Affairs*, 21, n. 6 (2002):79-93.

331 Frédéric Keck, "Nourrir les virus – La biosécurité dans les fermes et les laboratoires", *Réseaux* 1/2012, n. 171, p. 23.

332 Florence Basty, "La sécurité humaine: um renversement conceptuel pour les relations internationales", *Raisons politiques* n. 32, 11/2008, p. 47.

longa, enquanto a segurança designa um inimigo na urgência"[333]. Tal inimigo pode abranger um largo espectro, a depender dos consensos construídos entre os Estados. Doravante, a segurança sanitária passa a compreender três dimensões: a *individual*, relativa ao acesso das pessoas aos tratamentos e vacinas, além de outros bens relacionados à saúde, e à supressão de obstáculos a uma "boa saúde"; a *pública*, que compreende ações para minimizar a vulnerabilidade em relação aos eventos que ameaçam a saúde das populações; e a *pública global*, que requer ações coletivas transversais para proteger a saúde das populações em diversas regiões, superando as fronteiras[334].

A segunda razão preponderante do destravamento das negociações para revisão do RSI (1969) parece ser a experiência da *Síndrome Respiratória Aguda Grave* (SARS), ocorrida entre os anos de 2002 e 2003, tendo como origem a China. Entre as várias lições aprendidas no enfrentamento desta pandemia, podem ser citadas:

> "no aspecto negativo, o retardamento no início das ações de prevenção e controle, em função da falta de transparência para comunicar imediatamente para a OMS o surgimento dessa pandemia; no aspecto positivo, o controle dela somente foi possível pela cooperação internacional de ações para desenvolvimento de métodos para diagnóstico e adoção de controle com base científica. Essa pandemia evidenciou que nenhum país isoladamente teria todas as condições para evitar ou controlar a disseminação de doenças com alto grau de transmissão"[335].

---

333 Frédéric Keck, "Expertise et choix politique: retour sur la grippe pandémique", *Esprit* 3/2011, p. 173.

334 David Heymann, *Health security under the International Health Regulations*, Apresentação. Genebra, 2/9/2008, disponível em: <http://www5.ensp.fiocruz.br>.

335 Eduardo Hage Carmo, "Preparação para emergências de Saúde Pública no Brasil", *in:* Maria Célia Delduque *et al.*, *O direito achado na rua..., op. cit.*, p. 414.

Ao decidir impulsionar a revisão do Regulamento, a partir de 2002, a OMS adotou um procedimento "semelhante à negociação internacional de um instrumento convencional multilateral"[336], criando um grupo de trabalho intergovernamental, aberto a todos os Estados-membros da OMS, encarregado de estudar e recomendar um projeto de revisão do RSI a ser submetido à Assembleia, com participação de observadores e de organizações governamentais e não governamentais com as quais a OMS mantém relações. Em janeiro de 2004, um documento de trabalho foi enviado a todos os Estados-membros, que puderam comentá-lo tanto por meio de um foro virtual (ou seja, via internet), como durante as consultas realizadas junto aos Escritórios Regionais; com base na manifestação dos Estados e de especialistas, um segundo projeto foi apresentado, em outubro de 2004, por sua vez sujeito a três ciclos de negociações, ocorridos em Genebra, em novembro de 2004, fevereiro e maio de 2005 – dos quais participaram cerca de 120 Estados[337].

3.4. O novo RSI (2005)

Por meio de uma Resolução[338], a 58ª Assembleia Mundial da Saúde adotou o novo RSI, tendo o conceito de ESPII[339] como pedra angular. É por isto que se pode falar de um novo *direito da emergência*, ramo tanto do direito internacional da saúde como dos direitos internos, como se verá a seguir. Antes disso, é importante recordar que o novo Regulamento se aplica a todos os eventos que podem apresentar

336 Laurence Boisson de Chazournes, "Le pouvoir réglementaire de l'OMS", *in: Droit du pouvoir Pouvoir du droit, Mélanges offerts à Jean Salmon*, Bruxelas: Bruylant, 2007, p. 1.161.

337 *Ibid.*, p. 1.162.

338 OMS, WHA 58.3, Genebra, 23/5/2005.

339 Ver Introdução, p. 35-36.

"um perigo para a saúde pública, seja de origem natural, acidental (como um acidente de laboratório) ou deliberado, e que envolva agentes biológicos ou químicos ou raios ionizantes. Ele tem por vocação ser o instrumento central para combater as doenças infecciosas, as doenças emergentes e recorrentes, as doenças contagiosas e não contagiosas"[340].

Por conseguinte, espera-se do RSI (2005) que ele seja capaz de "assegurar ao mundo uma adequada segurança sanitária, ameaçando o mínimo possível a economia e, em particular, as viagens, o transporte de mercadorias e os direitos humanos"[341]. Com efeito, na melhor tradição das conferências sanitárias internacionais pretéritas, o artigo segundo do RSI (2005) prescreve:

> "O propósito e a abrangência do presente Regulamento são prevenir, proteger, controlar e dar uma resposta de saúde pública contra a propagação internacional de doenças, de maneiras proporcionais e restritas aos riscos para a saúde pública, e que evitem interferências desnecessárias com o tráfego e o comércio internacionais".

Já o artigo terceiro é de crucial importância para a interpretação do RSI (2005), com possibilidades de arejamento da tradição já mencionada. Sua primeira frase assegura que "a

---

340 Laurence Boisson de Chazournes, *op. cit.*, p. 1.163. Especialista junto à OMS e igualmente junto ao Escritório federal de saúde pública (Suíça) durante as negociações do RSI, a autora destaca: "no que se refere à disseminação voluntária de agentes ou substâncias patogênicas, os dissensos emergiram entre, de um lado, os Estados Unidos, e, de outro, o Irã e a região do Mediterrâneo oriental. O RSI chegou a uma fórmula que considera a disseminação voluntária, sem mencioná-la expressamente [Artigo 7º – Caso um Estado Parte tiver evidências de um evento de saúde pública inesperado ou incomum dentro de seu território, independentemente de sua origem ou fonte, que possa constituir uma emergência de saúde pública de importância internacional, ele fornecerá todas as informações de saúde pública relevantes à OMS"]", *ibid.*.

341 Harvey Fineberg, Prefácio de OMS, A64/10..., *op. cit.*, p. 7.

implementação deste Regulamento será feita com pleno respeito à dignidade, aos direitos humanos e às liberdades fundamentais das pessoas"[342]. Sua segunda frase instaura uma nítida relação de submissão do RSI (2005) à Carta das Nações Unidas e à Constituição da OMS. A meta de aplicação universal, não a todos os Estados, mas com referência a "todos os povos do mundo", é estipulada na terceira frase.

Por fim, a quarta e última frase do artigo terceiro atine a um aspecto essencial da presente tese:

> "Os Estados possuem, segundo a Carta das Nações Unidas e os princípios de direito internacional, o direito soberano de legislar e implementar a legislação a fim de cumprir suas próprias políticas de saúde. No exercício desse direito, deverão observar o propósito do presente Regulamento".

O dispositivo deixa claro, portanto, que o direito soberano dos Estados Partes de elaborar e aplicar seu direito interno correspondente, na medida em que acolheram o RSI (2005) – eis que o *opting out*, parcial ou total, foi possível –, fica condicionado pelo seu propósito. Logo, o RSI (2005) pode ser indiferente às formas adotadas pelos Estados, mas é intransigente quanto ao objetivo que persegue.

Só por engano tal postulado poderia parecer etéreo ou programático. É importante recordar a aplicabilidade imediata deste instrumento, o que significa igualmente a possibilidade de invocá-lo em juízo, independentemente de sua internalização (salvo em caso de *opting out*). Ora, na hipótese de discussão e aplicação judicial do RSI (2005), ele dá margem a uma *ratio* objetiva, que é a compatibilidade (desde que passível de aferição) das normas adotadas

342 Ver Gian Luca Burci e Riikka Koskenmäki, "Human Rights Implications of Governance Responses to Public Health Emergencies: The Case of Major Infectious Disease Outbreaks", *in:* Clapham, Andrew; Robinson, Mary, *Realizing the right to health*, Zurich: Swiss Human Rights Books, 2009, p. 346-358. Disponível em: <www.swisshumanrightsbook.com>.

por um Estado com o propósito já mencionado, tanto no que se refere à realização da obrigação de prevenção e controle da propagação de doenças, como a hipotética restrição desproporcional do tráfego e do comércio internacional, e, muito mais importante, dos direitos e liberdades fundamentais, erigidos como princípio. Portanto, os Estados Partes no RSI (2005) estão comprometidos com a implementação de um *direito da emergência*, cujos contornos gerais foram traçados pela Assembleia Mundial da Saúde em que tomam assento.

3.5. O mecanismo de "*opting out*"

Remetendo ao artigo 22 da Constituição da OMS, já mencionado, o RSI (2005) esclarece que o prazo para a rejeição ou apresentação de reservas será de 18 meses a partir da data da notificação pelo Diretor-Geral quanto à sua adoção, precisando que "qualquer rejeição ou reserva recebida pelo Diretor-Geral após o término desse período não terá nenhum efeito"[343].

Isto significa que se um Estado ficar em silêncio durante este prazo, ele é inexoravelmente vinculado ao Regulamento. "Há nisto um elemento de *estoppel*, implicando que o Estado que ficou em silêncio cria uma situação de expectativa legítima por parte dos demais membros da OMS", e com razão:

> "Num domínio tão sensível quanto a prevenção e a propagação internacional das doenças, não se poderia deixar à discricionariedade dos Estados a escolha do momento oportuno para notificar seu *opting out*, seja total ou parcial"[344].

Sublinhe-se que todo o mecanismo ora comentado aplica-se igualmente às eventuais emendas que a Assembleia da Saúde vier a adotar em relação ao RSI.

343 Art. 59 RSI (2005).

344 Laurence Boisson de Chazournes, *op. cit.*, p. 1.172.

No que tange à rejeição, caso um Estado notifique o Diretor-Geral quanto a sua rejeição à norma no período devido, o RSI não entrará em vigor em relação àquele Estado, embora quaisquer acordos ou regulamentos sanitários internacionais cobertos pelo RSI, de que esse Estado já seja signatário, permaneçam em vigor em relação a ele[345].

Quanto às reservas, são reguladas pelo longo artigo 62 do mesmo diploma. Em primeiro lugar, elas não podem ser incompatíveis com o objeto e finalidade do Regulamento. Em segundo lugar, deverão ser motivadas.

Enfim, elas obedecem a um procedimento que tem início com a notificação ao Diretor-Geral. **Uma rejeição parcial deste Regulamento será considerada como uma reserva**. Neste caso, o RSI (2005) possui um procedimento de validação desta rejeição parcial, que constitui um mecanismo inovador:

> "Se a reserva foi formulada antes da entrada em vigor do Regulamento, o Diretor-Geral pede *aos Estados que não recusaram o Regulamento* que manifestem, em até seis meses, qualquer objeção por ventura existente em relação a ela. Diferentemente, se a reserva foi formulada após a entrada em vigor do Regulamento (estipulada como 17 de junho de 2007), o Diretor-Geral pedirá aos Estados Partes do Regulamento que expressem, em seis meses, qualquer objeção que teriam a opor a esta reserva. A reserva é aceita se um terço dos Estados que não recusaram o Regulamento antes de sua entrada em vigor não se opuseram à reserva. Do mesmo modo, a reserva é considerada aceita se um terço dos Estados Partes do RSI não se opuserem à reserva após a entrada em vigor do Regulamento. Caso contrário, o Estado reservatário é obrigado a retirar sua reserva no prazo de três meses. Somente no caso do Estado recusar-se a retirar sua reserva é que ela será submetida à Assembleia, que por maioria decide aceitá-la ou não. Caso ela seja rejeitada pela Assembleia,

345 Art. 61 RSI (2005).

considera-se que o RSI foi pura e simplesmente desaprovado pelo Estado reservatário"[346].

Evidentemente, as reservas posteriores à entrada em vigor do Regulamento só podem dizer respeito aos Estados que a ele aderiram também após esta data, eis que se trata de um instrumento que permanece aberto a novas adesões.

Não obstante, o RSI (2005) foi objeto de apenas duas reservas, da Índia e dos Estados Unidos, sendo a última, especialmente no que atine às questões federativas, objetada pelo Irã; China, Grécia, Portugal, Turquia e Tonga formularam declarações interpretativas do Regulamento[347].

A vigência do RSI (2005) foi determinada para 24 meses após a data de notificação, salvo nos seguintes casos:

"(a) um Estado que tiver rejeitado este Regulamento ou uma de suas emendas, em conformidade com o Artigo 61;

(b) um Estado que tiver feito uma reserva, caso em que este Regulamento entrará em vigor conforme o disposto no Artigo 62;

(c) um Estado que vier a se tornar membro da OMS após a data da notificação pelo Diretor-Geral referida no parágrafo 1º deste Artigo, e que ainda não seja signatário deste Regulamento, caso em que este Regulamento entrará em vigor conforme o disposto no Artigo 60; e

(d) um Estado não-membro da OMS que aceite este Regulamento, caso em que o mesmo entrará em vigor em conformidade com o parágrafo 1º do Artigo 64"[348].

O Regulamento precisa, ainda, que "se algum Estado não for capaz de ajustar totalmente sua legislação nacional e regulamentos administrativos internos e este Regulamento no período estabelecido", deve declarar ao Diretor-Geral o andamento dos ajustes

346 Laurence Boisson de Chazournes, *op. cit.*, p. 1.173-4.

347 OMS, *RSI – États Parties au RSI* (2005), Genebra, 5/2/2008.

348 Art. 59 RSI (2005).

ainda pendentes, que deverá completar num período de no máximo até 12 meses após a entrada em vigor do RSI[349].

3.6. A engrenagem transversal do RSI (2005)

Em seu artigo 1º, o Regulamento aporta um relevante glossário, imprescindível ao funcionamento do mecanismo que instaura. Ele reúne uma série de conceitos polêmicos, entre eles o da própria ESPII, cuja padronização já constitui por si só uma contribuição relevante ao acervo jurídico no campo da saúde pública[350].

O anexo 2 do Regulamento contém um "instrumento de decisão que permite avaliar e notificar eventos que possam constituir uma ESPII", baseado essencialmente nas seguintes perguntas:

- As repercussões do evento sobre a saúde pública são graves?
- O evento é inabitual ou inesperado?
- Há um risco importante de propagação internacional?
- Há um risco importante de restrição a viagens internacionais ou ao comércio internacional?

Se as respostas a duas destas perguntas forem positivas, o Estado tem o dever de notificar a OMS, em até 24 horas após a avaliação. Uma vez declarada uma ESPII, um sistema de identificação de fases permite mensurar a sua gravidade.

---

349 *Idem, in fine.*

350 O Brasil introduziu parte deste glossário na ordem jurídica brasileira por meio da Portaria do Ministro da Saúde n. 2.472, de 31/8/2010 (DOU de 1º/9/2010, Seção I, p. 50), que define as terminologias adotadas em legislação nacional, conforme disposto no RSI 2005, a relação de doenças, agravos e eventos em saúde pública de notificação compulsória em todo o território nacional e estabelece fluxo, critérios, responsabilidades e atribuições aos profissionais e serviços de saúde. Alguns Estados Federados adotaram uma norma *espelho*, adaptada à dimensão do ente federativo, como foi o caso do Estado da Bahia – Portaria do Secretário Estadual da Saúde n. 125, de 24/1/2011.

Uma inovação fundamental do RSI (2005) é a possibilidade de ação da OMS em caso de omissão do Estado Parte na declaração, corrigindo um dos maiores limites dos Regulamentos anteriores. Assim,

> "... a OMS poderá levar em conta fontes não oficiais de informação para conhecimento dos eventos que poderiam constituir uma ESPII. Nessa situação, a OMS deverá consultar preliminar e confidencialmente o país onde possivelmente esteja ocorrendo o evento, para confirmar a informação"[351].

As recomendações da OMS, previstas no Título III do RSI, podem ser temporárias ou permanentes. Ambas podem ser concernentes a medidas sanitárias que devem ser aplicadas pelo(s) Estado(s) Parte(s) "no que concerne às pessoas, às bagagens, cargas, *containers*, meios de transporte, mercadorias e/ou embalagens postais, para prevenir ou reduzir a propagação da enfermidade e evitar todo entrave inútil ao tráfico internacional"[352].

....

351 Eduardo Hage Carmo, *op. cit.*, p. 417. Segundo Laurence Boisson de Chazournes, o maior obstáculo à adoção deste dispositivo foi a oposição da China, *op. cit.*, p. 1.163. Sobre a atitude chinesa em relação à notificação de doenças infecciosas, ver Frédéric Keck, *Un monde grippé*, Paris: Flammarion, 2010.

352 Art. 15.1 RSI. Conforme o artigo 17, "ao emitir, modificar ou rescindir recomendações temporárias ou permanentes, o Diretor-Geral deverá considerar: (a) a opinião dos Estados Partes diretamente envolvidos; (b) o parecer do Comitê de Emergências ou do Comitê de Revisão, conforme o caso; (c) os princípios científicos, assim como as evidências e informações científicas disponíveis; (d) medidas de saúde que, com base numa avaliação de risco apropriada às circunstâncias, não sejam mais restritivas ao tráfego e comércio internacionais, nem mais intrusivas para as pessoas do que alternativas razoavelmente disponíveis que poderiam alcançar um nível adequado de proteção a saúde; (e) normas e instrumentos internacionais relevantes; (f) atividades realizadas por outras organizações intergovernamentais e organismos internacionais relevantes; e (g) outras informações específicas e apropriadas relevantes ao evento. Em relação às recomendações temporárias, a consideração do Diretor-Geral quanto aos subparágrafos (e) e (f) deste Artigo poderá estar sujeita a limitações impostas pela natureza urgente das circunstâncias".

Além da notificação da ESPII, as principais obrigações assumidas pelos Estados Partes são as seguintes.

- Avaliar o sistema existente de saúde pública e melhorar sua capacidade para detecção, notificação, avaliação de risco e resposta aos eventos de saúde pública para reunir os requisitos mínimos das capacidades básicas estabelecidas pelo RSI (2005), elencados em seu Anexo 1.
- Designar ou estabelecer um *Ponto Focal Nacional para o RSI*, que significa o centro nacional, designado por cada Estado Parte, que estará permanentemente acessível para comunicação com os *Pontos de Contato da OMS para o RSI* – que por sua vez são as unidades da OMS permanentemente acessíveis para comunicação com os Pontos Focais Nacionais.
- Fortalecer e manter a capacidade para detectar, notificar e responder rapidamente aos eventos de saúde pública.
- Responder às solicitações de verificação de informação com respeito ao risco para a saúde pública.
- Proporcionar inspeção sistemática e atividades de controle em aeroportos internacionais, portos e passagens de fronteiras terrestres, designadas para prevenir a propagação internacional de doenças.
- Fazer o possível para implementar as medidas recomendadas pela OMS.
- Colaborar entre si e com a OMS na implementação do RSI (2005).

Ora, a relação destas normas com as características dos sistemas de saúde dos Estados Partes é evidente. Ser Parte do RSI implica, então, estar vinculado a um direito da emergência sanitária, mas igualmente dotar-se de condições objetivas para sua aplicação, que deve ser aferível e pode ser controlada por um organismo internacional.

Neste sentido, a efetividade da legislação sanitária depende da imposição de sanções civis, administrativas e até penais[353]. Contudo,

353 D. C. Jayasuriya, "The nature and scope of Health Legislation", *in:* R. K. Nayak (ed.), *Global Health Law*, Nova Deli: The Indian Law Institute, 1998, p. 44.

nem todos os Estados possuem uma regulamentação efetiva das vigilâncias sanitária e epidemiológica (ou *da saúde*)[354].

Por conseguinte, a passagem de um sistema de notificação de três doenças para o vultoso dever de "detecção, avaliação, comunicação e resposta aos eventos que podem constituir uma ESPII, considerando que qualquer evento de saúde ocorre no território de um Município", torna necessário um incremento significativo nas capacidades das esferas locais de gestão, para que uma emergência seja controlada do modo mais rápido possível[355]. Como em raras outras oportunidades, um ramo do direito internacional comunica-se necessária e diretamente com as políticas públicas de um Estado, inclusive as locais.

Neste contexto, "a OMS comporta-se *de facto* como uma autoridade de regulação, colocando-se no coração do sistema de supervisão e resposta", que inverte a regra clássica da atribuição de competências pelos Estados às organizações internacionais, pois se sabe que, de regra, quanto mais amplo o mandato, de menor importância se reveste o tema, enquanto em áreas fulcrais como a saúde pública, os Estados tendem a preservar a sua soberania[356].

Entretanto, as capacidades de prevenção e resposta idealizadas pelo RSI ainda estão muito distantes. Segundo o último *Relatório sobre a aplicação do RSI*, de 24 de novembro de 2011[357], 60% dos Estados Partes responderam um questionário de autoavaliação (percentual inferior ao constatado na avaliação de 2010, em que 65% dos Estados haviam respondido). Este relatório é duplamente limitado: do ponto de vista geográfico, porque a resposta não é obrigatória; e em relação à confiabilidade, eis que se trata de uma autoavaliação, e não de uma supervisão independente.

354 V. Carmen Fontes Teixeira e Ediná Alves da Costa, "Vigilância da saúde e vigilância sanitária – Concepções, estratégias e práticas", *in:* Ediná Costa (org.), *Vigilância Sanitária – desvendando o enigma*, Salvador: EDUFBA, 2008, p. 149-164.

355 Eduardo Hage Carmo, *op. cit.*, p. 417.

356 Michèle Poulain, *op. cit.*, p. 117.

357 OMS, EB130/16, item 4.

Considerados tais limites, o resultado é que os países declararam ter feito progressos, especialmente quanto à situação de vigilância (média mundial de atendimento de 75% do total dos quesitos propostos pela OMS), à capacidade de ação (72%), à performance dos laboratórios (71%) e à resposta a eventos de origem zoonótica (78%). Em contrapartida, poucos progressos foram verificados em matéria de recursos humanos (45%), de controle dos pontos de entrada no território (45%) e controle de eventos de origem química (45%)[358].

Em relação ao sistema de notificação, no período entre 1º de fevereiro e 31 de outubro de 2011, 242 eventos foram registrados. Deles, 52,5% foram avaliados como merecedores de um real seguimento; 7,9% foram considerados falsos rumores; 16,9% eram eventos reais, mas não caracterizavam um surto; 0,8% eram inverificáveis; e 21,9% permanecem sob análise[359].

Assim, "estamos passando do simples exercício de competências sanitárias dos Estados ao reconhecimento da efetividade de sua responsabilidade neste campo"[360]. Recentemente, o mundo teve a ocasião de pôr à prova esta engrenagem.

3.7. A primeira ESPII

Em 23 de abril de 2009, o governo do México, depois de constatar 13 óbitos atribuídos ao vírus A(H1N1) no Distrito Federal, determinou a suspensão das aulas nas instituições de ensino de todos os níveis, no Distrito Federal e no Estado do México. A partir deste momento, desencadeou-se um conjunto de medidas para fechamento temporário de restaurantes, bailes, discotecas, centros esportivos, cinemas e teatros; o anúncio da epidemia, as medidas tomadas pelo governo e as declarações da OMS tiveram efeitos sobre

358 *Ibid.*, item 6.

359 *Ibid.*, item 15.

360 Michel Bélanger, *op. cit.*, p. 2.

a população: ruas desertas, transporte público vazio e aumento da venda e aluguel de filmes, convertendo as famílias, temporariamente, em sistemas fechados[361].

Uma revisão da literatura indica que os estudos sobre a eficácia destas medidas de isolamento social são poucos, e concernem sobretudo à *gripe espanhola* de 1918 – causada pelo mesmo vírus A(H1N1)[362]. Um estudo de caso sobre as restrições adotadas na cidade do México durante a pandemia de 2009, mostra que as grandes manifestações ocorridas durante a semana santa no distrito de Iztapalapa, poderiam ter originado a difusão do vírus no resto do país[363]. Diferentemente, embora tenham reunido

361 Margarita Estrada Iguíniz, "Convivencia forzosa. Experiencias familiares durante la emergencia sanitaria por el virus de la influenza humana A(H1N1) en la ciudad de México", *Desacatos* 2010, n. 32, p. 111.

362 "A denominação 'gripe espanhola' partia do pressuposto equivocado de que a moléstia havia se originado na Espanha e/ou lá fizera o maior número de vítimas. Outra explicação dizia que a Espanha, país neutro durante a Primeira Guerra Mundial, não censurava as notícias sobre a existência da gripe epidêmica, daí a dedução de que a moléstia matava mais naquele país. A influenza espanhola, provavelmente, se originou nos campos de treinamento militar no interior dos Estados Unidos. (...)Foi a maior epidemia da história, com cerca de vinte milhões de mortos em todo o mundo (a Primeira Guerra Mundial matou, aproximadamente, oito milhões). Pelo menos seiscentos milhões de pessoas adoeceram com a pandemia. Entre março de 1918 e maio de 1919, a gripe espanhola teve três ciclos mundiais. O segundo – e terrível – período da influenza espanhola começou em agosto de 1918 e só terminou em janeiro de 1919; os outros dois foram sem gravidade. Estudos publicados em 2001 sugerem que o vírus (mutante) da gripe humana realizou em 1918 combinação total com o da gripe animal (porcina), daí a virulência da doença, pois a resistência do organismo das pessoas contra esse 'novo' vírus seria, praticamente, nula", Liane Maria Bertucci-Martins, "Entre doutores e para os leigos: fragmentos do discurso médico na influenza de 1918", *História, Ciências, Saúde – Manguinhos*, v. 12, n. 1, jan./abr. 2005, p. 155.

363 Ver Zepeda-Lopez HM *et al.*, "Inside the outbreak of the 2009 influenza A(H1N1) virus in Mexico", *PLoS One* 2010; 5(10): e13256.

1.210 atletas de 43 diferentes países, os *Asian Youth Games* (AYG), ocorridos em Singapura, ao final de junho de 2009, tiveram grau zero de transmissibilidade[364]. Ao cabo, existem poucos elementos capazes de nortear a decisão sobre o fechamento de lugares de frequentação coletiva: é provável que tenha impacto, a depender de um calendário de implementação muito difícil de definir[365]. Quanto ao fechamento dos estabelecimentos escolares, porém, estudos indicam que podem ter impacto sanitário significativo, desde que fechados a tempo, e por muito tempo, eis que as crianças desempenham um papel particularmente importante na transmissão da gripe[366].

No dia 25 de abril de 2009, a OMS declarou que a epidemia de gripe A(H1N1) era uma ESPII. No dia seguinte, um grande portal de notícias brasileiro publicava matéria proveniente da agência BBC, com o seguinte conteúdo:

> "A OMS anunciou, no sábado, que a nova variedade do vírus identificada no México é grave e tem o potencial de virar pandemia. Além disso, a OMS classificou o surto da doença como uma emergência de saúde pública internacional. Segundo as novas medidas do governo, as escolas da capital, Cidade do México, e de outros dois Estados permanecerão fechadas por duas semanas. Além disso, todos os eventos públicos, inclusive as missas e as partidas de futebol deste domingo, foram cancelados. Cerca de 70% dos bares e restaurantes da capital também foram fechados. O governo recomenda que a população evite cumprimentos com as mãos e a Embaixada dos Estados Unidos aconselhou visitantes

364 Ver Lim HC *et al.*, "The influenza A (H1N1-2009) experience at the inaugural Asian Youth Games Singapore 2009: mass gathering during a developing pandemic", *Br J Sports Med* 2010; 44(7): 528-32.

365 França, Alto Conselho da Saúde Pública, Comissão Especializada de Doenças Transmissíveis, *Fermeture des établissements scolaires et autres lieux collectifs dans le cadre de la révision du plan pandémie grippale – Rapport du groupe de travail*, Paris, 12/7/2012, p. 32.

366 *Ibid.*, p. 26.

a permanecerem a pelo menos 1,8 metros de distância de outras pessoas. As autoridades de saúde do México também foram autorizadas a isolar pessoas contaminadas, caso seja necessário. O ministro da Saúde do México, José Córdova, afirmou que um total de 1,3 mil pessoas foram internadas com sintomas suspeitos da ***gripe suína*** desde o dia 13 de abril e que os pacientes estão sendo examinados" (sem grifo no original)[367].

A repercussão econômica foi imediata. Por um lado, milhões de anunciantes em *websites* passaram a oferecer proteção contra a gripe, como máscaras respiratórias, desinfetantes e suplementos de alimentação. Por outro lado, o consumo da carne de porco e de seus derivados tornou-se suspeito. No Brasil, "o presidente da *Associação Brasileira da Indústria Produtora e Exportadora de Carne Suína* (Abipecs) afirmou que o mercado trava uma 'batalha da comunicação' para evitar perdas"[368].

Um estudo sobre as "várias denominações históricas da gripe" contabilizou, em lista não-exaustiva, 95 diferentes nomes, adotados

....

367 UOL, "México adota medidas drásticas para controlar gripe suína", São Paulo, disponível em: <http://noticias.uol.com.br/bbc/2009/04/26/ult36u46545.jhtm>.

368 E acrescentou: "'Ainda se fala que a carne de porco não traz problemas se for esturricada a 90 graus', disse. 'A recomendação de cozimento não tem nada a ver com o H1N1, é indicada para outros vírus', completou, ao participar de uma audiência pública na Comissão de Agricultura e Reforma Agrária do Senado. 'Nossa preocupação era de que não transparecesse uma denominação errada para o consumidor. Demorou alguns dias para que a Organização Mundial da Saúde e o Ministério da Saúde aceitassem que aquilo estava errado [o nome gripe suína] e mudassem o nome', avaliou. Agora estão chamando de A(H1N1), que é quase o nome científico, e os veículos de comunicação já chamam de nova gripe, para facilitar.' Na última quinta-feira, a OMS decidiu mudar oficialmente o nome da gripe de suína para 'influenza A(H1N1)', motivada por reclamações das indústrias do setor alimentício, receosas de perderem vendas de carne suína. Defensores de animais também reclamaram do primeiro nome dado à doença", *Jornal da Cidade*, 6/5/2009, disponível em: <http://jornalcidade.uol.com.br/>.

de acordo com as manifestações clínicas e epidemiológicas mais temidas, características ou paradigmáticas da doença, e com os diferentes locais, regiões, povos e culturas onde sua ação se faz sentir[369]. Até então, a doença era denominada, inclusive nos documentos oficiais da OMS, de gripe suína; mas nos meios de comunicação, aparecia sob diversas outras denominações: *mexicana, norte-americana, nova, A, H1N1* etc. Somente em 30 de abril de 2009, em grande parte por pressão dos produtores, a OMS e outras organizações modificaram oficialmente a denominação para *gripe A(H1N1)*[370]. A figura n. 5 parece-me de grande interesse por discernir, provavelmente de modo involuntário, o escopo do RSI. Assim, a todos os preconceitos que se referem aos suínos, somou-se, satiricamente, a pecha de "agente causador" (*sic*) da primeira pandemia do século XXI[371].

369 João José Cúcio Frada, *Pandemias de Gripe A(H1N1) em Portugal 1918-2009 – Ecos e cismas do passado no presente*, Lisboa: Clinfontur, 2010, p. 85-92. Suscitam a curiosidade a presença nesta lista de nomes como *La canción del olvido, Galanterie Krankheit* ou *The gentle correction.*

370 Réseau international des autorités de sécurité sanitaire des aliments (Infosan), Note d'information Infosan n. 2/2009 – *Aspects relatifs à l'interface homme-animal de la grippe A(H1N1) – Flambée épidémique grippale chez l'homme provoquée par la grippe A(H1N1) – Considérations relatives à l'interface hommeanimal*, 30/4/2009.

371 "Animal sociável, brincalhão, esperto (ele encontra regularmente seu lugar no *ranking* das cinco espécies de animais mais inteligentes), capaz de afeição e de emoção, manifestando suas alegrias e medos, o porco comporta-se seguidamente como o ser humano. Apresentando uma anatomia e uma fisiologia incomparáveis, ele desempenha há tempo um papel importante nas experiências médicas e na fabricação de remédios. Que sua carne tenha o mesmo sabor que a carne humana, deixa de ser necessário buscar alhures as razões das proibições que a cercam. Comer porco é, mais ou menos, ser canibal. Biológica e simbolicamente, o porco é primo do homem. Um primo identificado como tal desde épocas antigas, mas um primo que foi durante muito tempo mal-amado, rejeitado e humilhado", Michel Pastoureau, *Le cochon – Histoire d'un cousin mal aimé*, Paris: Gallimard, 2009, p. 127.

Figura n. 5 – *Conspiraciones*, de J.R. Mora (26/4/2009)

Fonte: J. R. Mora, *site* oficial<http://www.jrmora.com>

A OMS, por sua vez, divulgou com entusiasmo doações de tratamentos e descontos aos países menos avançados na compra do *oseltamivir*, o famoso *Tamiflu*, fabricado pela Roche, até então o único tratamento eficaz contra o vírus A(H1N1)[372]. Mas essa pretensa generosidade parecia absolutamente insignificante diante da possível contaminação de um terço da humanidade que se anunciava[373].

372 Roche, "Roche launches novel program to ease Tamiflu access to developing economies – Tamiflu Reserves Program designed as a pandemic insurance policy for the world's developing economies". *Media Release*, Basileia, 1º/6/2009.

373 Sueli Dallari e Deisy Ventura, "A era das pandemias e a desigualdade", *Folha de S.Paulo*, 1/8/2009, p. 3.

Em 11 de junho de 2009, a OMS elevou o nível de alerta da epidemia de influenza A(H1N1)[374] da fase 5 à fase 6. Isto significa que uma pandemia de gripe estava em curso.

Figura n. 6 – *El mundo es un pañuelo*, de Pedro X. Molina (6/5/2009)

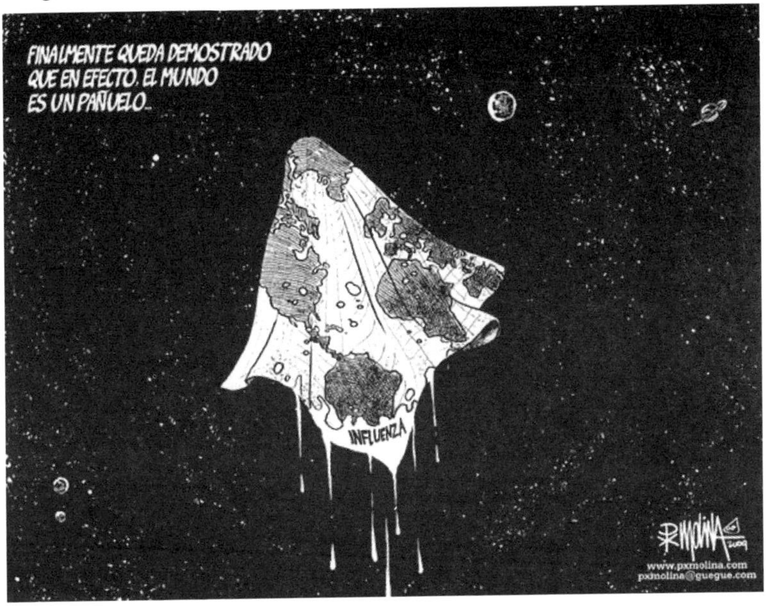

Fonte: Pedro X. Molina, *site* oficial <wwww.pxmolina.com>

Em duas charges, o artista nicaraguense Pedro X. Molina expressa o salto à mundialização empreendido pelo imaginário sobre a epidemia, agora consolidada no vocabulário popular como *pandemia*. Na Figura n. 6, o desenhista satiriza a expressão castelhana "el

374 "Existem vários tipos de vírus influenza. Todos apresentam moléculas em sua superfície que reconhecem as células dos animais para aderi-las, invadi-las e se replicar. As moléculas são duas: hemaglutinina e neuraminidase. Identificamos 16 tipos de hemaglutinina e classificamos o vírus como portador da 1, 2, 3, e assim por diante até 16. Para simplificar, classificamos como H1, H2, H3, até H16. O mesmo serve para os 9 tipos de neuramidase que determinam se o vírus será o N1, N2, N3 até N9. O vírus da gripe espanhola [de 1918] era, portanto, um H1N1", Stefan Cunha Ujvari, *Pandemias – a humanidade em risco*, São Paulo: Contexto, 2011, p. 30.

mundo es un pañuelo", utilizada principalmente quando se encontra alguém conhecido em um lugar inusitado. Na Figura n. 7, Molina explora as máscaras que constituem a mais forte imagem da gripe aviária em Hong Kong, assim como de alguns dos aeroportos mais famosos do mundo durante a pandemia.

Figura n. 7 – Influenza A(H1N1) declarada pandemia mundial, de Pedro X. Molina (12/6/2009)

Fonte: Pedro X. Molina, *site* oficial <wwww.pxmolina.com>

Significa também que o grande público teve de descobrir um novo léxico – gripe suína, gripe A, H1N1, pandemia etc. – e também experimentar, caso existisse, o plano de controle de epidemias de seu país, além de conhecer a OMS e suas regras. Dito de um modo muito simples,

> "A determinação de fases em uma pandemia é uma iniciativa que a OMS desenvolveu para a *Influenza* a partir de um grupo de peritos no assunto.
>
> Temos a *Fase 1*, caracterizada pela detecção da existência do vírus circulando em animais, mas sem relatos em humanos. Foi o que aconteceu com as pequenas epidemias em criação de porcos, principalmente nos EUA.
>
> A *Fase 2* significa que o vírus apresentou modificações que podem infectar humanos.
>
> A *Fase 3* caracteriza infecção em humanos sem transmissão de pessoa a pessoa.

A *Fase 4* é decretada quando há transmissão de pessoa a pessoa.

A *Fase 5* também representa transmissão de pessoa a pessoa, mas em pelo menos dois países de uma mesma região da OMS.

E a *Fase 6* significa que essa transmissão ocorreu em pelo menos mais um país de uma outra região da OMS em adição à Fase 5"[375].

Esta informação permite introduzir uma grande polêmica: a definição de pandemia teria sido alterada pela OMS durante a emergência de 2009. Um estudo sobre três diferentes documentos da OMS revela, de fato, algumas diferenças, como demonstra a Tabela n. 7.

Tabela n. 7 – Conceito de pandemia implícito nos documentos de resposta emitidos pela OMS frente às pandemias de influenza [376]

Ano e documento	Conceito de pandemia
1999 – Plano de preparação para a pandemia de influenza	Infecção humana com uma nova cepa que se transmite eficientemente entre pessoas em um país e se propaga a outros, com padrões de enfermidade que indicam que a morbidade e a mortalidade podem ser graves
2005 – Alerta epidêmico e resposta. Plano mundial da OMS de preparação para uma pandemia de influenza	Infecção humana, confirmada em laboratório, com um novo subtipo de vírus que se transmite entre animais e humanos, e de pessoa a pessoa
2009 – Preparação e resposta frente a uma pandemia de influenza	Infecção humana com um novo vírus que se transmite eficientemente de pessoa a pessoa e que afeta habitantes de pelo menos duas regiões da OMS

Para uma parte da literatura, a OMS não modificou sua definição de pandemia pela simples razão de que jamais a teve: os critérios de declaração de uma pandemia causada pelo vírus H1N1 teriam origem nas definições das fases pandêmicas, e não numa definição de

375 Roberto Medronho, "Influenza A: tecnicamente já estamos vivendo uma pandemia". Entrevista do mês. *Vigilância Sanitária*. Rio: Cecovisa/ENSP/Fiocruz, julho de 2009. Disponível em: <http://www4.ensp.fiocruz.br/visa/pagina-inicial/>.

376 Elaborado por Liliana Henao-Kaffure, "El concepto de pandemia: debate e implicaciones a propósito de la pandemia de influenza de 2009", *Revista Gerenc. Polit. Salud* [Colômbia] 9(19) 2010, p. 60.

gripe pandêmica[377]. Contudo, tais fases também foram modificadas nos diferentes documentos de referência, como demonstra a tabela a seguir.

Tabela n. 8 – Períodos e fases dos documentos de resposta emitidos pela OMS frente às pandemias de influenza[378]

<table>
<tr><th>Ano</th><th>Período
Probabilidade</th><th colspan="2">Fase/Subnível</th></tr>
<tr><td rowspan="8">1999</td><td rowspan="3">Período interpandêmico</td><td rowspan="3">F0: nenhum novo tipo de vírus no ambiente</td><td>S1: nova cepa em um caso humano</td></tr>
<tr><td>S2: infecção em dois ou mais casos humanos</td></tr>
<tr><td>S3: transmissão humano a humano</td></tr>
<tr><td rowspan="4">Período pandêmico</td><td colspan="2">F1: Pandemia</td></tr>
<tr><td colspan="2">F2: epidemia por regiões</td></tr>
<tr><td colspan="2">F3: fim da primeira onda</td></tr>
<tr><td colspan="2">F4: onda pandêmica secundária</td></tr>
<tr><td>Período pós-pandêmico</td><td colspan="2">F5: fim de pandemia</td></tr>
<tr><td rowspan="6">2005</td><td rowspan="2">Período interpandêmico</td><td colspan="2">F1: nenhum novo tipo de vírus em humanos</td></tr>
<tr><td colspan="2">F2: subtipo de vírus animal suscita risco</td></tr>
<tr><td rowspan="3">Período de alerta pandêmico</td><td colspan="2">F3: infecção humana</td></tr>
<tr><td colspan="2">F4: transmissão de pessoa a pessoa</td></tr>
<tr><td colspan="2">F5: infecção em grandes conglomerados</td></tr>
<tr><td>Período pandêmico</td><td colspan="2">F6: Pandemia</td></tr>
<tr><td rowspan="6">2009</td><td rowspan="3">Probabilidade incerta</td><td colspan="2">F1: não há infecção em humanos</td></tr>
<tr><td colspan="2">F2: vírus animal causa infecção em humanos</td></tr>
<tr><td colspan="2">F3: vírus reassociado causa infecção em humanos</td></tr>
<tr><td>Probabilidade média/alta de pandemia</td><td colspan="2">F4: transmissão de pessoa a pessoa</td></tr>
<tr><td rowspan="2">Probabilidade alta/certa de pandemia</td><td colspan="2">F5: surtos sustentados em uma região da OMS</td></tr>
<tr><td colspan="2">F6: Pandemia</td></tr>
</table>

---

377 Peter Doshi, "The elusive definition of pandemic influenza", *Bulletin WHO* 89/2011, p. 535.

378 Elaborado por Liliana Henao-Kaffure, *op. cit.*, p. 60.

A utilização das regiões da OMS como elemento crucial da conceitualização das pandemias, que se afirma em 2009, é amplamente discutível, respondendo mais à institucionalidade da organização do que à dinâmica das pandemias[379]. A divisão em regiões certamente responde a imperativos políticos e administrativos compreensíveis. Mas é difícil admitir, quando se trata da verificação da existência de uma pandemia, que o alcance de um episódio ocorrido, por exemplo, na Etiópia ou na Eritreia, sejam considerados como de uma região diferente da dos seus países fronteiriços, pois, embora façam parte do escritório regional africano, estão incrustados na região do Mediterrâneo oriental.

Tal debate ainda não estava em pauta quando Margaret Chan e a OMS irromperam como personagens de primeiro plano da cena internacional por algumas semanas. O anúncio da pandemia foi feito em tom grave:

> "Ao final de abril, a OMS anunciou que um novo vírus da gripe A havia surgido. Esta cepa particular, H1N1, nunca circulou antes entre os homens. O vírus é inteiramente novo. Este vírus é contagioso, propagando-se facilmente de uma pessoa à outra. Neste momento em que eu falo com vocês, cerca de 30 mil casos confirmados foram notificados em 74 países. Isto é apenas uma parte do quadro. Com algumas exceções, os países que registram o maior número de casos são dotados de bons sistemas de vigilância e rastreamento.
>
> (...) Eu me reuni com eminentes especialistas da gripe, virologistas e gestores de saúde pública, e de acordo com os procedimentos estabelecidos no RSI, eu solicitei um parecer do *Comitê de Urgência* a este respeito. Com base nos dados factuais disponíveis e na avaliação deles por tais especialistas, os critérios científicos que correspondem a uma pandemia de gripe foram atendidos. Eu então decidi elevar o nível de alerta da pandemia de gripe da fase 5 à fase 6.

379 *Ibid.*, p. 59.

A pandemia de gripe 2009 agora começou.

(...) Uma das características das pandemias é sua propagação rápida em todas as partes do mundo. No último século, esta propagação levava geralmente de 6 a 9 meses, quando a maior parte das viagens se fazia por barco ou por trem. Os países devem estar prontos a ver aparecer casos, ou a ver aumentar o número de casos num futuro próximo. Os países em que os surtos parecem ter alcançado seu pico, devem preparar-se para uma segunda vaga de infecção"[380].

De fato, conforme o artigo 12 do RSI, é o Diretor-Geral que declara a existência de uma ESPII. Supondo que ela está ocorrendo, o Diretor-Geral deve consultar o Estado Parte em cujo território surgiu o evento; estando o Diretor-Geral e o Estado de acordo quanto a tal determinação, o Diretor-Geral solicitará "um parecer do Comitê estabelecido nos termos do Artigo 48 (doravante denominado *Comitê de Emergências*) acerca de recomendações temporárias apropriadas". Não estando de acordo, num prazo de até 48 horas, sobre se o evento constitui ou não uma ESPII, a determinação será realizada nos moldes do artigo 49, que será tratado mais adiante.

Ainda segundo o artigo 12, os critérios que o Diretor-Geral deve considerar, ao determinar se o evento constitui ou não uma ESPII, são as informações fornecidas pelo Estado Parte, o instrumento de decisão apresentado no Anexo 2; o parecer do Comitê de Emergências; os princípios e evidências científicas, ou outras informações relevantes disponíveis; e uma avaliação do risco para a saúde humana, do risco de propagação internacional da doença e do risco de interferência com o tráfego internacional. Também é ao Diretor-Geral da OMS que cabe, após consultas com o Estado Parte em cujo território ocorreu a ESPII, considerá-la terminada.

....

380 OMS, *Grippe A(H1N1): le niveau d'alerte pandémique passe en phase 6 – Déclaration du Directeur Général de l'OMS*, Genebra, 11/6/2009.

Na data da declaração *da Fase 6* da pandemia de influenza A(H1N1), 28.119 casos confirmados em laboratório haviam sido notificados à OMS – 144 deles mortais, notificados por Canadá (40), Chile (2), Costa Rica (1), República Dominicana (1), México (108), Colômbia (1) e Estados Unidos (27)[381]. O mapa n. 2 revela a distribuição mundial da pandemia naquele momento.

Mapa n. 2 – Distribuição dos casos confirmados de infecção humana pelo A(H1N1) relatados à OMS, por país[382]

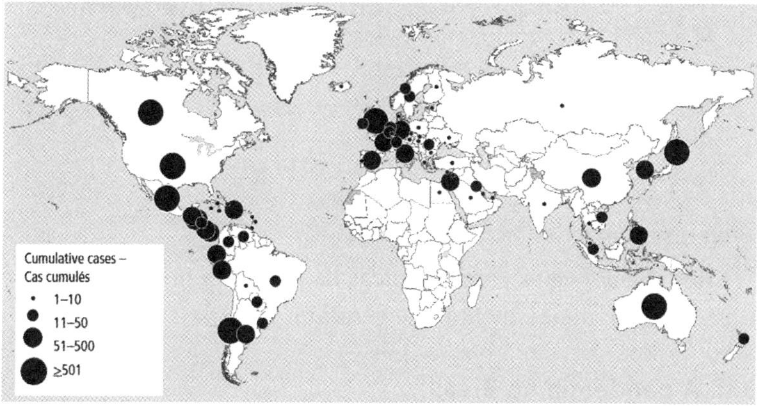

Com exceção do México, a maior parte dos países assinalava uma tendência de aumento dos casos. Os primeiros episódios foram associados a estudantes e a viagens recentes ao México e aos Estados Unidos durante a primavera do Hemisfério Norte. Em 21 de maio de 2009, a média de idade dos casos notificados na *Região Europa* da OMS era de 24 anos, enquanto na *Região do Pacífico Ocidental* era de 23 anos. O gráfico n. 3 revela os dados compilados junto a uma parte dos países envolvidos em relação à média de idade.

381 OMS, *WER* n. 25, 84/2009, p. 250.

382 *Ibid.*, p. 251.

Gráfico n. 3 – Média de idade de casos humanos da influenza A(H1N1) notificados à OMS, por país [383]

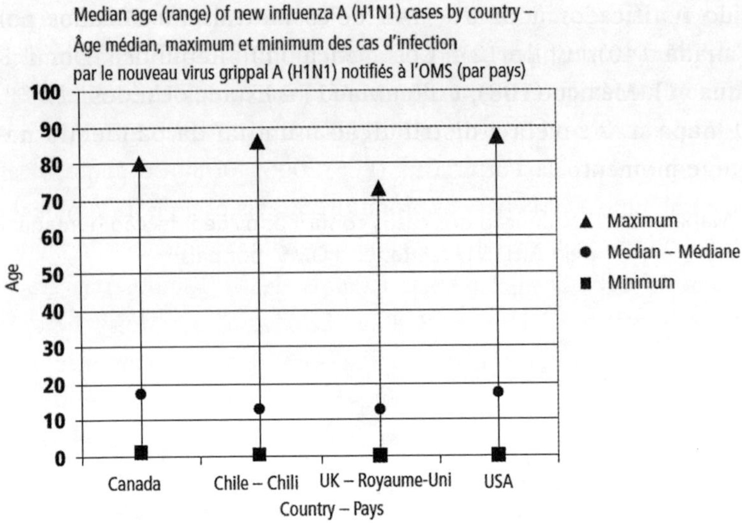

Resta saber se as características da gripe em questão justificariam, de fato, o movimento que geraram.

3.8. A pandemia no Brasil

Como já foi observado na introdução, não é o objetivo deste livro analisar a aplicação do RSI nos Estados durante a pandemia de gripe A(H1N1). No entanto, parece imprescindível traçar ao menos um panorama geral da gestão da ESPII no Brasil, e oferecer alguns exemplos da transversalidade normativa que esta gestão enseja.

Em 2009, vigorava em território brasileiro a terceira versão do *Plano Brasileiro de Preparação para uma Pandemia de Influenza*, do Ministério da Saúde, que data de abril de 2006[384]. Segundo este

383 *Ibid.*, p. 254.

384 Disponível em: <http://portal.saude.gov.br/portal/arquivos/pdf/plano_pandemia_influenza.pdf>, consultado em 18/3/2012. Atualmente, encontra-se em vigor a sua quarta versão, de maio de 2010, disponível em: <http://portal.saude.gov.br/portal/arquivos/pdf/plano_influenza_iv_maio10_web2.pdf>.

plano, o *Sistema de Vigilância da Influenza* tinha dois componentes: o primeiro era a estruturação de uma rede de unidades sentinelas (principalmente unidades de atenção básica e pronto atendimento) e de laboratórios, por meio da qual monitoram-se as cepas dos vírus influenza que circulam nas cinco macrorregiões brasileiras.

Sendo parte da *Secretaria de Vigilância em Saúde* (SVS/MS)[385] – que, em virtude da Portaria n. 1865/2006, tornou-se ponto focal nacional junto à OMS para os propósitos previstos no RSI – a rede de vigilância sentinela da influenza compreendia 46 unidades de saúde, a maioria delas localizada nas capitais de 21 Estados das cinco regiões brasileiras, além de 18 laboratórios estaduais, dois laboratórios de referência regional e um laboratório de referência nacional.

O segundo componente do sistema de vigilância da influenza foi a implementação de rotinas de análise dos dados secundários de internações e óbitos por influenza e causas associadas, para avaliar a repercussão da circulação do vírus sobre a *morbimortalidade*[386].

....

385 A SVS "é um órgão específico singular do Ministério da Saúde e tem como órgãos departamentais o *Departamento de Vigilância Epidemiológica* e o *Departamento de Análise de Situação de Saúde.* De acordo com as suas competências originalmente definidas no Decreto n. 5.974/2006, compete à SVS coordenar a gestão do *Sistema Nacional de Vigilância Epidemilógica*, do *Sistema Nacional de Vigilância Ambiental em Saúde*, do *Sistema Nacional de Laboratórios de Saúde Pública*, no que se refere à vigilância ambiental e epidemiológica. Vê-se, portanto, que embora o nome da Secretaria seja de Vigilância em Saúde, suas competências referem-se especificamente aos sistemas de vigilância epidemiológica e ambiental, aí inserido o meio ambiente do trabalho. Verifica-se, assim, que a política de vigilância epidemiológica, parte integrante da vigilância em saúde, é coordenada no âmbito nacional pela SVS/MS. Este órgão trabalha para a promoção e disseminação do uso da metodologia epidemiológica em todos os níveis do SUS, conforme diretriz expressamente prevista pela Lei n. 8.080/1990 (Art. 8º, VII)", Fernando Aith e Sueli Dallari, "Vigilância em saúde no Brasil: os desafios dos riscos sanitários do século XXI e a necessidade de criação de um sistema nacional de vigilância em saúde", *Rev. Direito Sanit.* 2009, v. 10, n. 2, p. 110-111.

386 Os dados de morbidade correspondem "à doença ou agravo em si, como suspeita diagnóstica, data do início dos sintomas, principais sinais e sintomas,

Este Sistema previa também a detecção, a notificação, a investigação e o controle de surtos, independente da rede sentinela, em consonância com as normas sobre a notificação de doenças transmissíveis no país. A propósito, o plano remete à *Portaria das Doenças de Notificação Compulsória* (*SVS n. 05/2006*), que determinava a obrigatoriedade, em todo território nacional, de notificação imediata às Secretarias Estaduais de Saúde, assim como destas à SVS, da ocorrência de doenças e agravos previstos numa lista anexa. Seu artigo 2º esclarecia:

> "A ocorrência de agravo inusitado, caracterizado como a ocorrência de casos ou óbitos de doença de origem desconhecida ou alteração no padrão epidemiológico de doença conhecida, independente de constar na Lista Nacional de Doenças e Agravos de Notificação Compulsória, deverá também ser notificada às autoridades sanitárias".

Esta portaria foi modificada posteriormente, entre outras razões para adaptação ao RSI (2005). Atualmente, está em vigor a *Portaria n. 104/2011* do Ministério da Saúde, que transpõe para a ordem interna a terminologia do RSI (inclusive os conceitos de doença e de ESPII); atualiza a relação de doenças, agravos e eventos em saúde pública de notificação compulsória em todo o território nacional; e define fluxo, critérios, responsabilidades e atribuições aos profissionais e serviços de saúde. O Brasil possui o *Sistema de Informação de Agravos de Notificação* (Sinan), que é alimentado, principalmente, por esta engrenagem.

Voltando à gripe A(H1N1), entre 24 de abril de 2009 – data do primeiro alerta dado pela OMS sobre o surgimento da nova doença – até o dia 15 de julho do mesmo ano, o Ministério da Saúde só havia registrado no país casos de pessoas que contraíram a doença no exterior,

possíveis contactantes etc. Incluem também os dados que permitem a caracterização dos casos de doença ou agravos à saúde segundo dados individuais (sexo, idade, ocupação etc.) e em termos de suas tendências temporais e distribuição geográfica", José Ueleres Braga e Guilherme Werneck, "Vigilância Epidemiológica", *in:* Roberto Medronho *et. al.*, *op. cit.*, p. 105.

ou foram contaminadas por quem esteve no exterior[387]. No dia 16 de julho, o Ministério da Saúde recebeu a notificação do primeiro caso de transmissão da Influenza A(H1N1) no Brasil sem esse tipo de vínculo[388]. Por isto, afirmou-se que, desde então, havia *transmissão sustentada* do vírus no Brasil. A partir de outubro de 2009, o governo federal passou a utilizar a denominação *Influenza Pandêmica (H1N1) 2009*[389].

De modo geral, a transmissão do vírus influenza A(H1N1) e sua apresentação clínica no Brasil foi, num primeiro momento, similar à da gripe sazonal, inclusive os relatos de literatura sobre suas complicações e mortalidade[390]. Entre 19 de julho de 2009 e 2 de janeiro de 2010, foram confirmados 44.544 casos com 2.051 óbitos no Brasil[391]. Note-se que, do mesmo modo que para o resto do mundo, é preciso levar em conta, ao analisar estes números, as assimetrias na capacidade de identificar os casos, notificar as autoridades e contar os óbitos de cada região do país.

Estudos recentes têm ajudado a melhor compreender o impacto da pandemia no Brasil, em locais e momentos específicos, dos quais se pode citar alguns exemplos. Gláucia Santos Nascimento Kishida realizou valiosa pesquisa sobre a prática sanitária adotada frente à pandemia pela Vigilância Sanitária no Terminal de Passageiros do Aeroporto Internacional de Guarulhos (Estado de São Paulo), apontando dificuldades relacionadas aos recursos humanos, à estrutura física e de material, assim como ao fluxo de procedimentos e informações[392].

387 Ministério da Saúde, *Perguntas e respostas sobre Influenza A(H1N1)* – atualizadas em 16/7/2009, disponível em: <http://portal.saude.gov.br/>.

388 *Ibid.*

389 Ministério da Saúde, Secretaria de Vigilância em Saúde, *Informe Epidemiológico Influenza Pandêmica (H1N1) 2009* n. 9, outubro de 2009.

390 Secretaria do Estado da Saúde de São Paulo, "Características dos casos notificados de Influenza A/H1N1", *Rev. Saúde Pública* 2009; 43(5), p. 900.

391 Renata Yokota *et al.*, "Risk factors for death from pandemic (H1N1) 2009, southern Brazil", *Emerg. Infect. Dis.* 08/2011, v. 17, n. 8, p. 1.

392 *Vigilância sanitária do posto aeroportuário de Guarulhos diante da pandemia de Influenza A(H1N1) 2009.* 147p. Dissertação de Mestrado – Faculdade de Saúde Pública da Universidade de São Paulo. São Paulo, 2011.

Pesquisas específicas também foram dedicadas ao Estado do Rio Grande do Sul (RS) que, no curto período de junho a agosto de 2009, contabilizou mais de 100 mortes confirmadas pela gripe A(H1N1), a maior parte delas no Município de Passo Fundo[393], localizado no Norte do Estado. Rota de viagens internacionais, e situado na fronteira com países em que o vírus propagou-se rapidamente, o RS também apresenta condições climáticas favoráveis à propagação do vírus por seu inverno rigoroso[394].

Impõe-se, aqui, um primeiro comentário: o papel da informação na gestão de uma pandemia, e em sua posterior avaliação, é crucial. Esta breve referência à estrutura brasileira de coleta de dados já é capaz de oferecer ao leitor uma ideia da complexidade que a produção destas informações enseja no plano internacional.

Em outro diapasão, é preciso destacar um dos principais problemas jurídicos suscitados pela gestão da pandemia no Brasil, que foi a regulação do uso do medicamento antiviral, o *oseltamivir*. Desde o início da epidemia, "as diretrizes para seu uso foram constantemente adaptadas no que se refere à indicação ao uso e ao período de início do tratamento dos sintomas"[395]. Tais diretrizes foram veiculadas por meio de um instrumento de grande importância, o *Protocolo de Manejo Clínico e Vigilância Epidemiológica da Influenza*, que conheceu três versões no ano de 2009: de 8 de julho, de 15 de julho e de 5 de agosto[396], procurando, segundo o governo, adaptar-se à evolução da pandemia.

Segundo o Ministério da Saúde:

....

393 Cláudia Maria Astorello *et al.*, "Impacto da influenza pandêmica (H1N1) 2009 e de doenças respiratórias na mortalidade de mulheres em idade fértil no Estado do RS, Brasil, 2008-2009", *Epidemiol. Serv. Saúde* 2012, v. 21, n. 2, p. 206.

394 *Ibid.*

395 Fabiana Schuelter-Trevisol *et al.*, "Perfil epidemiológico dos casos de gripe A na região sul de Santa Catarina, Brasil, na epidemia de 2009", *Rev. Panam. Salud Publica* 2012, v. 32, n. 1, p. 85.

396 Documentos disponíveis em: <http://portal.saude.gov.br/>. Atualmente, vigora o Protocolo adotado em julho de 2012.

> "Apenas os pacientes com agravamento do estado de saúde nas primeiras 48 horas, desde o início dos sintomas, e as pessoas com maior risco de apresentar quadro clínico grave serão medicados com o *Tamiflu* [nome de marca do oseltamivir]. Os demais terão os sintomas tratados, de acordo com indicação médica. O objetivo é evitar o uso desnecessário e uma possível resistência ao medicamento, assim como já foi registrado no Reino Unido, Japão e Hong Kong. É importante lembrar, também, que todas as pessoas que compõem o grupo de risco para complicações de influenza requerem avaliação e monitoramento clínico constante de seu médico, para indicação ou não de tratamento com o Tamiflu. Esse grupo de risco é composto por: idosos acima de 60 anos, crianças menores de dois anos, gestantes, pessoas com diabetes, doença cardíaca, pulmonar ou renal crônica, deficiência imunológica (como pacientes com câncer, em tratamento para Aids), e também pessoas com doenças provocadas por alterações da hemoglobina, como anemia falciforme"[397].

Especulações sobre a possível ineficácia de um tratamento tardio (não considerado grave inicialmente) geraram insegurança[398].

397 Ministério da Saúde, *Perguntas e respostas sobre Influenza A(H1N1)* – atualizadas em 16/7/2009, disponível em: <http://portal.saude.gov.br/>.

398 Embora motivadas por outras razões, investigações recentes ou ainda em curso confirmam a tendência de ineficácia do tratamento tardio: "Dados preliminares do inquérito realizado pelo Ministério da Saúde e pela Diretoria de Vigilância Epidemiológica (Dive) de Santa Catarina apontam que, entre 28 vítimas de gripe A no Estado, metade teve tratamento tardio. O resultado faz parte da pesquisa, iniciada em 18 de junho, que pretende fornecer um perfil dos primeiros mortos pela gripe A neste ano e detalhar as condições de tratamento. SC lidera o *ranking* de mortes pela doença no país. Das 148 mortes registradas pelo Ministério da Saúde até o último dia 10/7/2012, 52 foram no Estado. O levantamento sinalizou que 50% dos pacientes em questão tomaram o antiviral Oseltamivir (Tamiflu) mais de cinco dias após o início dos sintomas. O acesso rápido ao remédio pode evitar agravamento dos casos. O diretor da DIVE, Fábio Gaudenzi de Faria, atribui o tratamento tardio a dois fatores: demora na busca por atendimento pelos pacientes e a não prescrição de medicamento pelos profissionais da saúde", Gabriele Bittelbrun, "Gripe A em SC – Vítimas tiveram tratamento tardio", Florianópolis, *Diário Catarinense*, 16/7/2012.

A restrição do oseltamivir a casos graves pode ter levado médicos a incluir e notificar um grande número de casos que não correspondiam às características da influenza A(H1N1), para que pudessem prescrever o medicamento aos pacientes[399]. Os governos de alguns Estados da federação brasileira, como o Paraná, contrariando o protocolo do governo federal, decidiram manter "amplo e irrestrito o fornecimento do medicamento"[400].

Inicialmente criticado por restringir a prescrição do oseltamivir, uma vez finda a pandemia, o governo federal passou a ser acusado de excesso na compra do medicamento, provavelmente por influência das denúncias que pululavam na Europa, na mesma época. Em setembro de 2010, o Ministério da Saúde, em resposta a acusações formuladas por veículos de comunicação nacionais, prestou um importante esclarecimento sobre a compra do oseltamivir:

> "Em relação à compra do antiviral fosfato de oseltamivir (Tamiflu) para o tratamento contra a gripe H1N1, o Ministério da Saúde esclarece que:
>
> - Adquiriu em 2009 quantidade do antiviral suficiente para tratar 14,5 milhões de pessoas contra influenza. O total foi definido a partir de critérios exclusivamente técnicos estabelecidos pelo Departamento de Vigilância Epidemiológica do Ministério da Saúde. As compras foram realizadas diretamente entre o Ministério da Saúde e a diretoria do único laboratório produtor do medicamento, sem intermediários. Portanto, ao contrário do

399 Maria Luiza Moretti *et al.* "Lessons from the epidemiological surveillance program, during the influenza A(H1N1) virus epidemic, in a reference university hospital of Southeastern Brazil", *Rev. Soc. Bras. Med. Trop.* 2011, v. 44, n. 4, p. 405. A apologia do Tamiflu também levou milhares de pessoas à compra de medicamentos falsos, sobretudo via internet, ou a cruzar fronteiras para obtê-lo em países vizinhos.

400 Governo do Estado do Paraná, Secretaria de Estado da Saúde, *Nota Técnica: indicação do antiviral oseltamivir em síndrome gripal*, s/d, disponível em: <http://www.sesa.pr.gov.br/arquivos/File/NOTATECNICAGRIPE.pdf>, consultado em 18/3/2012.

que afirma reportagem da revista *Veja*, a *Casa Civil* não teve interferência neste processo[401].

- As negociações do Ministério da Saúde com o laboratório produtor para a compra do antiviral resultaram num preço 76,7% mais baixo que o preço de mercado do produto. Os critérios técnicos adotados levaram em conta a previsão de 10% da população brasileira com indicação para o tratamento (o medicamento é indicado para casos graves e pessoas com fatores de risco), o que representaria aproximadamente 20 milhões de pessoas. Este percentual baseia-se em modelo matemático do *Center for Diseases Control*, dos Estados Unidos, que considerou o número de casos graves em outras pandemias de influenza ocorridas historicamente.
- É importante lembrar que, em setembro de 2009, o Brasil chegou a ser criticado por ter estoque para apenas 5% da sua população, enquanto outros países adquiriram medicamentos para atender até 80% de sua população. Seguem exemplos dos estoques internacionais em 2009: **– Reino Unido –** estoque suficiente para atender 80% da população; **França e Austrália** – estoque suficiente para 50% da população; **– Áustria, Japão, Cingapura e Irlanda –** estoque para 45% da população; **– Suíça, Kuwait e Noruega –** estoque para 40% da população; **– Nova Zelândia, Luxemburgo, Islândia e Catar –** estoque para 35% da população; **– Estados Unidos, Holanda, Bélgica, Hong Kong e Macau –** estoque para 30% da população.
- O volume adquirido também levou em conta a exigência de recomposição do estoque estratégico do oseltamivir, parcialmente utilizado na primeira onda da pandemia. A manutenção

401 A nota oficial refere-se ao seguinte episódio: "o advogado Vinícius de Oliveira Castro – também afastado da função – foi apontado neste sábado, 18, pela revista *Veja*, como beneficiário de uma propina de R$ 200 mil, numa operação de compra, pelo governo, de remédio contra a gripe suína", Lígia Formenti e Andrea Jubé Vianna, "Assessor de Erenice recebeu propina na Casa Civil, diz revista", *Estado de S. Paulo*, 18/9/2010.

de um estoque nacional para garantir o atendimento da população em uma situação de pandemia mais grave, como a da gripe aviária, que tem letalidade de 70%, está estabelecida no *Plano de Preparação Brasileiro para o Enfrentamento de uma Pandemia de Influenza*, elaborado em 2005, de acordo com as recomendações da Organização Mundial da Saúde.

- Em 2009, foram realizadas sete compras do medicamento Tamiflu. Um total de 75 milhões de comprimidos de 75 mg, 14 milhões de comprimidos de 45 mg e outros 16 milhões de 30 mg, além de 4 toneladas do medicamento em barril. Isso representa um total de 14,5 milhões de tratamentos (o tratamento para uma pessoa é composto por 10 comprimidos). O valor da compra soma R$ 400 milhões. O preço de cada tratamento saiu, em média, por R$ 28. Cada tratamento adulto saiu por R$ 34,93. O preço autorizado pela CMED (*Câmara de Regulação do Mercado de Medicamentos*) para a venda dos medicamentos de uso adulto nas drogarias privadas é de R$ 150.
- Foram distribuídos aos Estados e DF, entre 2009 e 2010, um total de 4,86 milhões de tratamentos. Além disso, conforme preconizado, o Ministério da Saúde mantém, em sua reserva estratégica nacional, 20 milhões de tratamentos, o suficiente para tratar cerca de 10% da população em caso de nova pandemia.
- Ressalta-se que há apenas um produtor mundial do medicamento. A vacina contra a doença somente surgiu no segundo semestre de 2009 para os países do hemisfério Norte e a sinalização dos laboratórios produtores sobre a disponibilidade do insumo somente foi dada no final do ano. Para os países do Hemisfério Sul, a vacina somente estaria disponível no início deste ano. Ou seja, o medicamento era a única solução indicada contra a doença disponível naquele momento"[402].

402 *Esclarecimento sobre compra de antiviral fosfato de oseltamivir (Tamiflu)*, Brasília, 18/9/2010, disponível em: <http://portal.saude.gov.br/>.

Por outro lado, no início da pandemia, o Ministério da Saúde teria alterado três vezes a orientação sobre quem tem a "palavra final" na hora de receitar o remédio. Inicialmente, apenas as unidades de referência poderiam ministrar o medicamento; a seguir, a distribuição do antiviral passou à rede ambulatorial, de unidades básicas de saúde ou de centros ligados ao *Programa Saúde da Família* (PSF); por fim, todo médico passou a poder prescrever o Tamiflu – em qualquer destas hipóteses, apenas para os casos graves[403].

Entre outras ações judiciais propostas no Brasil, a *Defensoria Pública da União* no Rio de Janeiro, ajuizou, com o apoio do *Sindicato dos Médicos do Rio de Janeiro*, diversas ações civis públicas para requerer o aumento e disponibilização de leitos de UTI na rede hospitalar, a liberação dos medicamentos antivirais na rede hospitalar pública e privada, bem como nas farmácias de todo o país, e a ampliação dos exames laboratoriais de diagnóstico da gripe suína[404].

Eventualmente, pode ser necessário que o Estado adote medidas de saúde pública até mais severas do que as mencionadas para a contenção de riscos sanitários, afetando a liberdade individual. Ocorre que

> "a legislação de vigilância epidemiológica brasileira, que prevê vagamente estes procedimentos, é do período da ditadura militar e data de 1975. Ou seja, é uma legislação anterior ao *Sistema Único de Saúde* e à própria Constituição de 1988, não contemplando diversos aspectos que fazem sentido apenas no âmbito de um Estado Democrático de Direito"[405].

---

403 Mariana Oliveira, Marília Juste, Ricardo Muniz e Rodrigo Vianna, "Médicos divergem sobre distribuição de medicamento contra nova gripe – Governo mudou três vezes orientação sobre antiviral", *G1*, 6/8/2009.

404 Defensoria Pública da União "DPU/RJ anuncia novas medidas judiciais contra a gripe suína", *Notícias sobre a gestão*, Rio de Janeiro, 13/8/2009, disponível em: <http://www.dpu.gov.br/>.

405 Fernando Aith e Sueli Dallari, *op. cit.*, p. 120.

Assim como em outros países, as restrições à circulação, no território nacional, são de difícil mensuração. Apenas à guisa de exemplo, menciono que, em julho de 2009, seguindo recomendações da *Secretaria de Saúde do Estado de São Paulo*, a *Universidade de São Paulo* (USP) – onde foram detectados três casos da gripe A em junho, na *Faculdade de Economia e Administração e Contabilidade* (FEA) –, juntamente com a *Universidade Estadual Paulista Júlio de Mesquita Filho (*Unesp) e a *Universidade Estadual de Campinas* (Unicamp), adiaram em duas semanas o retorno às aulas, ocasionando a extensão do calendário escolar até dia 17 de dezembro[406]. As mudanças de hábito foram significativas: em setembro de 2009, pesquisa realizada no Estado de São Paulo indicou que 72% das pessoas entrevistadas evitavam aglomerações em locais fechados; 45% informaram que não mais apertavam a mão de outras pessoas para cumprimentá-las; e 33,5% passaram a usar o álcool em gel como medida de higiene[407].

No Brasil, a *emergência das emergências* em matéria de direito sanitário parece ser, portanto, a elaboração de uma detalhada **lei** sobre vigilância epidemiológica, capaz de dar garantias à cidadania brasileira, tanto no sentido de que o Estado terá os meios jurídicos necessários para controle da pandemia, como no sentido de que este processo ocorrerá com a máxima proteção possível de seus direitos e liberdades fundamentais. Para Fernando Aith e Sueli Dallari,

> "ao decretar uma medida de saúde pública, é importante que a área geográfica de atuação e o período de duração das medidas sanitárias sejam delimitadas. Além disso, durante o cumprimento das medidas sanitárias restritivas da liberdade individual, o Poder

406 Juliana Penna, "*Campus* se protege contra Gripe A", *Jornal do Campus*, n.355, setembro/2009, disponível em: <http://www.jornaldocampus.usp.br/>.

407 Bruno Bocchini, "Gripe suína muda hábitos de higiene de 67% dos paulistas", *Rede Brasil de Fato*, 14/9/2009.

Público deve responsabilizar-se pela garantia do tratamento médico integral, alimentação, vestuário e outros bens essenciais para que as pessoas submetidas ao regime possam viver dignamente.

A autoridade sanitária que determinar medidas sanitárias restritivas de liberdade individual deve ser obrigada a comunicar sua decisão ao órgão do Ministério Público competente ou a algum órgão de controle externo e popular, no prazo máximo de 24 horas, devendo estes órgãos de controle verificar se estão preenchidos os requisitos legais e formais para a adoção da medida e tomar as medidas judiciais cabíveis.

Dentre as medidas de saúde pública que podem ser adotadas, destacam-se: programas nacionais de imunização obrigatória; isolamento de pessoas ou grupos; quarentena; busca ativa de contatos e observação; medidas de restrição de circulação de pessoas, bens e produtos; medidas restritivas de atividades; quimioprofilaxia, do tratamento compulsório e da realização de exames clínicos obrigatórios para fins de diagnóstico; situações excepcionais de fornecimento e disponibilidade de serviços de saúde, insumos, medicamentos, vacinas e inseticidas; sepultamento, acondicionamento e traslado de cadáveres com potencial de disseminação de doenças e agravos à saúde da coletividade; controle de vetores e reservatórios etc.

Vê-se que as medidas de saúde pública podem, com efeito, invadir a esfera da liberdade individual de forma bastante agressiva. No entanto, esta invasão, no âmbito do Estado Democrático de Direito, será sempre permitida quando feita nos termos da lei e em defesa do interesse público, no caso, a proteção da saúde pública contra riscos à saúde identificados na sociedade.

Trata-se, como se pode perceber, de assunto delicado que somente um amplo debate social pode oferecer um tratamento adequado, definindo-se, por meio de lei, quais são as regras e os procedimentos que o Estado deve adotar nos casos de riscos à saúde pública"[408].

---

408 *Op. cit.,* p. 117.

Atualmente, vigora no Brasil o *Decreto n. 7.616/2011*, que dispõe sobre a declaração de *Emergência de Saúde Pública de Importância Nacional* (Espin) e institui a *Força Nacional do SUS* (FN-SUS). A Espin será declarada em situações "que demandem o emprego urgente de medidas de prevenção, controle e contenção de riscos, danos e agravos à saúde pública"[409], de três diferentes naturezas:

- epidemiológicas: surtos ou epidemias que I – apresentem risco de disseminação nacional; II – sejam produzidos por agentes infecciosos inesperados; III – representem a reintrodução de doença erradicada; IV – apresentem gravidade elevada; ou V – extrapolem a capacidade de resposta da direção estadual do SUS[410];
- de desastres: os eventos que configurem situação de emergência ou estado de calamidade pública reconhecidos pelo Poder Executivo Federal nos termos da lei, e que impliquem atuação direta na área de saúde pública[411];
- de desassistência à população – o evento que, devidamente reconhecido mediante a decretação de situação de emergência ou calamidade pública pelo ente federado afetado, coloque em risco a saúde dos cidadãos por incapacidade ou insuficiência de atendimento à demanda e que extrapolem a capacidade de resposta das direções estadual e municipal do SUS[412].

A declaração de Espin será efetuada pelo Poder Executivo Federal, por meio de ato do Ministro de Estado da Saúde.

A FN-SUS, por sua vez, é "um componente humanitário do SUS, estruturante da Rede de Atenção às Urgências, sob gestão do Ministério da Saúde", que visa a "prestar assistência rápida e efetiva às populações em território nacional e internacional, atingidas

409 Artigo 2º.

410 Art. 3º, §1°.

411 Art. 3º, §2°.

412 Art. 3º, §3°.

por catástrofes, epidemias ou crises assistenciais que justifiquem seu acionamento"[413].

Finalmente, que balanço poderia ser feito, ainda que sumariamente, da gestão da pandemia no Brasil? Para o Diretor de Vigilância Epidemiológica do governo federal durante a pandemia, Eduardo Hage, as dificuldades no enfrentamento da "primeira onda" foram as seguintes: o alto grau de incerteza da doença (gravidade, transmissibilidade e tempo de evolução); a inexistência de medidas de controle efetivas durante a fase mais crítica; a necessidade de revisão contínua de protocolos médicos; a produção de oseltamivir e a logística de sua distribuição; a sobrecarga da rede hospitalar e da rede laboratorial; a insuficiência de profissionais e o esgotamento das equipes; e o grande problema de comunicação, que Hage definiu como a "percepção da população, dos meios de comunicação e dos profissionais em relação a uma pandemia", o que inclui a difusão do número de casos, óbitos e estimativas, as informações sobre o uso do medicamento antiviral e a insuficiente articulação com sociedades científicas[414].

413 Cf. Portal da Saúde, disponível em: <http://portal.saude.gov.br/>, consultado em 11/4/2013. De acordo com a mesma fonte, a FN-SUS será composta por profissionais com capacitação específica de atuação em situações de calamidade, sendo eles servidores ou empregados públicos de hospitais sob gestão federal e hospitais universitários federais; do Ministério da Saúde cedidos a Estados, Distrito Federal e Municípios; contratados temporariamente por excepcional interesse público; estaduais, distritais ou municipais vinculados ao SUS; dos entes que aderirem à FN-SUS; além de voluntários de entidades públicas ou privadas que atuem na área da saúde. A FN-SUS contará com Hospitais de Campanha para atendimento às vítimas de calamidade, podendo realizar, inclusive, cirurgias e estabilização de pacientes críticos/graves em terapia intensiva, para posterior encaminhamento para rede de urgência. Terá também suporte de veículos de intervenção rápida e ambulâncias para assistência e remoção de suporte básico e avançado à vida. Seus mais importantes instrumentos normativos são, além do Decreto já citado, as Portarias do Ministério da Saúde n. 2952/2011 e 1.600/2011.

414 Eduardo Hage Carmo, *Resposta à pandemia de influenza H1N1 (2009)*, Apresentação, Brasília, 26/11/2010.

Segundo Hage, o baixo desempenho nas ações de comunicação compromete toda a resposta de saúde pública, pois "é mais fácil gerenciar a emergência do que o pânico da população", e acrescenta: "é necessário ampliar o debate com jornalistas e empresários da mídia sobre as tensões e limites entre liberdade e responsabilidade da imprensa em questões de saúde pública"[415].

Esta afirmação baseia-se numa realidade recente, eis que a pandemia sucedeu a um imbróglio de comunicação envolvendo a febre amarela, entre 2007 e 2008. Naquela ocasião, com a mais ampla difusão, o governo brasileiro recomendava a vacinação aos viajantes nacionais e internacionais que se dirigissem a Estados das regiões Norte e Centro-Oeste, para todos os Municípios do Maranhão e de Minas Gerais, do Sul do Piauí, Oeste e Sul da Bahia, Norte do Espírito Santo, Noroeste de São Paulo e Oeste dos Estados do Paraná, Santa Catarina e Rio Grande do Sul, destacando, ainda, que não existe febre amarela urbana nas cidades brasileiras desde 1942[416]. Porém, meios de comunicação lançavam suspeitas sobre as informações oficiais e assustavam a população, gerando um afluxo massivo aos postos de vacinação, mesmo nas áreas consideradas sem risco. Por exemplo, entre 28 de dezembro de 2007 e 24 de janeiro de 2008, o jornal *Correio Braziliense* publicou 19 notícias de primeira página sobre mortes por febre amarela[417]. Um segundo exemplo é o artigo de Eliane Cantanhêde, considerado um "texto-símbolo" de disseminação do pânico, intitulado "Alerta Amarelo":

> "Com sua licença, vou usar este espaço para fazer um apelo para você que mora no Brasil, não importa onde: vacine-se contra a febre amarela! Não deixe para amanhã, depois, semana que vem... Vacine-se logo! A febre amarela é uma doença infecciosa causada por vírus e pode ser fatal. Hoje mesmo (terça, 8/1),

---

415 *A cobertura da mídia na gripe H1N1 – Fatos epidemiológicos sobre a pandemia de influenza H1N1 (2009)*, Apresentação, Brasília, 26/11/2010.

416 *Ibid.*

417 *Ibid.*

morreu um homem de 38 anos em Brasília, plena capital da República, com febre alta, dores musculares, náuseas e vômitos. Possivelmente, foi vítima da doença. O alerta nem é mais amarelo, já é vermelho. E a vacina é altamente eficaz. Tomou, está livre da doença"[418].

É evidente que o uso indiscriminado da vacinação fez com que ela terminasse por faltar a quem dela realmente precisava: não havia "nenhuma razão para vacinar as pessoas que não residem em área endêmica, nem pretendem adentrar a mata dessas áreas"[419].

Voltando à pandemia de gripe A(H1N1), o governo federal investiu em 2,6 mil inserções televisivas e 55 mil de rádio, 79 anúncios nos principais jornais do país e 38 anúncios em revistas de grande circulação; contou 87 milhões de visualizações em seus principais portais, além de emitir mais de 100 mil mensagens de celulares e *e-mails* para cadastrados em campanhas de vacinação, que contaram também com mais de 60 mil intervenções em redes sociais (Twitter, Facebook, Orkut e Formspring)[420].

....

418 *Folha de S. Paulo*, 9/1/2008, p. 2. Para Luiz Carlos Azenha, "o alerta da colunista foi apenas um texto irresponsável no conjunto da obra do mau jornalismo. A vacinação disparou. Gente que não precisava ou não podia ter tomado a vacina, tomou. Houve pelo menos um caso de morte que poderia ter sido evitado. E a febre amarela? O número de casos foi inferior ao registrado em anos anteriores, quando não houve o mesmo alarde", "Assim é se lhe parece", *Vi o Mundo* [blog], 26/2/2010, disponível em: <http://www.viomundo.com.br/>, consultado em 18/3/2012.

419 Adib Jatene, *Folha de S. Paulo*, 22/1/2008, p. 3. O autor acrescenta: "Vi na televisão pessoas que sempre residiram na cidade de São Paulo e que não pretendem viajar desesperadas, em filas para se vacinarem, alegando que tinham direito. Certamente não tinham necessidade e se expõem aos efeitos adversos de uma vacina com vírus vivo. Nos últimos quatro anos, foram registrados pelo sistema de informação de efeitos adversos pós-vacinação 478 casos (muito mais que os 349 casos de febre amarela registrados em 12 anos), desde reações simples até exantemas generalizados, febre alta e, em dois casos, meningite".

420 Eduardo Hage, *Resposta à pandemia...*, *op. cit.*

Um estudo sobre as principais revistas semanais brasileiras durante a pandemia de gripe A(H1N1) traz conclusões que parecem ser atribuíveis ao conjunto dos meios de comunicação do Brasil:

> "A análise do discurso das revistas *Época, Veja e IstoÉ* à luz dos conceitos de memória discursiva, interdiscurso e noticiabilidade nos leva a avaliar o peso da palavra epidemia no contexto discursivo, verificando como os sentidos da gripe A(H1N1) foram sendo produzidos com base na memória de outras doenças infecciosas, em especial a da gripe espanhola. Embora as moléstias tenham características distintas, os sentimentos que envolvem cada uma delas (adoecimento, medo, mal, risco e morte) mobilizam as chamadas *redes partilhadas de memória* a respeito das patologias em geral"[421].

A literatura confirma a tendência de comparação entre a gripe espanhola de 1918 e a pandemia de 2009 no Brasil: "as instruções divulgadas para o combate à gripe espanhola eram muito semelhantes aos conselhos médico-governamentais veiculados pelas televisões, rádios, jornais e internet" para tentar impedir a difusão da gripe A(H1N1) em 2009[422]. Algumas nuanças nesta possível comparação merecem aprofundamento:

> "Por associação, novos sentidos vão sendo produzidos com base nos já existentes, através de um processo interdiscursivo, que estabelece pontos de contato com outros campos, **em especial o militar**. O sentimento de insegurança que emana dos textos sobre doenças tem uma relação estreita com o discurso e o risco de agressão mantido pelas mídias, bem como no meio ambiente no qual a sociedade vive. Esse sentimento é alimentado pelo próprio progresso da segurança e pela vontade do homem de poder controlar o mundo. *Consequentemente, a explicitação da*

---

421 Isaltina Maria de Azevedo Mello Gomes e Luiz Marcelo Robalinho Ferraz, "Ameaça e controle da gripe A(H1N1): uma análise discursiva de Veja, IstoÉ e Época", *Saude soc.* 2012, v. 21, n. 2, p. 312.

422 Liane Maria Bertucci, "Gripe A, uma nova espanhola'?", *Rev. Assoc. Med. Bras.* 2009, 55(3), p. 230.

narrativa que acompanha o risco é capital para aqueles que procuram dominá-lo (Vieillard-Baron). Por esse motivo, **as metáforas de guerra são tão pertinentes ao campo jornalístico, possuindo na maioria das vezes uma função ornamental**, na avaliação de Gomes. *Ou seja, muito mais do que procurar explicar algo, o jornalista emprega metáforas em busca de uma caracterização pitoresca do elemento ao que se está referindo.* Assimilando a ideia da autora, o uso de metáforas demonstra *uma grande preocupação dos jornalistas com o envolvimento do leitor* ao tomar para si expressões de guerra utilizadas há décadas nos discursos da saúde pública. Por fim, cabe destacar que se deve à **tendência do jornalismo de tratar com mais intensidade e assiduidade os assuntos que interessam à própria imprensa** (Morais) o fato de as notícias sobre a gripe A(H1N1) terem sido mais alarmantes no início de seu ciclo vital. A constatação de que o vírus não era tão letal quanto se imaginava e a relativa volta à normalidade das populações implicou a queda do interesse da imprensa, indicando **o apelo que o descontrole tem não apenas para os *media*, mas também para a sociedade como um todo**" (sem grifo no original)[423].

Logo, não restam dúvidas de que "a mídia claramente desempenha um papel importante na ansiedade do público, e exacerba percepções distorcidas do risco"[424].

Em face de tamanhas dificuldades, como aspectos positivos da gestão brasileira da pandemia, Hage indica o sucesso da campanha de vacinação (tanto na redução da força de transmissão como na redução da ocorrência de casos graves e mortes), o compromisso e a solidariedade no Sistema Único de Saúde (SUS), a integralidade da organização da rede de vigilância, o êxito da tomada de decisão

423 Isaltina Maria de Azevedo Mello Gomes e Luiz Marcelo Robalinho Ferraz, *op. cit.*, p. 313.

424 Cecilia Cheng, "To be paranoid is the standard? Panic reponses to SARS outbreak in the Hong Kong Special Administrative Region", *Asian Perspective* v. 28, n. 1, 2004, p. 94.

(com base na análise de risco, evidências técnicas e científicas), a valorização das estratégias de comunicação em matéria de saúde, e a consciência da necessidade de aperfeiçoamento das capacidades para responder a ESPIIs[425].

A decisão que deflagrou tal engrenagem no Brasil foi, contudo, tomada alhures, e aqui pouco se debateu a respeito deste singular processo decisório internacional.

425 Eduardo Hage, *Resposta à pandemia...*, *op. cit.*

"Cada um aporta em si, a peste, porque ninguém, não, ninguém no mundo é a ela indene. E é preciso cuidar-se incessantemente para não ser levado, num minuto de distração, a respirar no rosto de outro e nele colar a infecção. O que é natural é o micróbio. O resto, a saúde, a integridade, a pureza, como queira, é efeito da vontade e de uma vontade que não deve cessar jamais. O bom homem, aquele que não infecta quase ninguém, é aquele que tem a menor distração possível".

Albert Camus, *La Peste.* Paris: Gallimard, 1947, p. 228.

4. O CONTROLE DA APLICAÇÃO

O tema do controle dos atos das organizações internacionais é ainda pouco tratado pela literatura. Além do controle exercido pelos Estados, de modo geral, diz-se que o Tribunal Internacional de Justiça pode controlar os atos das organizações do sistema onusiano, embora de modo não vinculante e sem poder de iniciativa para exercício deste controle. Não obstante, este modo tradicional de controlar as organizações internacionais permite, por um lado, garantir que a organização não ultrapasse suas competências, estabelecidas por seu ato constitutivo e pela prática subsequente. Por outro lado, contribui para definir o campo de atuação de cada organismo, evitando sobreposição de programas e atribuições[426]. Note-se que, embora a participação social nas organizações internacionais tenha aumentado nas últimas décadas, pelas enormes dificuldades que ela ainda enfrenta, seria prematuro classificar este movimento como um modo de controle.

Neste diapasão, a OMS, uma vez mais, diferencia-se das demais organizações da família das Nações Unidas. Ainda que diversos organismos disponham de variadas instâncias de controle interno, dificilmente alguma delas terá funcionado como os dois tipos de comitês criados pelo RSI (2005). Ao *Comitê de Emergências* incumbe participar da declaração da existência de uma ESPII, de sua gestão e de sua extinção. Por sua vez, o *Comitê de Revisão*, regulado pelo

426 Ricardo Seitenfus, *op. cit.*, p. 85.

Capítulo III do Título IX do RSI, pode servir a distintas finalidades. No caso da pandemia de gripe A(H1N1) 2009, o segundo terminou por servir ao controle da atuação do primeiro.

4.1. O Comitê de Emergências

A OMS mantém larga tradição de trabalho com peritos. Como já foi destacado neste livro, os principais atores dos trabalhos preparatórios para criação da organização tinham em mente um perfil técnico para governá-la, condicionando os Estados-membros, por meio da Constituição, a enviar a Genebra os seus melhores quadros da área de saúde pública. No entanto, não apenas pela impossibilidade financeira, mas também pelo imperativo de refletir diferentes concepções de saúde, a OMS precisa buscar seus peritos nas mais diversas áreas de conhecimento, e em todos os cantos do mundo, sob a forma de um Cadastro de Peritos. Esta pluralidade, em contrapartida, suscita incontáveis questões, inclusive éticas, que emergiram fortemente no caso da gripe A(H1N1).

O depoimento da virologista Catherine May é particularmente significativo a esse respeito:

> "Eu faço parte dessa *gente da gripe*. Esses *flu people*, esta comunidade de especialistas, industriais, de gestores de saúde pública, de pesquisadores que se encontram regularmente em conferências e reuniões internacionais, nos quatro cantos do mundo. Isto se passa um pouco como uma reunião de família. (...)
>
> Uma família de peritos de alto nível, ligados por uma cultura comum da gripe. Tudo parecia bem azeitado durante esses anos de preparação da pandemia: os virologistas informavam sobre a evolução dos vírus gripais e sobre a ameaça que eles representavam, os epidemiologistas faziam estudos para melhor compreender as diferentes facetas da gripe, os matemáticos elaboravam modelos para simular o impacto de uma pandemia, os industriais desenvolviam novas vacinas e novas técnicas, e a OMS ajustava suas recomendações à medida que os meios e conhecimentos evoluíam.

E eis que, em 2009, esse novo vírus emerge no México. Sim, não era o que se esperava, mas era com certeza um vírus pandêmico, com seu cortejo de incertezas e de ameaças potenciais. Foi preciso deflagrar o nível 6 do plano de pandemia. Os industriais ativaram-se para produzir vacinas, os planos nacionais de pandemia foram acionados, os cientistas e epidemiologistas seguiram de perto a evolução deste novo vírus e de sua doença para alertar as autoridades da saúde. Tudo funcionava da melhor maneira, e poderíamos nos felicitar por estes anos de preparação e reflexão que se mostraram frutíferos. Verdadeiramente tudo? Não... Houve um grão de areia"[427].

O Comitê de Emergências converteu-se, assim, no grande foco de um dos primeiros grandes debates sobre o papel da *expertise* no direito (ou na política) internacional, e certamente o primeiro numa vertente complexa deste direito, eis que a declaração da *fase* 6 da pandemia acionou um mecanismo capaz de redundar diretamente nos direitos nacionais.

Segundo o artigo 48 do RSI (2005),

"1. O Diretor-Geral criará um Comitê de Emergências que, mediante solicitação do Diretor-Geral, fornecerá pareceres sobre: (a) se um evento se constitui numa emergência de saúde pública de importância internacional; (b) o término de uma emergência de saúde pública de importância internacional; e (c) propostas de emissão, modificação, prorrogação ou extinção de recomendações temporárias.

2. O Comitê de Emergências será constituído por peritos selecionados pelo Diretor-Geral no Cadastro de Peritos do RSI e, quando apropriado, de outros painéis assessores de peritos da Organização. O Diretor-Geral determinará a duração do mandato dos membros, de maneira a assegurar sua continuidade na consideração de um evento específico e suas consequências. O Diretor-Geral selecionará os membros do Comitê de Emergências com base na especialização e na experiência exigidos

427 "Les gens de la grippe: une histoire de famille", *Le monde*, 16/6/2010.

para uma determinada sessão e levando em devida consideração os princípios de representação geográfica equitativa. Pelo menos um membro do Comitê de Emergências deverá ser um perito indicado pelo Estado Parte em cujo território surgiu o evento.

3. O Diretor-Geral poderá, por iniciativa própria ou mediante solicitação do Comitê de Emergências, nomear um ou mais técnicos para assessorar o Comitê".

O procedimento a ser seguido em caso de convocação do Comitê de Emergências é indicado pelo artigo 49 do RSI (2005). O Diretor Geral deve convocar as reuniões do Comitê de Emergências, selecionando vários peritos de seu cadastro, conforme as áreas de especialização e as experiências mais relevantes para o evento específico em questão. A partir de uma agenda e de eventuais propostas fornecidas pelo Diretor-Geral, além de informações fornecidas pelos Estados Partes, o Comitê formulará suas opiniões. O Estado Parte em cujo território surgiu o evento poderá apresentar seu ponto de vista ao Comitê de Emergências.

As opiniões do Comitê de Emergências serão encaminhadas à apreciação do Diretor-Geral, que tomará a decisão final sobre essas questões. Sempre consoante o artigo 49, o Diretor-Geral informará os Estados Partes a declaração e a extinção de uma ESPII, bem como qualquer medida de saúde tomada pelo Estado Parte em questão, qualquer recomendação temporária emitida e a modificação, prorrogação e extinção dessas recomendações, juntamente com os pareceres do Comitê de Emergências.

O Diretor-Geral também deve notificar aos operadores de meios de transporte, por intermédio dos Estados Partes e das agências internacionais pertinentes, as recomendações temporárias emitidas, incluindo sua modificação, prorrogação ou extinção, devendo posteriormente disponibilizar essas informações e recomendações ao público em geral.

Note-se a ausência de qualquer mediação pelos Estados Partes em relação às decisões e comunicados do Diretor quando há expectativa de declaração e extinção de uma ESPII. Sua transversalidade é, todavia, patente; seus efeitos, diretos em relação aos operadores econômicos e à sociedade.

Por outro lado, embora o Regulamento não dê lugar a dúvidas sobre quem deve tomar a decisão final – o Diretor-Geral – é natural que se queira saber quem faz parte do Comitê de Emergências. Mas a posição da OMS foi outra:

> "Seus nomes serão publicados quando o Comitê tiver terminado seu trabalho, como foi previsto desde o início. Nossa decisão de não tornar públicos estes nomes foi motivada pela vontade de proteger os peritos de influências comerciais ou outras. Eles mesmos felicitaram esta decisão, considerada como uma medida de proteção e não como uma tentativa de tornar secretas suas deliberações e suas decisões"[428].

Em 15 de agosto de 2010, a distribuição no mundo de casos confirmados e de mortes notificados à OMS foi expressa pelo Mapa n. 3, documento oficial da organização, cobrindo mais de 200 países, territórios e comunidades; segundo tais dados, os óbitos notificados não alcançaram a cifra de 19 mil.

Mapa n. 3 – Países, territórios e zonas que notificaram casos confirmados em laboratório e número de mortos (15/8/2010)[429]

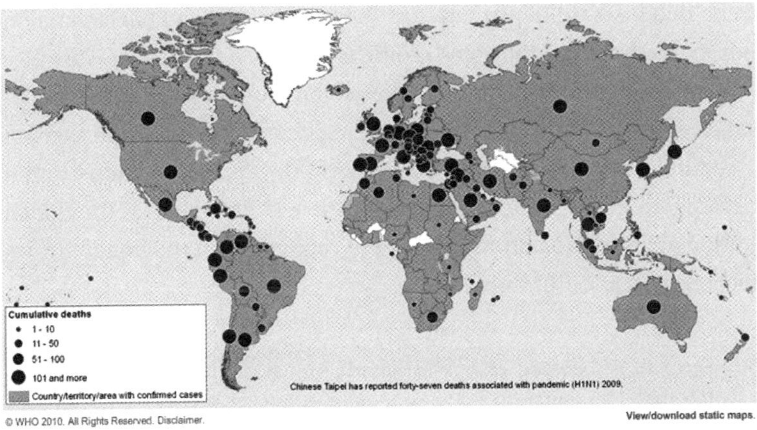

428 OMS, "WHO Director-General's letter to BMJ editors", *Statement*, Genebra, 8/6/2010. Disponível em: <http://www.who.int/mediacentre/news/statements/2010/letter_bmj_20100608/en/index.html>, consultada em 17/2/2012.

429 OMS, disponível em: <http://gamapserver.who.int/h1n1/cases-deaths/h1n1_casesdeaths.html>.

Estudos recentes questionam estas cifras. Um deles, em particular, publicado na renomada revista *The Lancet Infectious Diseases*, emprega um modelo estatístico diferente do utilizado pela OMS, estimando que o número de mortes durante o primeiro ano de circulação do vírus pode ter sido de 201.200 óbitos por doenças respiratórias (variação de 105.700 a 395.600), com o adicional de 83.300 mortes por doenças cardiovasculares associadas à pandemia (variação de 46.000 a 179.900)[430]. O estudo inclui estimativas sobre países da Ásia do Sudeste e da África em que os dados sobre a mortalidade associada à gripe são muito limitados. Conclui, ainda, que 80% dos óbitos concernem a pessoas de menos de 65 anos (diferentemente da gripe sazonal), e indicam que 51% das mortes teriam ocorrido na Ásia do Sudeste e na África, que concentram 38% da população mundial[431].

O contraste entre os dados da OMS e os de outros estudos deve-se, entre outras razões, ao fato de que as mortes confirmadas laboratorialmente são fortemente subestimadas devido à falta de testes laboratoriais de rotina e às dificuldades na identificação de mortes relacionadas à influenza desencadeadas por infecção bacteriana ou por exacerbação de doenças crônicas[432].

Ainda que as novas estimativas sejam corretas, quando comparadas ao número de óbitos anualmente causados pela gripe sazonal – segundo a OMS, de 250.000 a 500.000 –[433], bem demonstram a defasagem entre a declaração da ESPII e a realidade. É inevitável imaginar os efeitos do uso desta engrenagem internacional em relação a outras enfermidades:

....

430 Fatimah S. Dawood *et al.*, "Estimated global mortality associated with the first 12 months of 2009 pandemic influenza A H1N1 virus circulation: a modelling study", *The Lancet Infectious Diseases* junho 2012 v. 12, n. 9, p. 687.

431 *Ibid.*

432 Cécile Viboud e Lone Simonsen, "Global mortality of 2009 pandemic influenza A H1N1", *The Lancet Infectious Diseases* junho 2012, v. 12, n. 9, p. 651.

433 OMS, *Influenza (Seasonal) Fact sheet* n. 211, abril 2009.

"Por ser um vírus novo, a suscetibilidade da população é total e em escala mundial. Claro que temos outras preocupações no nosso campo no hemisfério Sul, e que também são muito graves. Mas quando a imprensa começa a contar os casos confirmados, acaba causando temor na população. Costumo perguntar aos jornalistas que me procuram porque não contar os casos de óbitos por tuberculose no Brasil. São cerca de cinco mil por ano, o que dá a média de 12 a 14 casos por dia. Imagine ter diariamente na primeira página dos jornais que os casos de tuberculose aumentam cada dia. Fico imaginando que impacto isso teria do ponto de vista do controle da doença, pois isso significaria uma relativa redução deste grave problema de saúde pública. Claro que a tuberculose não é uma ameaça às classes dominantes; é uma doença que fica muito oculta na sociedade, atingindo as classes menos favorecidas"[434].

O Comitê de Emergências realizou sua última reunião no dia 10 de agosto, e a Direção-Geral anunciou que "o mundo se encontra em fase pós-pandêmica", mas preveniu: "o vírus continua a circular"[435]. O setor de *Alerta e Ação Mundial* (GAR) da OMS formulou um conjunto de recomendações aos Estados, que, a seu juízo, deveriam continuar vigilantes.

Uma primeira lista de membros do Comitê de Revisão foi divulgada no dia seguinte à extinção da ESPII[436], e substituída menos de dois meses depois, para adicionar informações sobre o Professor Neil Morris Ferguson[437]. Diversos membros do Comitê de

434 Roberto Medronho, *op. cit.*.

435 OMS, *WHO recommendations for the post-pandemic period*, Pandemic (H1N1) 2009 briefing note 23, Genebra, 10/8/2010.

436 OMS, *List of Members of, and Advisor to, the International Health Regulations (2005) Emergency Committee concerning Influenza Pandemic (H1N1) 2009*, disponível em: <http://www.who.int/ihr/Member_Listings_web.pdf>.

437 Disponível em: <http://www.who.int/ihr/emerg_comm_members_2009/en/index.html>. Na lista original: "Advisor to the Emergency Committee, Chair in Mathematical Biology, Department of Infectious Disease Epidemiology, Imperial College Faculty of Medicine, London, United Kingdom. He has acted as a consultant for Roche and GSK+ Biologicals (ceasing in

Emergências foram submetidos ao crivo dos meios de comunicação e da opinião pública. Atores políticos e sociais moveram as pás de uma crise que será enfrentada por meio de outro utensílio do RSI (2005), o *Comitê de Revisão*.

4.2. O que é um Comitê de Revisão?

O Comitê de Revisão pode ser criado pelo Diretor-Geral para realizar três tipos de funções:

- emitir recomendações técnicas sobre emendas ao Regulamento a pedido do Diretor-Geral[438];
- fornecer assessoramento técnico ao Diretor-Geral acerca de recomendações permanentes, inclusive sua modificação ou extinção[439];
- fornecer assessoramento técnico ao Diretor-Geral acerca de qualquer assunto relativo ao funcionamento do RSI[440].

O Comitê de Revisão é considerado como um comitê de especialistas; sujeita-se, portanto, ao regulamento aplicável aos especialistas da OMS[441]. Seus membros devem ser escolhidos e

....

2007), with total remuneration from all such work being under US$7 000 in 2007". Após a alteração "Advisor to the Emergency Committee Professor Neil M. Ferguson, MRC Centre for Outbreak Analysis and Modelling, Department of Infectious Disease Epidemiology, Imperial College London, United Kingdom. He has acted as a consultant for Roche, Novartis and GSK Biologicals (ceasing in 2007), with total remuneration from all such work being under US$7 000 in 2007".

438 RSI (2005) art. 51.1 *a*.

439 RSI (2005) art. 51.1 *b*.

440 RSI (2005) art. 51.1 *c*.

441 RSI (2005) art. 50.2. Trata-se da Resolução WHA35.10, modificada pela Decisão WHA45(10) e pelas Resoluções WHA49.29, WHA53.8 e WHA55.24, cf. OMS, "Règlement applicable aux tableaux et comités d'experts", chapitre 4, *Documents fondamentaux*, Genebra: OMS, 47 ed., 2009, p. 104-112.

nomeados pelo Diretor-Geral entre os que figuram na Lista de Especialistas do RSI e, se for o caso, outras tabelas de especialistas da OMS[442]. A escolha baseia-se nos princípios de representação geográfica equitativa, da paridade entre os sexos, da representação equilibrada entre os países desenvolvidos e os países em via de desenvolvimento, da representação de diferentes correntes de pensamento, enfoques e experiências práticas nas diversas regiões do mundo, e de um equilíbrio interdisciplinar apropriado[443].

A participação de não membros do Comitê em suas reuniões é admitida pelo RSI. Neste caso, ele outorga o mesmo estatuto tanto aos Estados, à ONU e suas instituições especializadas, além de outras organizações interestatais; como às organizações não governamentais em relações oficiais com a OMS[444]. Todos estes atores são convidados, pelo Diretor-Geral, a designar representantes para participar das sessões do Comitê de Revisão, sem direito a voto, podendo submeter memorandos e, desde que com o consentimento do Presidente, fazer declarações sobre o tema em exame[445].

O Diretor-Geral convoca, fixa o número de membros, a data e a duração de uma reunião do Comitê de Revisão[446]. Os membros são nomeados para apenas uma sessão[447].

Quanto ao Relatório das opiniões e recomendações do Comitê de Revisão, que deve ser aprovado ao final de cada sessão, seu conteúdo não vincula a OMS; ele deve ser apresentado sob a forma de conselhos ao Diretor-Geral e seu texto não pode ser alterado sem

442 RSI (2005) art. 50.3.

443 RSI (2005) art. 50.6.

444 RSI (2005) Art. 51.2. Sobre as “relações oficiais” e a participação social na OMS, ver p. 59 e seguintes.

445 RSI (2005) Art. 51.2.

446 RSI (2005) Art. 50.4.

447 RSI (2005) Art. 50.5.

o consentimento do Comitê de Revisão[448]. As decisões do Comitê de Revisão são tomadas por maioria dos membros presentes e votantes[449]. Se as conclusões não forem unânimes, qualquer membro tem o direito de emitir um ou mais pareceres profissionais divergentes, em relatório individual ou coletivo, que fará parte do Relatório final do Comitê de Revisão[450].

O Relatório final é submetido ao Diretor-Geral, que transmite seu conteúdo à Assembleia Geral da Saúde ou ao Conselho Executivo para que o examine e determine seu seguimento[451].

4.3. O primeiro Comitê de Revisão do RSI

O primeiro Comitê de Revisão criado sob a égide do novo RSI, ora em apreço, foi resultado de um processo decisório complexo. A *61ª Assembleia Mundial da Saúde* já havia decidido, em 2008, que uma primeira avaliação do funcionamento do RSI deveria ocorrer por ocasião de sua 63ª reunião, em maio de 2010[452]. Esta avaliação não se confunde com os relatórios anuais apresentados pelos Estados Partes e pela Direção-Geral à AMS sobre a aplicação do RSI[453], nem com os estudos que devem ser realizados sobre a aplicação do Anexo 2 do RSI[454]. Trata-se de uma revisão periódica, prevista pelo §2º do artigo 54. No mesmo sentido, o texto do RSI estipula claramente que a primeira dessas revisões deveria ocorrer dentro de um período de no máximo cinco anos a partir de sua entrada em vigor – logo, o mais tardar em 2010.

448 RSI (2005) Art. 52.1.

449 RSI (2005) Art. 51.1.

450 RSI (2005) Art. 52.2.

451 RSI (2005) Art. 52.3.

452 61ª AMS. *Point 11.4 de l'ordre du jour. Application du RSI (2005)*, WHA61.2, 23/5/2008, 2.2.

453 Art. 54, §1º.

454 Art. 54, §3º.

Paralelamente à necessidade de revisão ordinária do RSI, instalou-se, a partir do final do ano de 2009, uma crise conjuntural sem precedentes na OMS. Denúncias de conflito de interesses por parte dos especialistas da OMS, ou até mesmo de que não havia uma real pandemia em curso, encontraram eco nos meios de comunicação de diversos países. Um dos momentos mais importantes desta crise foi o da publicação, na reputada revista estadunidense *Science*, de uma nota em que o jornalista Martin Enserink refere-se diretamente ao Professor Albert Osterhaus – que teria participado da elaboração de documentos estratégicos da OMS sobre a pandemia – afirmando: "na última semana, sua reputação foi duramente atingida, depois da acusação de que teria incitado ao temor à pandemia para promover seus próprios interesses comerciais no desenvolvimento de vacinas"[455].

Naquele período, a gripe A(H1N1) mobilizou intensamente a sátira política e social. El Roto, desenhista do grande jornal madrilenho *El País*, dedicou dezenas de charges à pandemia. Selecionei duas delas, que abordam elementos cruciais da crítica à gestão da crise. Na figura n. 8, o artista, ao dar voz à representação da morte, tripudia sobre uma sorte de frustração expressa por alguns gestores e atores sociais diante das baixas morbidade e mortalidade da pandemia. Na figura n. 9, El Roto apresenta diretamente a pandemia como um grande evento organizado para fins lucrativos. No mundo inteiro, incontáveis expressões artísticas refletiram percepções similares[456].

---

455 *Science*, v. 326, n. 5951, 16/10/2009, p. 350-351.

456 Se houve, no passado, uma "arte da peste", talvez seja possível afirmar que atualmente existe uma "arte da pandemia", cuja dimensão mitológica ainda resta a precisar. Evidentemente, a pandemia de gripe aqui estudada não seria um evento fundador. Já referi, ainda que breve e superficialmente, a memória artística das grandes epidemias da história. Mais do que isto, porém, a pandemia de 2009-2010 insere-se numa evolução recente das artes em que a epidemia de Aids provavelmente desfrute de um lugar privilegiado.

Figura n. 8 – *A pandemia foi um fracasso*, El Roto (7/11/2009)

Fonte: El País, disponível em: <http://elpais.com/>

Figura n. 9 – *Desculpem o negócio que montamos*, El Roto (12/12/2009)

Fonte: El País, disponível em: <http://elpais.com/>

Contribuíram sobremaneira para aumentar as suspeitas em relação à credibilidade da organização tanto a regressão das taxas de incidência da enfermidade, paulatinamente percebida como menos ameaçadora do que se supunha[457], como a já referida relutância da Diretora-Geral em divulgar o nome dos membros do Comitê de Emergências que havia declarado a pandemia. Um informativo oficial assim o reconheceu:

> "a OMS tem conhecimento de artigos nos quais a mídia manifesta sua preocupação diante de vínculos que alguns dos especialistas de organismos consultivos da organização mantêm com a indústria farmacêutica, e da influência que eles poderiam ter sobre as decisões políticas, em particular àquelas relacionadas à gripe pandêmica. ... Em razão das divergências entre aquilo que se esperava e o que se produziu na realidade, pode-se compreender esta busca de motivos secretos ou de intenções dissimuladas que a OMS ou seus conselheiros científicos poderiam ter, mas ela não é justificada"[458].

Em novembro de 2009, Margaret Chan apresentou ao Conselho Executivo da OMS o seu relatório sobre a aplicação do RSI, propondo a convocação do Comitê que efetuaria a revisão ordinária do RSI para o mês de fevereiro do ano seguinte, a fim de "dar ao Diretor-Geral pareceres sobre o funcionamento do Regulamento e sobre questões técnicas pertinentes"[459].

457 Por ex., "até agora, a gripe suína não é uma emergência médica, mas ninguém diz isto muito claramente", Anne Applebaum, "Playing politics with a pandemic", *The Washington Post*, 17/11/2009.

458 OMS, "WHO use of advisory bodies in responding to the influenza pandemic", *Pandemic (H1N1) 2009 briefing note* n. 19, Genebra, 3/12/2009. Disponível em: <http://www.who.int/csr/disease/swineflu/notes/briefing_20091203/en/index.html>, consultado em 14/2/2012.

459 OMS, EB126/5 – "Application du RSI (2005) Rapport du Directeur général", Genebra, 19/11/2009, item 2. O documento menciona ainda que, até 1º/10/2009, 56 especialistas figuravam na lista de especialistas apresentadas pelo mesmo número de Estados Partes, cf. item 3.

Em janeiro de 2010, o Conselho Executivo da OMS reuniu-se para sua 126ª sessão, em pleno aprofundamento da crise[460]. Ele acolheu a proposta de Chan, estendendo, porém, as atribuições por ela descritas, pois convocou um *Comitê de Revisão sobre o funcionamento do RSI (2005) e sobre a pandemia de gripe A(H1N1) 2009*[461]. Em consonância com sua denominação, reforçada pelas palavras de seu presidente, Harvey Fineberg, o Comitê acumulou dois objetivos: efetuar o primeiro exame periódico do RSI e "o estudo da resposta que a OMS ofereceu a esta pandemia. Esses dois objetivos são diferentes, mas estreitamente vinculados"[462].

....

460 Em 18/12/2009, o deputado alemão Wolfgang Wodarg (médico epidemiologista, Doutor em Medicina da Universidade de Hamburgo, à época presidente da Sub-comissão de Saúde da *Assembleia Parlamentar do Conselho da Europa* – APCE), apresentou, conjuntamente com outros deputados, uma proposta de Recomendação à APCE, intitulada "Falsas pandemias: uma ameaça para a saúde", CE/APCE Doc. 12110, disponível em: <http://assembly.coe.int/Documents/WorkingDocs/Doc09/fDOC12110.pdf>. Graças a tal proposição, Wodarg destacou-se em incontáveis meios de comunicação – por ex., figurou na capa da revista francesa *L'Humanité,* de 7/1/2010, com a manchete "Gripe A: eles organizaram a psicose", disponível em: <http://www.wodarg.de/francais/3014278.html>; nos Estados Unidos: "Wodarg... descreveu a declaração de pandemia como um dos maiores escândalos do século", *in:* Thomas Abraham, "There Is No 'False Pandemic'", *The New York Times*, 29/1/2010, disponível em: <http://nyti.ms/xjKCRr>; na Argentina: Pedro Lipcovich, "Influenza de los laboratorios", *Página 12*, 15/1/2010, disponível em: <http://www.pagina12.com.ar/diario/sociedad/3-138513-2010-01-15.html>; no Brasil: Luciana Coelho, "Medo sustenta farmácias, diz médico", *Folha de S. Paulo*, 26/1/2010. Sob a liderança de Wodarg, uma audiência parlamentar pública da APCE ocorreu em Estrasburgo (França), no dia 26/1/2010, intitulada "A gestão da pandemia H1N1: é preciso mais transparência?", alcançando grande repercussão na mídia em numerosos países (por ex., "Chan ha creado una alarma mundial. Debe dimitir", *El País*, Madri, 27/1/2010). De tal audiência resultou a decisão da APCE de encarregar sua Comissão de Assuntos Sociais da elaboração de um Relatório sobre a pandemia em questão.

461 OMS, Conselho Executivo, "Application du RSI (2005). Plan préliminaire pour le premier examen du fonctionnement du RSI (2005) en rapport avec la pandémie de grippe A(H1N1) 2009", EB126/INF.DOC./3, 21/1/2010, item 2.

462 *Prefácio* de OMS, A64/10 ..., *op. cit.*, p. 7.

Assim, por meio de um “Plano preliminar”[463], veículo do que juridicamente corresponderia a um mandato, o Conselho Executivo estipulou que o Comitê deveria ser nomeado pela Direção-Geral, de acordo com os critérios previstos pelo RSI já mencionados, e antes da 63ª AMS, de maio de 2010, à qual deveria submeter um relatório preliminar de suas atividades. Seu relatório final deveria ser apresentado à 64ª AMS, em maio de 2011. Pelo mesmo instrumento, o Conselho delimitou os três objetivos do Comitê:

- “avaliar o funcionamento do RSI (2005) em relação à atual pandemia de gripe A(H1N1) 2009 e outros eventos ocorridos em saúde pública;
- analisar o campo, a adequação, a eficácia e a reatividade das medidas mundiais assim como o papel do Secretariado da OMS no apoio à preparação, ao alerta e à resposta em relação à pandemia;
- considerando o que precede, extrair e analisar os principais ensinamentos retirados da resposta mundial à atual pandemia, e recomendar medidas aos Estados-membros e ao Diretor-Geral para reforçar a preparação e a resposta a eventuais futuras pandemias de gripe e outras urgências de saúde pública”[464].

O Comitê não dispunha, por conseguinte, de mandato para apurar eventuais faltas cometidas por funcionários da OMS, ou por peritos pontualmente a seu serviço. Este evidente limite foi minimizado pelo Presidente do Comitê, Harvey Fineberg, quando questionado a respeito do que faria se constatasse a existência de vínculos inadequados entre a OMS e a indústria. Ele respondeu: “não há restrições ao nosso Comitê quanto à natureza das recomendações que podem se seguir a nossas conclusões”[465]. Esta ambiguidade manteve-se até o final de seus trabalhos, e foi de

463 OMS/CE/EB 126/INF.DOC/3, *op. cit.*, item 3.

464 *Ibid.*

465 OMS, *Transcript of press briefing at Palais de Nations – Dr. Harvey Fineberg*, Genebra, 19/5/2010, p. 2.

grande valia para uma Direção-Geral crescentemente acuada por graves acusações, como será visto a seguir.

Atestando o impacto das denúncias no seio da organização, no dia seguinte à decisão do Conselho Executivo, foi emitida uma "Declaração da OMS sobre alegações de conflitos de interesse e de 'falsa' pandemia", sustentando que:

> "As políticas e intervenções adotadas pela OMS face à pandemia de gripe não foram indevidamente influenciadas pela indústria farmacêutica. ... Os peritos especializados remetem à OMS uma declaração de interesses firmada, na qual eles oferecem detalhes sobre os eventuais interesses profissionais ou financeiros que poderiam comprometer a imparcialidade de seus pareceres. A OMS toma as alegações de conflito de interesses muito a sério e tem total confiança na independência de seu processo decisório no que concerne à gripe pandêmica. As outras alegações segundo as quais a OMS teria criado uma 'falsa' pandemia para servir aos interesses econômicos da indústria são cientificamente errôneas e incorretas. ... Em 1º de julho [de 2009], casos de infecção haviam sido confirmados em 120 países e territórios. O mundo está confrontado a uma pandemia real. Dizer que se trata de uma falsa pandemia não é certo e é irresponsável. Nós somos favoráveis a todo processo legítimo de exame suscetível de aperfeiçoar nossa ação"[466].

A Direção Geral nomeou, então, 29 membros para o Comitê de Revisão, apresentados como "especialistas com um misto de perícia científica e experiência prática em saúde pública", sendo "alguns dos maiores especialistas no mundo em seus respectivos campos"[467].

---

466 OMS, *Statement of the World Health Organization on allegations of conflict of interest and 'fake' pandemic*, Genebra, 22/1/2010, disponível em: <http://www.who.int/mediacentre/news/statements/2010/h1n1_pandemic_20100122/en/index.html>, consultado em 14/2/2012.

467 OMS, "How will the global response to the pandemic H1N1 be reviewed?", *Global Alert and Response*, Genebra, 1º/4/2010 (atualizado em 12/4/2010), disponível em: <www.who.int/csr/disease/swineflu/frequently_asked_questions/review_committee/en/index.html>, consultado em 18/2/2012.

Quatro deles “tiveram que demitir-se ao longo dos trabalhos”, segundo o Relatório final do Comitê[468]. Dois entre os demissionários, Anthony Evans e John Mackenzie, surpreendentemente foram membros do Comitê de Emergências que declarou a pandemia. Quando do anúncio da criação, e ainda durante a primeira reunião do Comitê de Revisão, tal informação ainda era desconhecida, pois a lista dos membros do Comitê de Emergência só foi divulgada em agosto de 2010. Ora, um dos principais objetos de análise crítica do Comitê de Revisão foi o trabalho do Comitê de Emergências. Assim, entre a primeira (abril de 2010) e a segunda reunião do Comitê de Revisão (junho de 2010), e antes que os nomes dos membros do Comitê de Emergências fossem difundidos, Evans e Mackenzie retiraram-se do grupo[469] [470].

468 OMS, A64/10, *op. cit.*, p. 4 e 175. São eles: Anthony Evans, John Mackenzie, Ziad Memish e Babatunde Osotimehin.

469 Conforme a ata da segunda reunião do Comitê de Revisão, ambos “retiraram-se do Comitê, temendo que seu vínculo estreito com o trabalho da OMS ao longo da pandemia de gripe A(H1N1) pudesse ser percebido como incompatível com o papel do Comitê, encarregado de fornecer uma avaliação independente. **Embora tenham deixado de ser membros do Comitê, o Professor John Mackenzie e o Dr. Tony Evans continuarão trazendo sua contribuição como especialistas aos trabalhos do Comitê de Revisão, para os quais eles serão convidados**”, sem grifo no original, cf. OMS, *Report of the Second Meeting of the Review Committee on the Functioning of the International Health Regulations (2005) in Relation to Pandemic (H1N1) 2009*, Genebra, 2/7/2012, p. 2, disponível em: <http://www.who.int/ihr/2nd_meeting_report_20100716.pdf>, consultado em 18/2/2012. Igualmente em OMS, *Note from the Chairman of the IHR Review Committee*, Genebra, 21/6/2010.

470 Quanto aos outros dois demissionários, ainda presentes à segunda reunião do Comitê de Revisão (de 30/6 a 2/7/2010), não foram encontrados registros nos documentos da OMS. Apurou-se que Babatunde Osotimehin, ex-Ministro da Saúde da Nigéria, em novembro de 2010, foi nomeado Diretor Executivo do Fundo de População das Nações Unidas (UNFPA), cf. ONU, SG/A/1268, 19/11/2010, disponível em: <http://www.un.org/News/Press/docs/2010/sga1268.doc.htm>.

Tabela n. 9 – Perfil dos Membros do Comitê de Revisão[471]

Nome	Nacionalidade	Formação e/ou área de atuação principais[472]	Atividade principal atual	Atuou antes na OMS	Ponto Focal Nac. do RSI	Declarou interesse
Abdulsalami Nasidi	Nigeriana	Doutor em Medicina da Universidade de Kalinin (Rússia), Médico Virologista	Presidente e Diretor Executivo da Reach Care Fondation	Sim	Foi	Não
Amr Mohamed Kandeel	Egípcia	Doutor em Saúde Pública, Médico Epidemiologista	Primeiro Sub-Secretário do Setor de Prevenção e Doenças Endêmicas do Ministério da Saúde e da População do Egito, Cairo	Sim	Sim	Não
Andrew Forsyth	Neo-zelandesa	Sanitarista	Chefe da Equipe de Legislação e Política de Saúde Pública do Ministério da Saúde da Nova Zelândia, Wellington	Sim	Sim	Não
Arlene King	Canadense	Médica Sanitarista	Médica-Chefe do Ministério da Saúde e de Cuidados de Longa Duração de Ontario (Canadá), Toronto	Sim	Não	Não
Claudia González	Chilena	Psicóloga Epidemiologista	Sócia-Diretora da EPI-Sur Consultores, Santiago	Sim	Foi	Não
Eduardo Hage Carmo	Brasileira	Doutor em Saúde Pública da Universidade Federal da Bahia, Médico Epidemiologista	Assessor do Instituto Governamental Sul-americano da Saúde da União de Nações Sul-americanas (Unasul), Rio de Janeiro	Sim	Foi	Não

471 Elaborado pela autora com base nos currículos fornecidos pela OMS, A64/10, *op. cit.*, p. 161-176.

472 Foram identificados como *Sanitaristas* os membros que possuem formação superior, de graduação ou pós-graduação, em Saúde Pública. Foram identificados como *Infectologistas* os membros que têm como principal especialidade as doenças infecciosas. Foram identificados como *Epidemiologistas* os membros que possuem formação específica em Epidemiologia.

Nome	Nacionalidade	Formação e/ou área de atuação principais[472]	Atividade principal atual	Atuou antes na OMS	Ponto Focal Nac. do RSI	Declarou interesse
José Ignacio Santos	Mexicana	Médico Pediatra e Infectologista	Professor e Chefe da Unidade de Doenças Infecciosas do Departamento de Medicina Experimental da Faculdade de Medicina da Universidade Autônoma do México, México	Sim	Não	Sim
Kuku Voyi	Sul-africana	Doutora em Filosofia, Sanitarista	Professora e Chefe do Departamento de Salubridade do Ambiente e de Medicina do Trabalho da Escola de Sistemas de Saúde e de Saúde Pública da Universidade de Pretória, Pretória	Sim	Não	Sim
Kumnuan Ungchusak	Tailandesa	Médica Epidemiologista	Especialista-Chefe de Medicina Preventiva do Escritório de Epidemiologia do Departamento de Luta contra a Doença do Ministério da Saúde da Tailândia, Bangkok	Sim	Foi	Não
Harvey Fineberg	Norte-americana	Doutor em Medicina da Universidade de Harvard	Presidente do Instituto de Medicina dos Estados Unidos, Washington	Sim	Não	Não
Mahmudur Rahman	Bengalesa	Doutor em Epidemiologia da Universidade de Cambridge, Médico Epidemiologista	Diretor do Instituto de Epidemiologia, de Luta contra a Malária e de Pesquisa e Centro Nacional da Gripe do Ministério da Saúde e da Proteção da Família de Bangladesh, Dhaka	Sim	Sim	Não
Martin Cetron	Norte-americana	Médico Infectologista	Diretor da Divisão de Migrações Globais e de Quarentena do Centro de Controle e Prevenção de Doenças dos Estados Unidos, Georgia	Sim	Não	Não

Nome	Nacionalidade	Formação e/ou área de atuação principais[472]	Atividade principal atual	Atuou antes na OMS	Ponto Focal Nac. do RSI	Declarou interesse
Mohammad Mehdi Gouya	Iraniana	Médico Infectologista	Diretor-Geral do Centro de Luta contra Doenças do Ministério da Saúde e do Ensino Médico do Irã, Teerã	Sim	Sim	Não
Nobuhiko Okabe	Japonesa	Doutor em Medicina da Universidade Jikei, Médico Infectologista	Diretor do Centro de Vigilância de Doenças Infecciosas do Instituto Nacional de Doenças Infecciosas do Japão, Tóquio	Sim	Sim	Não
Omar El Menzhi	Marroquina	Médico Sanitarista	Diretor de Epidemiologia e Luta contra a Doença do Ministério da Saúde do Marrocos, Rabat	Sim	Sim	Não
Palanitina Tupuimatagi Toelupe	Samoana	Médica Sanitarista	Diretora-Geral de Saúde e Administradora-Chefe do Ministério da Saúde de Samoa	Sim	Sim	Não
Palliri Ravindran	Indiana	Médico Sanitarista	Diretor de Cuidados Médicos de Urgência na Direção-Geral de Serviços de Saúde, no Ministério da Saúde da Índia, Nova Deli	Sim	Não	Não
Patrícia Ann Troop	Britânica	Doutora em Ciências das Universidades de East Anglia e Cranfield, Médica Sanitarista	Consultora Independente	Sim	Foi	Não
Paul Odehouri-Koudou	Costa-marfinense	Médico Infectologista	Diretor do Instituto Nacional de Higiene Pública da Costa do Marfim, Abidjan	Sim	Sim	Não
Preben Aavitsland	Norueguês	Médico Epidemiologista	Diretor Adjunto da Divisão de Luta contra Doenças Infecciosas do Instituto Norueguês de Saúde Pública, Oslo	Sim	Sim	Não
Sam Zaramba	Ugandesa	Médico	Consultor Independente	Sim	Foi	Não

Nome	Nacionalidade	Formação e/ou área de atuação principais[472]	Atividade principal atual	Atuou antes na OMS	Ponto Focal Nac. do RSI	Declarou interesse
Silvia Bino	Albanesa	Doutora em Medicina da Universidade de Tirana, Infectologista	Chefe do Departamento de Luta contra as Doenças Infecciosas do Instituto de Saúde Pública, Tirana	Sim	Sim	Não
Tjandra Aditama	Indonésia	Médico Pneumólogo	Diretor-Geral da Direção de Luta contra a Doença e da Salubridade do Ambiente do Ministério da Saúde, Jacarta	Sim	Sim	Não
Yu Wang	Chinesa	Doutor em Medicina da Escola de Medicina Jichi, Médico Infectologista	Diretor-Geral do Centro Chinês de Luta contra a Doença e de Prevenção do Ministério da Saúde da China, Beijing	Sim	Não	Não
Yuri Fedorov	Russa	Doutor em Medicina da Universidade de Moscou, Epidemiologista	Diretor Adjunto do Centro Federal de Luta contra a Peste do Departamento de Vigilância Epidemiológica e de Proteção Sanitária da Rússia, Moscou	Sim	Foi	Não

A Tabela n. 9 revela que os 25 membros possuem perfis bastante homogêneos: 22 deles são médicos (88%); 18 são oriundos de países em via de desenvolvimento (72%); sete foram, e 11 ainda são, pontos focais do RSI em seus respectivos Estados (72%); apenas dois apresentaram Declaração de Interesses[473] (8%); todos haviam atuado anterior-

[473] São eles José Ignacio Santos, que teria "feito quatro palestras quando em reuniões no Vietnã, nas Filipinas, na Austrália e na China, financiadas pela indústria farmacêutica (principalmente GlaxoSmithKline), pelas quais recebeu um total de honorários de montante inferior a US$ 10.000,00 e a cobertura de suas despesas. Três destas palestras versavam sobre a introdução de vacinas na América Latina, e a quarta referia-se à experiência do México diante da pandemia de gripe H1N1"; e Kuku Voyi, que teria supervisionado a contribuição da Universidade de Pretória ao "ramo da vigilância, alerta precoce e resposta do Curso internacional da OMS sobre

mente ou ainda atuam como colaboradores da OMS em seus diferentes grupos técnicos, pontuais ou permanentes; todos atuaram ou ainda atuam em postos de destaque de seus respectivos governos nacionais.

4.4. Um Comitê independente?

Ao apresentar publicamente os membros do Comitê de Revisão, Margaret Chan destacava o adjetivo "independentes", termo que não se encontra no RSI, tampouco nos documentos oficiais do Conselho Executivo quando se referem ao Comitê de Revisão. Em correspondência oficial, Chan não somente empregou a expressão *a independent mechanism*, como registrou: "eu expressei publicamente meu desejo de que fosse efetuada uma avaliação crítica, *independente* e transparente da ação da OMS"[474]. A mídia chegou a empregar a expressão *auditoria externa*[475].

Do ponto de vista estritamente jurídico, a independência é tratada, no âmbito das organizações internacionais, como o atributo por excelência dos funcionários internacionais em relação aos Estados-membros das organizações, já elevado à condição de *princípio geral de direito*[476], ou mesmo de *costume constitucional*[477], em razão de seu duplo fundamento: convencional (ou seja, previsto pelas cartas

a aplicação do RSI, oferecido em 2010-2011. Em 2009, a Universidade e a OMS firmaram um acordo para execução de trabalhos (APW) de um montante inferior a US$ 15.000,00 concernente a esta contribuição ao curso; uma parte deste montante cobriu menos de 20% do salário da Dra. Voyi durante seis meses", cf. OMS, A64/10, *op. cit.*, p. 176.

474 Sem grifo no original. OMS, "WHO Director-General's letter to BMJ editors", *Statement*, Genebra, 8/6/2010. Disponível em: <http://www.who.int/mediacentre/news/statements/2010/letter_bmj_20100608/en/index.html>, consultado em 17/2/2012.

475 Por ex., "Chan: 'Hemos tenido suerte con el virus de la gripe'", *El País*, 19/1/2010, disponível em: <http://elpais.com/diario/2010/01/19/salud/1263855601_850215.html>, consultado em 17/2/2012.

476 Pierre-Marie Dupuy e Yann Kerbrat, *Droit international public*, 10 ed., Paris: Dalloz, 2010, p. 224.

477 Ngyuen Quoc Dinh, *op. cit.*, p. 697.

constitutivas das organizações e por outros tratados) e costumeiro (isto é, reconhecido pela doutrina jurídica e estabelecido na prática internacional da maioria dos Estados). Assim,

> "de acordo com a jurisprudência constante de todos os tribunais administrativos internacionais, a independência dos funcionários internacionais é uma garantia essencial tanto para os interessados como para o bom funcionamento das organizações internacionais"[478].

---

[478] Tribunal Administrativo da Organização Internacional do Trabalho (Taoit), *Bustani contra Organização para Proibição de Armas Químicas* (Opaq), Julgamento n. 2232, Haia, 16/7/2003, disponível em: <http://www.ilo.org/public/english/tribunal/index.htm>, consultado em 18/2/2012. Trata-se do polêmico caso em que o Embaixador brasileiro José Maria Bustani foi destituído da Direção-Geral da Opaq, antes do final de seu mandato, por uma decisão da *Conferência dos Estados Partes* da organização. A sentença do Taoit reconhece o protagonismo dos Estados Unidos que conduziu à violação praticada pela organização contra o seu alto funcionário, estabelecendo que a "independência é especialmente protegida no caso dos responsáveis por estas organizações, pelo fato de que eles são nomeados para um mandato de duração determinada. Admitir que uma autoridade investida do poder de nomeação (...) pudesse pôr fim a este mandato em virtude de um poder de apreciação ilimitado constituiria uma violação inadmissível dos princípios que fundam a atividade das organizações internacionais (e que são, aliás, lembrados nos parágrafos 46 e 47 do artigo VIII da Convenção [das Nações Unidas *sobre a Proibição do Desenvolvimento, Produção, Estocagem e Uso de Armas Químicas e sobre a Destruição das Armas Químicas Existentes no Mundo*, de 1993, disponível em: <http://www2.mre.gov.br/dai/armquim.htm>]), **colocando os funcionários à mercê de pressões e de mudanças de ordem política**. Certamente, não se pode excluir o fato de que faltas graves possam excepcionalmente justificar uma medida do tipo da que atingiu o Requerente, mas possuindo tal medida o caráter de sanção, ela só poderia ser tomada após um processo contraditório permitindo ao interessado defender-se eficientemente diante de uma instância independente e imparcial", sem grifo no original, *ibid.*, Considerando n. 16, p. 7. O Tribunal julgou, afinal, que a decisão da Opaq "violou as cláusulas do contrato de admissão e ignorou os princípios gerais do direito da função pública internacional", condenando a organização a pagar a Bustani, além dos prejuízos materiais (remuneração correspondente ao período do desligamento indevido até o final do seu mandato, cf. *ibid.*, Considerando n. 17, p. 7), 50 mil euros por danos morais, cf. *ibid.*, Item 3 do dispositivo, p. 8.

Não obstante, tal acervo não se aplicaria, em princípio, ao caso do Comitê de Revisão da OMS porque seus membros não são funcionários da OMS[479]. No entanto, se é verdade que, em sua maior parte, trata-se de altos funcionários públicos nacionais, também deve ser notado que são eles ou diretamente os pontos focais do RSI nos seus territórios de origem, ou ao menos atuantes em áreas de governo nas quais se verifica intensa colaboração entre Estados-membros e OMS. Provavelmente por esta razão, o Conselheiro Jurídico da OMS (*Legal Counsel*), na primeira reunião do Comitê de Revisão, destacou que "todos os membros participam a título pessoal e lhes é vedado seguir as instruções de um governo ou de qualquer outra autoridade"[480].

Entretanto, sob o prisma jurídico, a independência dos funcionários internacionais não se vê assegurada por uma advertência; ela se afere por garantias concretas[481]. O emprego, na medida do possível,

479 "Os funcionários internacionais são agentes que exercem, de modo exclusivo e contínuo, uma função pública a serviço de uma organização internacional, submetida a um regime jurídico de origem internacional", Pierre-Marie Dupuy e Yann Kerbrat, *op. cit.*, p. 223.

480 OMS, *Rapport de la première réunion du Comité d'examen sur le fonctionnement du RSI (2005) eu égard à la pandémie de grippe A(H1N1) 2009*, Genebra, 14/4/2010, p. 3.

481 Na área de Relações Internacionais, uma revisão de literatura indica como critérios usuais para aferição do grau de independência de uma organização internacional em relação aos Estados-membros ou outros atores, a *autonomia* (não estar sob o domínio de outrem), a *neutralidade* (possuir interesses diversos) e a *delegação* (possuir competências próprias), cf. Yoram Haftel e Alexander Thompson, "The Independence of International Organizations – Concept and applications", *Journal of Conflict Resolution*, v. 50, n. 2, 04/2006, p. 253-275, disponível em: <http://polisci.osu.edu/faculty/athompson/pdf/JCR%202006.pdf>, consultado em 18/2/2012. Supondo que tais critérios pudessem ser transpostos à análise da independência de um organismo como o Comitê de Revisão, tudo indica que ele pode ser considerado autônomo, eis que não guarda relação hierárquica com nenhum outro órgão, e foi objeto de uma clara delegação, que é a de formular Recomendações à AMS. Restariam dúvidas sobre a neutralidade, no sentido de que os vínculos de seus membros com a OMS e com a gestão da saúde pública nos Estados

dos critérios habituais de aferição da independência dos funcionários internacionais em relação ao Comitê de Revisão se justifica porque seus membros nele desempenharam uma função internacional[482] *ad hoc*, atuando sob um regime jurídico internacional – especialmente o RSI, as decisões da ASM e do Comitê Executivo da OMS –, devendo apresentar os resultados de seu trabalho e as suas recomendações à ASM. Indubitavelmente, isto fez deles, enquanto perdurou tal missão, agentes internacionais, ao menos no sentido lato do termo[483].

Com efeito, os membros do Comitê de Revisão não devem sua nomeação aos seus Estados de origem, nem depende destes a permanência daqueles no Comitê, assegurada por um mandato conferido pela AMS e pelo Conselho Executivo da OMS. Todavia, os membros do Comitê não possuem estatuto próprio, privilégios, imunidades

....

Partes dificilmente permitiriam que eles desacreditassem a organização, sem desacreditar a si mesmos.

482 "Na função pública internacional, há a referência ao 'serviço público', e se tratando de instituições internacionais, este serviço público serve ao interesse da Humanidade; é um interesse global e geral; ele é fundado em valores universais reconhecidos, e engloba todos os países e povos, poderosos e vulneráveis, ricos e pobres. Ele é justo e equitativo; e ele é realizável graças ao desenvolvimento da cooperação multilateral", Hassen Fohda, "Quelle fonction publique international pour demain?", *UNforum*, 15/10/2007, disponível em: <http://www.unforum.com/UNheadlines424.htm>, consultado em 18/2/2012. E acrescenta: "o funcionário internacional deve trabalhar de acordo com o interesse geral e não sob o ângulo do interesse nacional ou regional", *ibid.*

483 Cabe, aqui, uma analogia com o direito administrativo: "esta expressão – *agentes públicos* – é a mais ampla que se pode conceber para designar genérica e indistintamente os sujeitos que servem ao Poder Público como instrumentos expressivos de sua vontade ou ação, ainda quando o façam apenas ocasional ou esporadicamente. Quem quer que desempenhe funções estatais, *enquanto a exercita*, é um agente público", Celso Antônio Bandeira de Mello, *Curso de Direito Administrativo*, 14 ed., São Paulo: Malheiros, 2002, p. 219-220 (com grifos no original). A consequência prática desta definição é a preponderância do regime de direito público no exercício das funções públicas, mesmo em atos praticados por empresas ou indivíduos, quaisquer que sejam seus vínculos com o Estado.

ou proteção funcional[484]. Eles participam gratuitamente do Comitê, o que poderia ser um sinal de independência em relação à OMS, mas de dependência em relação aos Estados-membros ou qualquer ente que assegure sua subsistência. No entanto, este critério parece inócuo como indicativo de autonomia em relação à OMS, na medida em que o Comitê se reúne sob os auspícios da organização, tendo à sua disposição seus serviços (inclusive o Secretariado) e suas instalações.

No mesmo diapasão, o perfil dos membros do Comitê de Revisão é o de quadros altamente qualificados, mas também acentuadamente comprometidos com os interesses dos Estados-membros, além de dotados de grande desenvoltura em relação ao trabalho da própria OMS, a quem todos servem ou já serviram. Se é verdade que o conhecimento prévio da cultura da organização seria decisivo para o bom trabalho da equipe, por outro lado, há que se reconhecer que grande parte dos membros do Comitê possuía o interesse presente de preservar a cooperação da OMS com seus Estados de origem, o que compreende também a preservação de seu espaço individual de atuação nos grupos técnicos e comitês da organização.

Já no que atine à indústria farmacêutica, química ou agroalimentar, o número escasso de declarações de interesses, ademais, de tímido conteúdo, denota que, de fato, buscou-se a independência dos membros do Comitê[485], mas é preciso admitir os limites destas declarações de interesses.

A análise do perfil dos membros, e igualmente, como será tratado a seguir, a dependência de informações e subsídios fornecidos pelo Secretariado da OMS, recomendam ponderação no que atine à autonomia. Em qualquer caso, pelos vínculos pregressos e atuais

484 Que são critérios jurídicos para aferir a independência de agentes internacionais, cf. Dhin, *op. cit.*, p. 698-699.

485 Em sua fala de abertura da primeira reunião do Comitê de Revisão, Margaret Chan destacou o particular cuidado da OMS em obter informações sobre os eventuais conflitos de interesse de seus membros, OMS, *Rapport de la première réunion du Comité d'examen, op. cit.*, p. 3.

dos membros do Comitê com a OMS, a expressão "auditoria externa" deve ser totalmente descartada.

4.5. Um Comitê-escudo?

Segundo o Presidente do Comitê de Revisão, "o relatório que dele resultou pode ser definido tanto pelo que ele não é como pelo que ele é", pois não se trata de uma "avaliação das performances de tal ou tal país a título individual", tampouco da "avaliação da relação custo/eficácia do RSI ou da resposta à pandemia. É um relatório que se concentra no funcionamento do RSI e da OMS, e nos resultados obtidos"[486]. É preciso entender o processo pelo qual se chegou a tal Relatório no contexto em que foi produzido, na persistência de graves denúncias contra a OMS.

A primeira reunião do Comitê de Revisão ocorreu em abril de 2010, na sede da OMS. Além de definir um cronograma[487], o Comitê criou cinco subcomitês técnicos[488] e estabeleceu os principais aspectos de sua metodologia de trabalho. Naquela ocasião, foram identificados cinco temas recorrentes nos primeiros comentários, perguntas e debates:

i. o vínculo entre a capacidade de aplicar as disposições do RSI e os recursos técnicos e financeiros disponíveis, no sentido de que a melhora destas condições deveria ser prioridade para os Estados;

[486] Harvey Fineberg, *Prefácio* de OMS, A64/10 ..., *op. cit.*, p. 7.

[487] As reuniões presenciais do Comitê de Revisão ocorreram em 12-14/4/2010 (primeira), 30/6-2/7/2010 (segunda), 3-5/11/2010 (terceira) e 28-30/3/2011 (quarta e última), sempre na sede da OMS, em Genebra. Note-se que as atas fazem referência à intensa atividade por videoconferências e meios eletrônicos durante os intervalos das reuniões.

[488] Os três primeiros subcomitês técnicos foram dedicados à pandemia: capacidade e preparação; alerta e avaliação de riscos; e resposta. O quarto concentrou-se no exame das funções do RSI e nos eventos de saúde pública que não possuem vínculo com as pandemias. O quinto, enfim, examinou as questões de comunicação relativas tanto à pandemia como ao RSI, cf. OMS, *Report of the Second Meeting...*, *op. cit.*, p. 1.

ii. a necessidade de analisar a capacidade de comunicação da OMS, especialmente com o grande público, as regiões, os países e parceiros;
iii. o acesso isonômico a medicamentos e vacinas, assim como aos sistemas de financiamento da saúde;
iv. o exame das convenções de denominação dos vírus, a caracterização das fases das pandemias, em especial as questões relativas à sua gravidade, e o modo como elas se aplicam à planificação, ao alerta e à resposta da organização e dos Estados; e
v. os problemas relativos às trocas comerciais, às viagens, aos produtos farmacêuticos e à repercussão econômica das intervenções da OMS[489].

Três aspectos chamam a atenção nesta primeira reunião do Comitê. Em primeiro lugar, a presença de Evans e Mackenzie que, como anteriormente mencionado, ainda eram, naquele momento, membros do Comitê de Emergências que declarou a pandemia, embora a opinião pública não pudesse sabê-lo[490]. Em segundo lugar, o Comitê decidiu "examinar as críticas dirigidas à OMS no que concerne à sua gestão da pandemia de gripe A(H1N1)"[491]. Este breve registro, de tarefa ambígua em seu mandato oficial, torna mais explícita a sua característica de resposta à crise. Na ata da segunda reunião do Comitê, há uma referência aos encontros que seus membros tiveram com "pessoas representando diversos grupos – autoridades nacionais, pontos focais

489 OMS, *Rapport de la première réunion du Comité d'examen*..., *op. cit.*, p. 3.

490 Presença atestada pelo anexo à ata na sua versão em inglês, OMS, *Report of the First Meeting of the Review Committee on the Functioning of the IHR (2005) in Relation to Pandemic (H1N1) 2009*, Appendix, Genebra, 14/4/2010, p. 1, disponível em: <http://www.who.int/ihr/r_c_meeting_report_1_en.pdf>, consultado em 20/2/2012.

491 OMS, *Report of the First Meeting of the Review Committee* ..., Considerando 17, *in fine*, *op. cit.*, p. 4.

nacionais do RSI, indústria, mídia, *detratores da OMS*, grupos de trabalho..."[492] etc. No mesmo sentido, e em terceiro lugar, o compromisso com a transparência fica evidenciado nas decisões de autorizar os Estados, as organizações internacionais e as ONGs a participarem das sessões plenárias do Comitê e das reuniões de seus subcomitês técnicos, e de permitir à imprensa a participação na primeira sessão plenária[493]. Segundo o Presidente do Comitê, esta postura foi mantida até o final dos trabalhos:

> "Todas as reuniões plenárias do Comitê foram abertas aos representantes dos Estados Partes do RSI, às organizações intergovernamentais e não governamentais, à mídia, e todas as pessoas presentes puderam escutar os mesmos depoimentos que os membros do Comitê, que também aproveitaram as comunicações escritas e as intervenções orais apresentadas por diversos Estados Partes e outras instâncias"[494].

A ampla difusão de que um Comitê de Revisão analisaria o comportamento da OMS durante a pandemia, assim como dos primeiros passos de seu trabalho, não pôde evitar, porém, a continuidade da crise. No início de junho, foi publicada uma investigação promovida pelo tradicional *British Medical Journal* (BMJ) conjuntamente com *The Bureau of Investigative Journalism*[495], que revela

---

492 Sem grifo no original, OMS, *Report of the Second Meeting of the Review Committee ..., op. cit.*, p. 2. O Deputado britânico Paul Flynn, Relator da investigação sobre a pandemia conduzida no âmbito da Assembleia Parlamentar do Conselho da Europa, que será tratada no item 4.6, participou pessoalmente dos debates da segunda reunião do Comitê de Revisão, *ibid.*, p. 4.

493 OMS, *Report of the First Meeting of the Review Committee ...*, Considerando 12, *op. cit.*, p. 3.

494 Harvey Fineberg, *Prefácio* de OMS, A64/10, *op. cit.*, p .7.

495 Organização não governamental auspiciada pela Fundação Potter, sediada na *City University*, em Londres, que visa a promover um jornalismo investigativo de alta qualidade, e fornece reportagens, entre outros meios, à *BBC*, *The Financial Times*, *The Daily Telegraph* e *Le Monde*, cf. <www.thebureauinvestigates.com/who>, consultado em 18/2/2012.

o envolvimento de consultores da OMS com a indústria farmacêutica[496]. A reportagem comprova que o *Grupo de Trabalho Científico Europeu sobre a Gripe* (ESWI)[497], embora autoproclamado independente, é inteiramente financiado pela indústria farmacêutica, e um de seus objetivos principais é o lobby[498]. Segundo os jornalistas investigadores, os membros do ESWI teriam desempenhado um papel central na elaboração das estratégias europeia e internacional para pandemias, mantendo vínculos, entre outros, com a OMS e com o *Centro Europeu para Prevenção e Controle de Doenças*.

A matéria denuncia, ainda, diversos consultores da OMS que teriam sido recompensados financeiramente pela indústria por sua apologia à eficácia dos antivirais – como o *Tamiflu*, da *Roche*, ou o *Relenza*, da *GlaxoSmithKline* – ou pela defesa da necessidade de compra de vacinas, sem que declarações de interesse ou outras informações a respeito de seus vínculos com a indústria farmacêutica fossem mencionados pela OMS em sua gestão da crise[499]. No editorial do *British Medical Journal* – intitulado "a OMS precisa agir imediatamente para restaurar sua credibilidade, e a Europa deve legislar" –, sua diretora de redação critica um "comitê de emergência secreto" cuja decisão deflagrou contratos milionários de compras de vacinas em todo o mundo[500].

---

496 Deborah Cohen e Philip Carter, "Conflicts of Interest – WHO and the pandemic flu 'conspiracies'", *BMJ* 2010;340:c2912, Londres, 3/6/2010, disponível em: <http://www.bmj.com/content/340/bmj.c2912.full>, consultado em 18/2/2012.

497 Ver <www.eswi.org>.

498 Deborah Cohen e Philip Carter, *op. cit.*, p. 3.

499 Entre outros, a reportagem menciona Abe Osterhaus (Universidade Erasmo, Holanda), Karl Nicholson (Universidade de Leicester, Reino Unido) e Frederick Hayden (Universidade de Virginia, Estados Unidos), *ibid.*

500 Fiona Godlee, "Conflicts of interest and pandemic flu – WHO must act now to restore its credibility, and Europe should legislate", *BMJ* 2010;-340:c2947, Londres, 3/6/2010, disponível em: <www.bmj.com/content/340/bmj.c2947.full>, consultado em 18/2/2012.

Acusando o recebimento do golpe[501], Chan responde abertamente ao BMJ, por meio de uma carta aos seus editores:

> "O bom jornalismo de investigação aponta os problemas e suas possíveis consequências, e mostra a necessidade de tomar medidas corretivas. Os potenciais conflitos de interesses são inerentes a toda relação entre uma organização normativa e de desenvolvimento sanitário como a OMS, e a indústria, centrada no lucro. A OMS deve estabelecer e aplicar regras mais estritas no que se refere às relações com a indústria e é o que estamos fazendo. No entanto, eu gostaria de ser clara sobre um aspecto. Em momento algum, nem por um segundo, os interesses comerciais interferiram em minha tomada de decisão. Eu contesto a afirmação de que a OMS simplesmente descarta as questões espinhosas como se fossem infundadas. ... As acusações de que a OMS teria mudado sua definição de pandemia para que compreendesse um evento menos grave, e então servir aos interesses da indústria, não correspondem aos fatos"[502].

Nesta carta, assim como em todas as suas manifestações públicas do período, Chan utiliza o Comitê de Revisão como um escudo, garantindo que uma investigação independente está em curso, embora, como já foi dito, o conflito de interesses ou a corrupção jamais tenha sido o objeto de trabalho daquele organismo.

A declaração do final da pandemia, em 10 de agosto de 2010, seguida da divulgação dos nomes dos membros do Comitê de Emergências, fez com que a OMS abandonasse paulatinamente os holofotes, enquanto o Comitê de Revisão prosseguia o seu trabalho.

---

501 Oito dias depois da publicação da investigação sobre a OMS, o *Bureau* contava mais de mil menções ao documento, em meios de comunicação de todo o mundo, cf. Press coverage of WHO investigation, disponível em: <www.thebureauinvestigates.com/2010/06/11/press-coverage-of--who-investigation>, consultado em 17/2/2012.

502 OMS, "WHO Director-General's letter to BMJ editors", *Statement*, Genebra, 8/6/2010. Disponível em: <www.who.int/mediacentre/news/statements/2010/letter_bmj_20100608/en/index.html>, consultado em 17/2/2012.

Em 7 de março de 2011, uma versão resumida do Relatório Final foi publicada no sítio internet da OMS[503], e submetida à consulta junto aos Estados-membros, à ONU e seus organismos especializados, e às organizações não governamentais em relações oficiais com a OMS, que puderam remeter seus comentários antes ou durante a última reunião do Comitê, ocorrida em 28 de março[504].

O Relatório Final do Comitê de Revisão foi apresentado à 64ª AMS, ocorrida de 16 a 24 de maio de 2011, em Genebra. O longo documento, de duas centenas de páginas, identifica cinco fatores contextuais que, a seu juízo, influenciaram o "modo de perceber" os eventos relacionados à pandemia, e "contribuem para explicar o que ocorreu"[505]. O apego aos "valores fundamentais da saúde pública" seria o primeiro fator a condicionar a reação dos gestores de saúde pública à pandemia, em todo o mundo: "o princípio que prevalece em saúde pública é a prevenção: prevenir as doenças e impedir as mortes evitáveis"; isto é, "em caso de incerteza e grave perigo potencial, é preferível jogar a carta da segurança"[506]. Assim, segundo o Comitê, os políticos e as

---

503 OMS, Preview – Report of the Review Committee on the Functioning of the International Health Regulations (2005) and on Pandemic Influenza A(H1N1) 2009 – For discussion at the meeting of the Review Committee, Genebra, 28/3/2011, disponível em: <www.who.int/ihr/preview_report_review_committee_mar2011_en.pdf>, consultado em 21/2/2012.

504 OMS, *Note from the Chairman of the International Health Regulations Review Committee*, disponível em: <www.who.int/ihr/note_chairman_review_committee_mar2011_en.pdf>, consultado em 21/2/2012.

505 OMS, A64, *op. cit.*, p. 11, item 9.

506 *Ibid.*, item 10. Este conceito corresponde, de modo geral, ao conceito de precaução: "o escopo da precaução é ultrapassar a prevenção. Não seria mais preciso que um dano se produzisse, ou se mostrasse iminente, para que um gesto, visando evitar a produção ou a repetição desse dano, fosse legítimo. Invertendo essa lógica, a precaução baseia-se na experiência em matéria técnica e científica: as vantagens que surgem a curto prazo são, com frequência, seguidas de desvantagens a médio e longo prazo. Logo, é preciso dotar-se dos meios de

autoridades devem compreender o quanto este valor "impregna toda a reflexão nesta área"[507].

O segundo fator seria "a imprevisibilidade da gripe". A história e a ciência indicam que as pandemias gripais continuarão a ocorrer, mas não podem dizer onde, quando e com que gravidade. "Nós seríamos tentados, à luz das pandemias ocorridas em 1918, 1957, 1968 e 2009, a concluir que as pandemias tendem a tornar-se cada vez menos graves", diz o Comitê, "mas quatro observações não são suficientes para sustentar esta conclusão". Assim, sendo a incerteza uma realidade incontornável quando se trata de gripe, "a capacidade de agir apesar da incerteza e de se adaptar rapidamente

prever o surgimento de eventuais danos, antes mesmo da certeza da existência de um risco", Sueli Dallari e Deisy Ventura, "O princípio da precaução: dever do Estado ou protecionismo disfarçado?" *São Paulo em Perspectiva* 2002, v. 16, n. 2, p. 59. Na mesma linha, Tom Beauchamp considera que o princípio de precaução "não é um princípio de abstenção, mas um princípio de ação diante da incerteza", pondo em marcha "um certo número de ações corretivas sem espera", *Philosophical Ethics*, 3 ed., McGraw-Hill, 2001, p. 713.

507 O Comitê alude de forma singela o vasto debate consagrado aos valores fundamentais da saúde pública, encontrado, sobretudo, na literatura sobre ética e saúde. Para Raymond Massé, que compreende a saúde pública como "uma nova moralidade", dois tipos de valores emergem de uma acurada revisão da literatura sobre o tema: os valores que justificam as *finalidades* das intervenções em saúde pública (a vida com saúde, o bem-fazer, o bem comum, e a responsabilidade paternalista) e os valores que justificam os *meios* e balizam os *limites* da ação em saúde pública (solidariedade e responsabilidade pessoal, o não malfazer, a vida privada, a justiça social, a autonomia da pessoa e a utilidade), *Éthique et santé publique: enjeux, valeurs et normativité*, Québec: Universidade Laval, 2003, p. 112. Porém, o antropólogo alerta os atores da saúde pública sobre a importância de dois princípios não éticos: um epistemológico, o princípio da incerteza, e outro político, o princípio da precaução, pois "diversos desafios éticos gerados por intervenções de promoção da saúde têm origem na 'miragem de certezas epidemiológicas' e na negação do princípio da incerteza que deveria nos fazer lembrar a fragilidade das 'evidências estatísticas'", p. 161-162.

a novas circunstâncias são as características de uma boa prática de saúde pública e uma boa gestão das urgências"[508].

No mesmo diapasão, o terceiro fator apontado pelo Comitê como condicionante da ação da OMS foi "o resultado de uma década de planificação centrada, em grande parte, na ameaça de uma pandemia de gripe aviária H5N1"[509]. Considerando que a mortalidade deste tipo de enfermidade alcança cerca de 60% entre os casos confirmados, estimou-se que uma eventual pandemia de gripe aviária H5N1 seria de altíssima gravidade. Por outro lado, a constatação de que o vírus H5N1 não é facilmente transmissível entre humanos, permitiria igualmente apostar na eficácia dos medicamentos antivirais. No entanto, a gripe A(H1N1) possui características muito diferentes da gripe H5N1, pois causa transtornos que, na maior parte dos casos, não justificam sequer a hospitalização do enfermo. Embora não mencionada no Relatório, uma análise da trajetória de Margaret Chan parece tornar ainda mais convincente a avaliação da relevância deste fator pelo Comitê. De Diretora do Departamento de Saúde de Hong Kong durante a crise da SARS, ela passou a ser Diretora-Geral da OMS, em 2006, eleita com o apoio do governo chinês, o que foi interpretado como "um sinal do impacto da crise da SARS na redefinição das relações entre a China e o Ocidente"[510].

A propósito, o Comitê mencionou, como outro fator conjuntural, a inexperiência da OMS em matéria de resposta a uma urgência

508 OMS, A64, *op. cit.,* p. 12, item 11.

509 *Ibid.,* item 12.

510 Frédéric Keck, *Un monde grippé, op. cit.*, p. 63. De certo modo, o autor da obra citada, antropólogo da *École Normale Supérieur*, também constitui um exemplo da convicção geral de que a próxima gripe seria aviária e proveniente da Ásia: "Entre 2007 e 2009, eu efetuei uma investigação etnográfica sobre a gripe aviária em Hong Kong. Eu queria compreender porque o mundo se preparava para uma pandemia de gripe em caso de mutação do vírus dos animais aos humanos. Hong Kong apresentava-se, na verdade, como uma sentinela onde os vírus da gripe emergem antes de se propagar pelo resto do mundo", *ibid.,* p. 9.

"de envergadura mundial", capaz de estender-se por um ou dois anos; até então, a SARS teria sido a única urgência mundial a oferecer à OMS uma ideia do que seria, de fato, uma pandemia[511]. Mas a SARS durou apenas alguns meses e atingiu apenas cerca de duas dezenas de países. A pandemia de gripe A(H1N1) teria então revelado os limites de sistemas concebidos para enfrentar urgências geograficamente circunscritas e de curta duração.

Por fim, a dupla natureza da função da OMS, própria das organizações intergovernamentais clássicas foi ressaltada pelo Comitê de Revisão como elemento chave para compreensão do modo como foi gerida a pandemia. Se, de um lado, a organização possui tarefas de vulto, grande parte delas em escala mundial, como foi o caso, por outro lado, ela depende diretamente dos Estados-membros para cumpri-las[512]. Este fator foi determinante das conclusões exaradas pelo Comitê de Revisão, assim resumidas em seu Relatório:

> "O RSI contribuiu para que o mundo inteiro estivesse melhor preparado para as urgências de saúde pública. Mas as principais capacidades nacionais e locais requeridas pelo RSI ainda não são plenamente operacionais e não estão atualmente em condições de serem aplicadas rapidamente em todos os lugares do mundo.
>
> Em numerosos aspectos, a OMS saiu-se bem de sua tarefa durante a pandemia, mas ela enfrentou dificuldades sistêmicas e mostrou algumas carências. *O Comitê não constatou nenhuma violação das regras.*
>
> O mundo está mal preparado para enfrentar uma grave pandemia de gripe ou qualquer outra emergência de saúde pública mundial prolongada e que constitua uma ameaça. Além do emprego das principais capacidades de saúde pública requeridas pelo RSI, a preparação em escala mundial pode ser melhorada por meio da pesquisa, do fortalecimento dos sistemas de prestação de cuidados de

511 OMS, A64, *op. cit.*, p. 12, item 14.

512 OMS, A64, *op. cit.*, p. 12, item 12. .

saúde, pelo desenvolvimento econômico nos países de renda frágil e intermediária, e o melhoramento do estado de saúde geral"[513].

Tais conclusões indicam que o Comitê de Revisão reconheceu, como se esperava, as falhas da OMS, pondo ênfase, porém, nas razões estruturais destas deficiências, o que implica um compartilhamento das responsabilidades entre a organização e seus Estados-membros.

Assim, o Comitê aproveitou a ocasião para demonstrar que as dificuldades de implantação do RSI, com o qual 194 países estão comprometidos, acarretam o atual despreparo do mundo para uma ESPII. O Comitê formula, portanto, uma crítica transversal – que envolve todos os eventuais atores de uma emergência de saúde internacional. Ocorre que, em se tratando de instituições intergovernamentais, como é o caso da OMS, uma deficiência estrutural transversal é responsabilidade antes dos Estados-membros do que da própria organização. Com efeito, segundo o Comitê,

> "... numerosos Estados não possuem as principais capacidades necessárias para detectar, avaliar e declarar as eventuais ameaças para a saúde, e não estão em via de cumprir suas obrigações em matérias de planos e de infraestruturas antes da data-limite de 2012 prevista pelo RSI. Se nada mudar, os países não poderão dotar-se destas capacidades e aplicar plenamente o RSI. Dos 194 Estados Partes, 128 (66%) responderam recentemente a um questionário da OMS sobre os seus progressos. Somente 58% dos sondados declararam ter estabelecido planos nacionais para dotar-se das capacidades requeridas, e não mais de 10% indicam ter implementado todas as capacidades previstas pelo RSI. Além disso, como revelam estudos externos e um questionário da OMS, em certos países, o ponto focal nacional RSI não recebeu o mandato para comunicar em tempo hábil à OMS as informações relativas às emergências públicas"[514].

....

513 (Sem grifo no original) OMS, A64 ..., *op. cit.*, p. 13.

514 *Ibid.*, Considerando 23, p. 14.

O Comitê indica, então, que a fraqueza estrutural mais importante do RSI é a ausência de poder de sanção[515]. Curiosamente, exemplifica esta debilidade com a impossibilidade de sancionar os Estados que adotam medidas mais restritivas ao trânsito e ao comércio do que as recomendadas pela OMS, em lugar de cogitar a previsão de sanções para a tão destacada omissão de numerosos Estados na implementação do RSI em seus territórios – em particular a capacidade de detectar, avaliar e declarar eventuais ameaças à saúde internacional ou global.

É de se perguntar, porém, quais seriam as consequências de eventual capacidade de sancionar os Estados-membros conferida à OMS, sem que uma resposta jurídica efetiva seja dada às acusações de conflito de interesse entre os peritos que trabalham para a organização e a indústria de medicamentos, tampouco apurada a responsabilidade pela escolha dos agentes internacionais a serviço da OMS, em particular de sua Direção-Geral.

Ademais, reiterando os termos de seu relatório final, "o Comitê não constatou nenhuma violação das regras"[516]. Isto significa que o Comitê entendeu o recrutamento e o labor dos peritos como **conforme ao direito, e em particular ao direito internacional da saúde** – independentemente das recomendações que, preocupada mais com a eficiência do sistema do que com sua legalidade, tenha feito para aperfeiçoar estas práticas.

Ao cabo de seu trabalho, o Comitê de Revisão formulou quinze recomendações à OMS e aos seus Estados-membros, resumidas na tabela n. 10.

---

515 *Ibid.*, Considerando 24, p. 14.

516 *Ibid.*, Considerando 17, p. 13

Tabela n. 10 – Recomendações do Comitê de Revisão por responsáveis e prazo de execução [517]

	A curto prazo (em 1 ano)	A médio prazo (em 2 anos)	A longo prazo (2 anos ou mais)
OMS	*Recomendação 2* Aperfeiçoar a página web da OMS sobre os eventos	*Recomendação 7* Rever as linhas diretivas de preparação em caso de pandemia	*Recomendação 3* Reforçar o processo de tomada de decisão sobre bases fáticas relativas ao comércio internacional e às viagens internacionais
	Recomendação 5 Reforçar a capacidade interna da OMS de assegurar uma resposta contínua	*Recomendação 8* Elaborar e aplicar medidas capazes de avaliar a gravidade da pandemia	
	Recomendação 6 Melhorar as práticas de nomeação de um Comitê de Emergências		
	Recomendação 9 Racionalizar a gestão dos documentos de orientação		
	Recomendação 10 Elaborar e implementar uma política de comunicação estratégica		
Estados	*Recomendação 14* Chegar a um acordo sobre as trocas de vírus e acesso às vacinas e outras vantagens	*Recomendação 4* Dotar de autoridade e dos recursos necessários todos os pontos focais nacionais	*Recomendação 1* Acelerar a implementação das principais capacidades requeridas pelo RSI
Responsabilidade conjunta		*Recomendação 11* Encorajar a conclusão de acordos antecipados para distribuição e entrega de vacinas	*Recomendação 15* Buscar um programa completo de pesquisa e avaliação sobre a gripe
		Recomendação 12 Constituir uma reserva maior de pessoal de saúde pública em escala mundial	
		Recomendação 13 Criar um fundo de reserva para emergências de saúde pública	

517 OMS, A64, *op. cit.*, p. 26-27, Tabela 4.1 ("Responsabilidade principal e calendário para implementação das recomendações").

Exceto pela Recomendação n. 6, constata-se que o escândalo em torno da pandemia de gripe A(H1N1) não resultou na proposição de um conjunto efetivo de medidas que pudessem garantir a independência dos especialistas a serviço da organização. Um olhar mais detido sobre a Recomendação n. 6 revela que o Comitê admite a necessidade de confidencialidade da consulta aos especialistas, "a fim de que o Diretor-Geral possa basear-se em discussões e conselhos com toda a franqueza"[518]. Mas o Comitê de Revisão recomenda a adoção de "critérios claros para determinar se existe um conflito de interesses que justifique o afastamento de um candidato" ao Comitê de Emergências, e sugeriu a nomeação de um "responsável por questões de ética profissional", encarregado de "gerir os conflitos de interesse de maneira mais rigorosa" e capaz de "prever" eventuais "problemas"[519].

Por outro lado, na mesma Recomendação, o Comitê de Revisão questionou o leque de especialidades contempladas no Comitê de Emergências, considerando que a escolha de seus membros deve corresponder ao tipo de emergência em questão. No caso da gripe, o Comitê de Emergências "deveria incluir um especialista em virologia, análises de laboratório e epidemiologia, além de uma experiência no domínio da saúde pública e do *leadership*", competências "em matéria de medicina veterinária, avaliação de riscos e comunicação sobre riscos, e, enfim, competências metodológicas sobre o estudo sistemático da literatura científica"[520].

Em dezembro de 2012, a Direção-Geral da OMS apresentou ao Conselho Executivo um relatório sobre o cumprimento destas recomendações, que procura valorizar o trabalho do Comitê de Revisão, sustentando que ele "desempenhou um papel importante ao influir sobre o trabalho do Secretariado, tanto na

518 *Ibid.*, p. 150.

519 *Ibid.*, p. 151.

520 *Ibid.*

aplicação do RSI como na preparação das futuras pandemias gripais"[521]. Quanto à Recomendação n. 6, a Direção-Geral relata ter aumentado o número de campos de especialidade de suas listas de *experts*, passando de 53 áreas, em 2009, a 76 em 2012; a OMS teria, ainda, incorporado cerca de novos 200 *experts* a suas listas, desde que o Comitê de Revisão formulou suas recomendações[522].

Paralelamente ao trabalho do Comitê de Revisão, duas comissões parlamentares de inquérito debruçaram-se sobre o caso da pandemia de gripe A(H1N1), sob distintas perspectivas.

4.6. A Assembleia Parlamentar do Conselho da Europa

O *Conselho da Europa* foi criado, em 5 de maio de 1949, e é hoje composto por 47 Estados (dos quais 27 pertencem igualmente à *União Europeia*), compreendendo uma população de mais de 800 milhões de "europeus"[523]. Foi o grande impulsionador da integração europeia, como laboratório de ideias e de planos de ação, embora não fizesse parte da estrutura institucional das *Comunidades Europeias* criadas nos anos 1950, atualmente convertidas em União Europeia.

O Conselho da Europa possui uma *Assembleia Parlamentar* (APCE), no estatuto original designada como consultiva, que é provavelmente o mais antigo agrupamento internacional de parlamentares. A ACPE reúne-se normalmente quatro vezes ao ano na cidade de Estrasburgo, contando com cerca de 300 parlamentares provenientes dos Estados-membros do Conselho, além de observadores.

521 OMS, EB132/15, *Application du RSI (2005) – Rapport du Directeur Général*, Genebra, 21/12/2012, p. 12.

522 *Ibid.*, p. 6.

523 Thibault Courcelle, "Le Conseil de l'Europe et ses limites", *Hérodote* 3/2005, n.118, p. 48.

A APCE adotou uma Resolução[524] e uma Recomendação[525] referentes à pandemia de A(H1N1). Em sua Resolução, a APCE se diz alarmada pelo modo como a pandemia foi gerida, não somente pela OMS, como também pelas autoridades competentes no âmbito da União Europeia[526].

A APCE deplorou vivamente as reticências da OMS em compartilhar certas informações essenciais, e, em particular, em publicar os nomes e as declarações de interesse dos membros do Comitê de Urgência[527]. Lamentou, ainda, que a OMS não tenha reagido rapidamente, reavaliando sua posição quando se constatou que a gravidade da pandemia não era a esperada[528].

A APCE apelou às autoridades sanitárias, e particularmente à OMS, que, entre outras medidas, "atualizassem suas linhas diretivas sobre as relações com o setor privado", a fim de garantir "que um vasto leque de perícias e de pareceres seja levado em conta, inclusive pareceres contrários de peritos particulares e de organizações não governamentais"[529].

Na Recomendação dirigida ao Conselho de Ministros, a APCE pede que seja considerado o risco de afronta à boa governança democrática, verificado durante a pandemia, a fim de tirar lições desta crise[530]. Aos 47 Estados-membros do Conselho da Europa, a APCE recomenda "garantir que o setor privado não obtenha um lucro abusivo com os alertas de saúde pública e que ele não possa fugir às suas responsabilidades com o intuito de compartilhar os riscos mas privatizar seus ganhos"[531].

524 Resolução 1749 (2010), de 24/6/2010, disponível em: <assembly.coe.int>.

525 Recomendação 1929 (2010), de 24/6/2010, disponível em: <assembly.coe.int>.

526 Resolução 1749 (2010), item 1.

527 *Ibid.,* item 4.

528 *Ibid.,* item 5.

529 *Ibid.,* item 6.3.1.

530 Recomendação 1929 (2010), item 5.1.3.

531 *Ibid.,* item 8.6.

4.7. A Comissão Parlamentar do Senado francês

Na França, no início dos anos 1990, o chamado *caso do sangue contaminado*[532] deflagrou uma grande *crise sanitária*, noção que remete às disfunções da administração da saúde pública e às dificuldades de responder de modo satisfatório a riscos inéditos[533]. Na mesma época, a crise da "vaca louca"[534] desestabilizava a integração europeia, provocando, além da demissão da Comissão Europeia, a extensão das competências da União nesta matéria, a criação de uma verdadeira administração sanitária – a *Direção-Geral de Saúde e Proteção dos Consumidores* (DG Sanco) – e a elaboração de programas de saúde comunitários[535].

532 Trata-se da contaminação pelo vírus da Aids ou da hepatite C de pessoas submetidas a transfusão de sangue, ou de consumidores de derivados sanguíneos, ocorrida na França, nos anos 1980. O escândalo foi revelado pela imprensa no início dos anos 1990. A seguir, diversos processos judiciais incriminaram autoridades responsáveis pela transfusão de sangue, funcionários do Ministério da Saúde e até mesmo alguns Ministros, resultando em distintas condenações, como revela a obra de Sophie Chauveau, *L'Affaire du sang contaminé (1983-2003)*, Paris: Les belles lettres, 2011.

533 *Ibid.*, p. 19.

534 "A *Encefalopatia Espongiforme Bovina* (EEB), popularmente conhecida como *Doença da Vaca Louca* ou BSE (em inglês *Bovine Spongiform Encephalopathy*) é uma doença neurodegenerativa que afeta o sistema nervoso central (SNC) dos bovinos. (...) A doença surgiu em meados dos anos 1980 na Inglaterra e tem como característica o fato do agente patogênico ser uma forma especial de proteína, presente em vários tipos de células, (...) chamada príon, utilizada na produção de farinha de carne e osso, destinada à alimentação de ruminantes. (...)[É] uma doença transmissível ao homem, causando uma doença semelhante, chamada de a nova variante da *Doença de Creutzfeldt – Jakob* (nv DCJ). Uma característica marcante da nvDCJ é o início de manifestações psiquiátricas em que predominaram depressão, ansiedade e isolamento. (...) 80% dos pacientes com nvDCJ morrem em um ano", Vanessa Zapa *et al.*, "EEB", *Revista Científica Eletrônica de Medicina Veterinária* Ano VI, n.1, janeiro de 2008.

535 Didier Tabuteau, "La santé en quête de politique", *Les Tribunes de la santé* 1/2007, n. 14, p. 39.

Uma vez deflagrada, toda crise sanitária modifica as expectativas da opinião pública: as mortes passam de "naturais" a "evitáveis", e a desconfiança em relação às autoridades se dissemina. A criação de novas agências, europeias ou francesas, encarregadas de promover a segurança sanitária, não foi capaz de evitar novas crises, como evidenciam os óbitos e as graves enfermidades supostamente causadas pelo medicamento *Mediator*, pivô de um *imbroglio* de grande destaque na França, especialmente a partir de 2010[536].

A gestão da pandemia de gripe A(H1N1) inscreve-se neste registro de incerteza, mas também de insatisfação da cidadania diante das respostas governamentais. Desta vez, porém, parecia estar em questão o excesso, não a omissão.

Em janeiro de 2010, o governo da França anunciou a resilição dos contratos firmados com fabricantes de vacinas, reduzindo sua encomenda a 50% da quantidade que havia anunciado, e causando um grande escândalo político[537].

Evidentemente, a França não foi o único Estado a firmar contratos de grande risco com a indústria farmacêutica. Na Bélgica, por exemplo, um contrato entre o Estado e o grupo farmacêutico GlaxoSmithKline (GSK) isenta totalmente o segundo das consequências de eventuais mortes e efeitos secundários decorrentes da vacina, deixando integralmente ao Estado belga a obrigação de

536 O relatório completo sobre o caso pode ser encontrado em França, Inspeção Geral de Assuntos Sociais (IGAS), *Enquête sur le Mediator®*, Paris, janeiro de 2011, disponível em: <http://www.ladocumentationfrancaise.fr/var/storage/rapports-publics/114000028/0000.pdf>. A respeito dele, escreveu-se: "o sistema atual, apoiado nas agências e num largo recurso aos especialistas, foi criado, depois do escândalo do sangue contaminado, para reconstruir um verdadeiro sistema de saúde pública. Uma vez mais, tudo deve ser recomeçado?", Aquilino Morelle, "Mediator: l'histoire d'une seconde défaite de la santé publique – À propos du rapport de l'IGAS", *Esprit* 2011/5, p. 71.

537 Frédéric Keck, "L'échec global et national de la vaccination H1N1", *Esprit* 2/2010, p. 159.

indenizar as vítimas[538]. Imagina-se que os contratos de compras de vacinas, em plena pandemia, guardem semelhança em todo o mundo, mas esta análise é dificultada pelo fato de que poucos contratos foram tornados públicos. Na França, alguns trechos dos contratos foram tornados públicos, com a anuência das partes, mantendo, porém, o sigilo sobre certas cláusulas[539].

Poucas semanas depois do anúncio da resilição dos contratos pelo governo francês, um grupo político do Senado francês[540] propôs a criação de uma *comissão de inquérito* "sobre o papel da indústria farmacêutica na gestão governamental da gripe A(H1N1)"[541].

Conforme o artigo único da Resolução que a instituiu, sua finalidade é a de tornar transparentes "os elementos de informação oferecidos aos governantes pelos especialistas, sua independência e as eventuais incidências de possíveis conflitos de interesses na tomada de decisão dos poderes públicos".

A proposta de investigação parlamentar funda-se nas disparidades quantitativas entre os prognósticos oficiais e a realidade, no que atine particularmente a três aspectos:

538 Thoreau François *et al.*, "Action publique et responsabilité gouvernementale: la gestion de la grippe A(H1N1) en 2009", *Courrier hebdomadaire du CRISP* n.2138-2139, 2012, p. 6.

539 *Ibid.*, p. 8.

540 Trata-se do *Grupo Comunista, Republicano, Cidadão e dos Senadores do Partido de Esquerda (CRC-SPG)*, integrado por François Autain, Annie David, Guy Fischer, Gélita Hoarau, Isabelle Pasquet, Nicole Borvo Cohen-Seat, Éliane Assassi, Marie-France Beaufils, Michel Billout, Jean-Claude Danglot, Michelle Demessine, Évelyne Didier, Thierry Foucaud, Brigitte Gonthier-Maurin, Robert Hue, Marie-Agnès Labarre, Gérard Le Cam, Josiane Mathon-Poinat, Jack Ralite, Ivan Renar, Mireille Schurch, Odette Terrade, Bernard Vera e Jean-François Voguet. Dos signatários da proposta de Resolução, apenas dois, Autain e Fischer, tornaram-se integrantes da Comissão de Inquérito.

541 França. Senado. *Proposition de Résolution [n. 226] visant à créer une commission d'enquête sur le rôle des firmes pharmaceutiques dans la gestion par le Gouvernement de la grippe A(H1N1)v.* 21/1/2010.

- o número de óbitos causados pela gripe A(H1N1): 263 mortos na França, logo, dez vezes menos que a gripe sazonal[542] ;
- os resultados da campanha de vacinação: 5,5 milhões de pessoas vacinadas – em contraste com o objetivo do governo, que era o de vacinar 30 milhões – e 94 milhões de doses de vacina encomendadas[543];
- e o estoque de antivirais: 35 milhões de doses de oseltamivir, distribuídas gratuitamente nas farmácias[544].

Na exposição de motivos da proposta de Resolução, afirmam os Senadores:

> "esta gestão calamitosa marca a falência de um sistema que repousa essencialmente sobre especialistas recrutados menos por suas competências do que pelos vínculos que mantêm com a indústria farmacêutica. É sem dúvida a razão pela qual, diferentemente de seus colegas economistas que são incapazes de antever as crises, eles as inventam para o maior benefício dos fabricantes de vacinas e antivirais. (...) nós dispomos de um número suficiente de indícios para avançar a hipótese de que as organizações sanitárias internacionais e os Estados, à notável exceção da Polônia, foram instrumentos de uma gigantesca manipulação que teve por efeito o de transformar uma epidemia de gripe banal numa pandemia de nível 6, em grande benefício da indústria farmacêutica. Resta precisar o papel que ela realmente desempenhou neste caso" [545].

Quanto à mudança de definição de pandemia da OMS, já anteriormente referida neste livro, a opinião do grupo de Senadores foi clara: "pode-se até adiantar, sem risco de erro, que na ausência desta modificação, jamais a gripe A(H1N1) poderia ser classificada

542 *Ibid.*, p. 3.
543 *Ibid.*, p. 7.
544 *Ibid.*, p. 8.
545 *Ibid.*, p. 4.

como pandemia"[546]. A convicção expressa neste tipo de enunciado pode explicar, ao menos em parte, que a correspondente campanha de vacinação seja classificada como um "fracasso global"[547], eis que, na maior parte dos países desenvolvidos, exceto o Canadá e a Suécia, os governos não tiveram sucesso na missão de convencer a maioria dos seus cidadãos a vacinar-se[548]. A campanha foi, portanto, deflagrada em um cenário de taxas de mortalidade e morbidade incompatíveis com "a representação popular de uma pandemia"[549]. Ademais, diante da inépcia das estratégias de comunicação dos governos, parte significativa da opinião pública encontrava-se propensa a acolher a ideia de que a indústria farmacêutica havia corrompido especialistas e governantes, o que abriu espaço tanto para "teorias do complô" como para os pré-existentes movimentos contra a vacinação[550].

....

546 *Ibid.*, p. 5.

547 Frédéric Keck, "L'échec global et national de la vaccination H1N1", *op. cit.*, p. 158.

548 França, Ministério do Trabalho, do Emprego e da Saúde, Alto Conselho da Saúde Pública, Comissão Especializada de Doenças Transmissíveis, *Les maladies infectieuses émergentes: état de la situation et perspectives*, dezembro de 2012, p. 121.

549 *Ibid.*, p. 133. Este relatório conclui pela existência de uma homogeneidade entre as razões do fracasso da vacinação em diversos países – inclusive a crença de que a gripe A(H1N1) seria mais "suave" do que se esperava – com base, entre outros, em Horney *et al.*, "Intent to receive pandemic influenza A (H1N1) vaccine, Compliance with social distancing and sources of information in NC – 2009", *PLoS ONE* 2010, 5(6); Maurer *et al.*, "Does receipt of seasonal influenza vaccine predict intention to receive novel H1N1 vaccine: evidence from a nationally representative survey of U.S. adults", *Vaccine* 2009, 27; Schwarzinger *et al.*, "Low acceptability of A/H1N1 pandemic vaccination in french adult population: Did public health policy fuel public dissonance?" *PLoS One* 2010, 5(4); e Setbon *et al.*, "Factors in vaccination intention against the pandemic influenza A/H1N1", *European Journal of Public Health*, 5 mai 2010.

550 Patrick Zylberman, "Crises sanitaires, crises politiques", *Les Tribunes de la santé* 1/2012, n. 34, p. 47.

No entanto, autores como Frédéric Keck consideram que há uma especificidade francesa neste fracasso, que pode ser identificada em dois "fatos maiores", responsáveis pelo seguinte "absurdo": o país que comprou a maior quantidade de doses de vacinas foi um dos que menos vacinou suas populações[551].

O primeiro fato – que a meu juízo não pode ser visto sem ter em conta a noção de democracia sanitária – seria a ocultação da origem suína do vírus sob o nome de gripe A, que permitiu desvincular esta pandemia de crises como as da "vaca louca", ou da temida gripe aviária que ocupou as manchetes no ano de 2005. A análise das estratégias de comunicação que cercaram a campanha francesa de vacinação contra a gripe A(H1N1) revela que a ideia de proteger a si mesmo para proteger os demais – "os gestos de cada um fazem a saúde de todos" – apareceu tardiamente, e permaneceu à margem do discurso político, eis que a ameaça de morte dos indivíduos e de seus filhos foi o principal foco da comunicação política e da mídia[552]. Numa espécie de "epidemiologia emocional", o grande público foi informado diariamente de cada morte, com ênfase nos casos que não apresentavam fatores de risco conhecidos. Por isto, os resultados pífios desta campanha fazem dela um verdadeiro caso exemplar, aferido em tempo real, do débil impacto e dos efeitos perversos da utilização do medo como estratégia de prevenção, em detrimento de "uma mobilização solidária e uma comunicação educativa", respeitosa dos "princípios de cidadania e solidariedade", que considere o público como "um verdadeiro parceiro" da campanha de proteção, e não uma "criança teimosa" a quem seria necessário repreender para que "ande na linha"[553].

---

551 Frédéric Keck, "L'échec global et national de la vaccination H1N1", *op. cit.*, p. 159.

552 Christine Ferron,"Vaccination contre la grippe: fallait-il faire usage de la peur?", *Santé Publique* 2/2010, v. 22, p. 250.

553 *Ibid.*, p. 251, baseada parcialmente em Société Française de Santé Publique, "Grippe A(H1N1) 2009: la SFSP pour une mobilisation solidaire et une communication éducative", Nota à imprensa, outubro de 2009.

Assim, a ocultação da origem da doença, aliada à estratégia comunicativa do medo, tornou impossível um debate democrático profundo sobre a "nova ecologia social dos agentes infecciosos, produzida pelas transformações das relações entre os humanos e os animais"; e não é um acaso que isto ocorra na França, "nação que gosta de comer seus animais, escondendo o que eles têm em comum com os humanos"[554].

O segundo fato determinante da "peculiaridade francesa" seria a política de compra massiva de vacinas com base no princípio da precaução. Além de gastar cerca de 1 bilhão de euros na compra de vacinas, o governo as forneceu à população por intermédio de centros administrativos que teriam custado um outro bilhão de euros; ora, o princípio da precaução obriga o gestor a avaliar os riscos da introdução de um produto científico junto à população quando há incerteza científica, mas não força os governos a minimizar a qualquer preço os riscos em toda e qualquer situação[555]. No caso em apreço, o uso da precaução seria mais pertinente no sentido oposto, em relação aos possíveis efeitos secundários das vacinas – quanto às vacinas em si, **tratava-se de urgência, não de precaução**. Porém, tudo ocorreu "como se o Estado francês fizesse a guerra contra a gripe sem declará-la", "numa atmosfera de segredos" que prescindiu da reflexão "jurídica e política sobre os limites da ação

554 Keck, *L'échec global...*, *op. cit.*, p. 160.

555 *Ibid.* Segundo Keck, em 5 de novembro de 2009, a então Ministra da Saúde, Roselyne Bachelot, declarou que considerava a possibilidade de vender as vacinas não utilizadas pela França aos países que não tivessem "tomado suas precauções". Esta declaração demonstra que o princípio da precaução serviu não apenas para esconder uma decisão equivocada, tomada em estado de urgência (pensava-se em junho de 2009 que seriam necessárias duas doses de vacina por pessoa), mas também para dar "uma lição de moral aos países em desenvolvimento, quando a política global de vacinação exige uma visão totalmente distinta das relações Norte-Sul", *ibid.*

pública em situações excepcionais"[556]. As autoridades acreditaram ter muito a ganhar com a resistência à pandemia, apostando na "hipnose coletiva" resultante da cobertura midiática, alimentada por cifras astronômicas: se a gripe fosse contida, seriam cobertas de glória por ter agido a tempo; se fosse gravemente difundida, ninguém poderia acusar o Estado de omissão[557]. Por tudo isto, a investigação sobre a gripe A teria revelado, além do desperdício do dinheiro público, as "patologias" do sistema político francês[558].

O labor da Comissão de Inquérito francesa produziu um extraordinário acervo de informações, mas igualmente de debate e de reflexão política sobre o caso objeto deste livro. Os autos de seu relatório final ultrapassam oito centenas de páginas. O Senado disponibiliza, ainda, os vídeos de todos os depoimentos e audiências realizados durante o procedimento[559]. Ele resulta em 38 proposições, dirigidas ao governo e igualmente à OMS, no mesmo diapasão das inquietações da APCE.

A dureza das críticas formuladas ao longo do trabalho desta comissão permite entender porque, para alguns, o caso da gripe A(H1N1) foi considerado "uma deterioração que fez retroceder a imagem pública da OMS aos níveis que tinha antes da aparição da SARS", em 2003, quando este "suposto *Ministério da Saúde* mundial era pouco mais do que uma *oficina para pobres* da ONU"[560].

556 *Ibid.*

557 Léo de Javel, "Éloge de la grippe A", *Multitudes* 4/2009 n. 39, p. 13.

558 Frédéric Keck, "L'échec global et national de la vaccination H1N1", *op. cit.*, p. 161.

559 Disponível em: <http://www.senat.fr>.

560 Com grifos no original. Emilio de Benito, "La OMS choca con sus intereses", *El País*, 30/1/2011, disponível em: <elpais.com/diario/2011/01/30/sociedad/1296342003_850215.html>, consultado em 18/2/2012.

"Um pastor, que levava seu rebanho para bem longe da aldeia, dedicava-se com frequência à seguinte brincadeira: ele pedia socorro aos moradores da aldeia, gritando que lobos atacavam suas ovelhas. Duas ou três vezes, as pessoas da aldeia ficaram assustadas e saíram correndo, depois retornaram, ludibriadas. Mas enfim ocorreu que alguns lobos realmente apareceram. Enquanto devastavam o rebanho, o pastor pedia socorro aos aldeões; mas aqueles, supondo que, como de hábito, ele brincava, pouco se preocuparam. Então ele perdeu suas ovelhas. Esta fábula mostra que os mentirosos só ganham uma coisa: não se acredita neles, mesmo quando dizem a verdade".

Esopo [Livre tradução],
"Le Berger mauvais plaisant", Fábula 318,
in: Fables, edição bilíngue (grego/francês) e tradução de
Émile Chambry, Paris: Les Belles Lettres, 1927[561]

561 Há incontáveis versões desta fábula atribuída a Esopo. No Brasil, por exemplo, "O Pastor e o Lobo", *in: O mundo da criança, Volume 2 – Contos e Fábulas*, Rio de Janeiro: Delta, 1972, p. 82-83; e mais recentemente, Tony Ross, *O menino que gritava olha o lobo*, tradução de Heloísa Jahn, São Paulo: Companhia das Letrinhas, 2009.

CONSIDERAÇÕES FINAIS

A opinião pública é um ator ambivalente: de um lado, ela mostra sua expectativa de legitimidade moral da ação política; de outro, ela também é reveladora das vulnerabilidades características da democracia – assim, "a confusão das ideias pode tornar-se uma verdadeira arma"[562].

No caso aqui estudado, confusa ou não, grande parte da opinião pública alinhou-se com a ideia de que "os hiperespecialistas da gripe encerraram-se em sua bolha e esqueceram a realidade do terreno. A OMS enganou o mundo inteiro"[563]. Segundo os representantes de seus funcionários, "atualmente, a imagem da OMS na mídia é ruim, o que não contribui nem pra atrair fundos nem para melhorar o moral de seu pessoal"[564].

Diante desta evidência, a fábula de Esopo de que me sirvo para lançar as considerações finais desta etapa da pesquisa, procura sintetizar a ideia de que

> "a crítica à resposta dada aos problemas não esconde a realidade do problema. Se certos perigos são por vezes superestimados,

562 Monique Castillo, *Connaître la guerre et penser la paix*, Paris: Kimé, 2005, p. 95.

563 Marc Gentilini [membro da Academia Nacional de Medicina da França], segundo Stéphane Bussard, "L'OMS crève un abcès en publiant le nom de ses experts", *Le Temps*, 12/8/2012, disponível em: <http://www.letemps.ch>.

564 OMS, Documento de informação EB130/INF.DOC./2, *op. cit.*, p. 6.

a insegurança não é apenas um sentimento subjetivo alimentado pelos discursos políticos e da mídia"[565].

Ora, sendo uma pandemia propriamente dita ou não, o episódio de 2009-2010 serve para lembrar que a inédita potencialidade da propagação das doenças infecciosas é real. Se é verdade que a medicina avança, também o é que os micro-organismos mutam, e que os atuais modelos de produção e de circulação de bens e mercadorias, além da mobilidade humana, favorecem estas mutações. Sob a perspectiva da saúde pública, o descrédito de uma organização encarregada de prevenir a propagação internacional das doenças é, sem dúvida alguma, uma péssima notícia.

Assim, não obstante a grande importância da pesquisa médica a respeito do tema, o aperfeiçoamento da gestão das pandemias requer muito mais: o caso da gripe A(H1N1) precisa ser estudado tanto pelas ciências sociais e humanas quanto pelas ciências biológicas. Nesta linha, a presente pesquisa procurou compreender o papel que o direito desempenhou neste caso, com o intuito de refletir, mais adiante, sobre as maneiras de buscar seu aperfeiçoamento.

No plano da regulação da emergência, confirmou-se a tese inicial de que existe um direito internacional específico, a perpassar as ordens jurídicas nacionais de modo singular, dotando a OMS de uma capacidade autônoma de deflagrar uma engrenagem potencialmente restritiva de direitos e liberdades, no território de quase 200 países. Em outras palavras, a *Emergência de Saúde Pública de Importância Internacional* (ESPII) é uma categoria jurídica, cuja gestão mereceu regulamentação clara e detalhada, primeiro por meio de uma norma internacional, e depois pela implementação deste regulamento nos Estados-membros – cujas assimetrias econômicas, políticas e sociais implicam um vasto leque de diferenças, entre elas a maior ou menor juridicidade da resposta à emergência.

Neste ponto, a pandemia aparta-se de qualquer outro tipo de catástrofe. Durante uma ESPII, a ação da comunidade internacional

565 Mireille Delmas-Marty, *Libertés..., op. cit.*, p. 9.

em apoio aos indivíduos submetidos a risco não se baseia em princípios seletivos como, por exemplo, o da responsabilidade de proteger. No caso da ESPII, há um regulamento sobre a atuação internacional e há uma organização internacional dotada de atribuições específicas. Esta questão é importante porque, ao menos no plano internacional, não se trata de um *estado de exceção*. Trata-se da aplicação de uma norma que excede o próprio momento da emergência, eis que o RSI comporta a construção – e mais tarde a manutenção constante – de um sistema complexo de informação e de resposta.

Entre as formas de ESPII (sendo, até o momento, a única conhecida), as pandemias possuem, ademais, sua regulação específica, sob a forma de planos de resposta e de protocolos, estes bem menos precisos do ponto de vista jurídico. É preciso reconhecer que a incerteza e a urgência não encorajam, e nem devem encorajar, as formalidades que possam frear uma resposta efetiva à propagação das doenças. Mas também é preciso estar alerta: não é um acaso que a expressão *emergency* designe, em inglês, tanto a urgência como a exceção (*state of emergency*), e que países como os Estados Unidos tenham protagonizado, nas negociações do RSI, um conceito aberto de ESPII, estendendo as possibilidades de uso desta engrenagem para além das pandemias. Ora, deve ser recordado o uso da urgência e do risco na retórica de alguns atores políticos para justificar a adoção de regimes altamente restritivos de direitos[566]. Assim, tanto o processo decisório da OMS como o modo pelo qual os Estados internalizam as recomendações da organização devem ser analisados sob a perspectiva dos direitos.

Os limites desta pesquisa impediram uma avaliação crítica da aplicação de restrições de direitos "no caso concreto" – na verdade, não há apenas um caso: há incontáveis casos concretos, eis que a pandemia, por certo, dimensionou-se de modo muito diferente, a depender de cada canto do mundo onde se manifestou, e também

566 Ver, por ex., Bonnie Honig, *Paradox, Law, Democracy – Emergency Politics*, Princeton University Press, 2011.

de cada momento. Impõe-se a realização de um mosaico de estudos sobre as restrições de direitos durante a ESPII, que permitam a avaliação crítica de seus efeitos.

Entrementes, é preciso mencionar o risco evidente de uma deriva securitária. Mireille Delmas-Marty alerta para o fato de que a internacionalização do direito tem sido muito presente no modo pelo qual se desenvolve a ação securitária, eis que as exceções ao Estado de Direito se "normalizam" não apenas por meio dos "*emergency powers*" (que configuram uma clara derrogação de direitos legitimada pela ordem constitucional), mas sobretudo por meio de medidas e dispositivos jurídicos supostamente "regulares", infraconstitucionais e por vezes até infralegais, muitas vezes oriundos de âmbitos internacionais, inclusive regionais[567]. Portanto, nem sempre a exceção visa a "suspender" os efeitos de uma norma; por vezes, ela advém justamente da proliferação normativa, por meio de medidas que podem visar especificamente a um "grupo de risco", ou excluir indivíduos de um grupo, ou "simplificar" procedimentos em nome de uma suposta eficiência, entre tantas outras possibilidades.

No campo do direito internacional da saúde, o atual paradigma da segurança gera fartas consequências. Como ensina Frédéric Gros, a segurança, hoje, manifesta-se essencialmente sob a forma da "biossegurança", inspirando mecanismos, dispositivos e técnicas de securização do "núcleo vital do indivíduo". A biossegurança é o conjunto de dispositivos de "proteção, controle e regulação do indivíduo considerado sob o aspecto de sua finitude biológica"[568]. Ora, "um fluxo (de vida, mas também de imagens, informações, mercadorias), a partir do momento em que ele é protegido, controlado, regulado, determina um domínio de segurança"[569].

....

567 Arnaud Fossier, "Entretien avec Mireille Delmas-Marty", *Tracés* 20 2011/1, p. 204.

568 Frédéric Gros, *Le principe sécurité*, Paris: Gallimard, 2012, p. 174.

569 *Ibid.*, p. 176.

Qual seria, então, o resultado de vermos o mundo sob o prisma da analogia entre um terrorista e um vírus de galinha ou de porco[570]? Trata-se da visão de mundo neoliberal, para quem a circulação de pessoas e de bens é, ao mesmo tempo, a maior fortuna e a maior ameaça: "é preciso que as pessoas circulem livremente para produzir a riqueza, mas ao circular elas trocam também informações (políticas ou virais) que podem destruir o próprio mundo no qual elas circulam"[571]. Esta perspectiva constituiria um mito, no sentido de que ela exprime num horizonte catastrófico a verdadeira ambivalência do mundo em que vivemos. Uma pandemia, por exemplo, parte de certos eventos reais, especialmente a transmissão de um vírus do animal ao homem, para operar uma totalização capaz de mobilizar um grande número de atores; este mito, elástico, transforma-se em função dos contextos nos quais ele é "contado" pelos especialistas[572].

Além disso, as teorias contemporâneas do *care* insistem na vulnerabilidade dos indivíduos: a verdadeira segurança não seria garantir os direitos do cidadão responsável, mas proteger os "mais suscetíveis"[573]. Por conseguinte, a despolitização disseminada pela crença na vulnerabilidade também deve ser destacada:

> "O estado de vigilância securitária produz repercussões e esperanças que são radicalmente antipolíticas: ele isola os indivíduos confrontando-lhes a um real angustiante. 'Atentos e juntos', esta moral repetida ritualmente nos corredores do metrô parisiense soa como um oxímoro. Feita de aversão e de intolerância à alteridade, a vigilância não é uma experiência compartilhada, mas um pensamento solitário e calculista. Porque eles devem ser avaliados constantemente, os 'perigos' nos protegem do real ao ponto de tornar suspeitos os desejos de melhorá-lo. Mas entre a audácia do

570 Frédéric Keck, "Expertise et choix politique: retour sur la grippe pandémique", *Esprit* 3/2011, p. 174.

571 *Ibid.*

572 *Ibid.*

573 Frédéric Gros, *Le principe sécurité*, Paris: Gallimard, 2012, p. 184-185.

aventureiro e a prudência do empreendedor, há a coragem da ação que mede forças com a imprevisibilidade do mundo. Esta virtude é necessária para que nossos desejos políticos ousem novamente enunciar-se em uma linguagem que não seja a da segurança"[574].

Ainda que brevemente referidas, tais constatações sobre o atual paradigma da segurança iluminam nossa compreensão sobre os problemas jurídicos e políticos suscitados pelo processo decisório de declaração de uma ESPII. Salvo exceções, como algumas comissões parlamentares de inquérito e contenciosos nacionais pontuais, tudo indica que o papel do direito foi modesto nesta primeira aplicação do RSI(2005).

Em relação ao conteúdo da decisão, de declarar uma ESPII e a fase 6 de uma pandemia, ficou clara a prevalência da especialidade sobre qualquer outro critério. Este é um aspecto crucial da relação entre direito e pandemias, que também necessita aprofundamento urgente. A especialidade é uma atividade de mediação entre ciências e decisões – um especialista põe à disposição de um terceiro um conhecimento que permite a este terceiro tomar uma decisão – convertendo-se em uma fonte de normatividade decisória, que tem se desenvolvido amplamente na prática internacional[575]. No caso da OMS, trata-se de agentes não permanentes e não exclusivos, mas que, como demonstrei antes, são constantes a ponto de serem considerados, por eles mesmos, como uma "família".

Porém, a ciência se constrói sobre a divergência, tendo como árbitro a prova, que raras vezes é absoluta. As reviravoltas das prescrições médicas constituem um exemplo notório de tal instabilidade, fazendo com que algumas substâncias e práticas alternem a condição de nefastas ou benfazejas à saúde humana, a depender do espaço e do tempo em questão. O parecer de um

574 Michäel Foessel, *État de vigilance – Critique de la banalité sécuritaire*, Paris: Le bord de l'eau, 2010, p. 154-155.

575 Jacobo Ríos Rodríguez, *L'expert en droit international*, Paris: Pedone, 2010, p. 341.

especialista, com efeito, é um *julgamento*, uma apreciação, uma avaliação baseada em elementos disparatados, que depende de ideias e de tipos de saberes anteriores, não raro implícitos. A evidência de um quadro interpretativo, cultural e disciplinar dispensa demonstração: há o "não-dito" nas provas científicas[576]; portanto, elas não são irrefutáveis.

No campo da saúde pública, em particular, a especialidade é quase sempre "mista", pois integra dados científicos num campo decisório que compreende as noções de factibilidade, custo humano e financeiro, além da hierarquização de prioridades; o especialista é levado a descrever vantagens e desvantagens de decisões que podem ser adotadas, precisando o nível de confiabilidade dos dados de que dispõe[577]. Mas a gripe A(H1N1) suscita também o problema da "pedagogia das crises sanitárias", pois os especialistas normalmente são professores ou pesquisadores que precisam falar aos políticos e à opinião pública, que devem enfrentar a diferença entre o tempo longo do ensino e da pesquisa, de um lado, e de outro a urgência das decisões a tomar[578].

Tais constatações reforçam a importância do controle do trabalho dos especialistas. Quais seriam as condições para que um especialista pudesse atender a todos os requisitos de independência e imparcialidade diante do atual sistema, em que "os vínculos entre empresas, as universidades e as instâncias políticas são fortemente encorajados"[579]? Quando o controle não pode ser simultâneo, é

....

576 Dominique Pestre, "Des preuves dans les pratiques scientifiques et dans les pratiques juridiques – Prolégomenes à une conversation", *in:* Eve Truilhé-Marengo, *Preuve scientifique, preuve juridique*, Bruxelas: Larcier, 2012, p. 52.

577 Claude Got, *L'expertise en santé publique*, Paris: PUF, 2005, p. 17.

578 Frédéric Keck, "Expertise et choix politique: retour sur la grippe pandémique", *Esprit* 3/2011, p. 175.

579 Thoreau François *et al.*, "Action publique et responsabilité gouvernementale: la gestion de la grippe A(H1N1) en 2009", *Courrier hebdomadaire du CRISP* n. 2138-2139, 2012, p. 45.

fundamental que ele ocorra *a posteriori*. Neste diapasão, o mecanismo de controle interno da OMS aqui relatado versava especificamente sobre o trabalho realizado pelos especialistas que decidiram que o evento de 2009 era uma ESPII, e que depois definiram a passagem à fase 6 da pandemia. Mas ficou evidente que a *Comissão de Revisão* encarregada deste controle interno foi, no máximo, um simulacro de direito, malgrado a importância política interna de que se tenha revestido.

Não obstante, o direito pode ter um papel de grande relevância nesta matéria. Restam por construir uma teoria e uma prática jurídicas da *expertise dissidente*:

> "É preciso abrir os sistemas de vigilância sanitária às expertises dissidentes, dar um estatuto legal aos lançadores de alertas e atribuir às associações, que devem ser representadas nas comissões científicas, o direito de impor audições públicas aos agentes sanitários. O princípio da contradição é uma das bases da segurança sanitária; até os melhores sistemas de expertise podem estar sujeitos à cegueira"[580].

Assim, a observação dos conflitos entre especialistas pode revelar tensões entre as competências científicas que portam diferentes concepções, inclusive morais[581].

A crise da OMS, em pleno processo de reforma, poderia ser um mote para a mudança. É digno de nota que estudos recentes sobre a organização adotem, como enfoque, a clivagem Norte/Sul[582]. A meu juízo, as alianças regionais em torno de temas de saúde pública, e em particular as que o Brasil tem construído no âmbito da União das Nações Sul-americanas (Unasul), perfazem hoje um tema promissor para as relações internacionais e para

580 Didier Tabuteau, "Renforcer la crédibilité de la sécurité sanitaire – Pour des experts dissidents", *Le Monde*, 11/12/2010.

581 Frédéric Keck, "Conflits d'experts – Les zoonoses, entre santé animale et santé humaine", *Ethnologie française* 1/2009, v. 39, p. 79.

582 Ver Nitsan Chorev, *The WHO between North and South*, Cornell University Press, 2012.

o direito internacional. O futuro da regulação da saúde global depende, em grande parte, deste tipo de aliança. As perspectivas de negociação de uma convenção sobre o financiamento de pesquisa e desenvolvimento em matéria de doenças negligenciadas constituem um bom exemplo da mudança de paradigma que deveria ocorrer no seio da OMS[583].

Finalmente, esta pesquisa confirma a intuição de que a saúde global é um vasto campo a ser explorado pelo direito, e em particular sob a perspectiva dos direitos humanos. Revigorou-se o meu *desejo de pensamento* sobre o significado contemporâneo do enfrentamento das pandemias, aqui assumidamente faltante. Entre tantas urgências, é nosso dever pensar a segurança em outros termos. Quando Susan Sontag rechaça com veemência a tão corriqueira expressão *guerra contra a pandemia*, seu objetivo é evitar que a saúde pública caia na deriva securitária geral, **como se a indústria de medicamentos se fizesse indústria armamentista**. Por isto, estas últimas palavras :

> "nós não estamos sofrendo nenhuma invasão. O corpo não é um campo de batalha. Os doentes não são nem perdas humanas inevitáveis, nem o inimigo. Nós – a medicina, a sociedade – não temos o direito de retaliar por todos os meios possíveis. A propósito desta metáfora, a militar, eu diria, parafraseando Lucrécio: Que os *fazedores de guerra* fiquem com ela para si"[584].

583 Ver Paulo Buss e Claudia Chamas, "Um novo modelo para a pesquisa em saúde global", *Valor Econômico*, 31/8/2012.

584 Susan Sontag, *Le SIDA et ses métaphores*, Paris: Christian Bourgois, 2005, p. 121-122.

REFERÊNCIAS BIBLIOGRÁFICAS

ABRAHAM, Thomas. "There Is No 'False Pandemic'", *The New York Times*, 29/1/2010, disponível em: <http://nyti.ms/xjKCRr>.

ACCIOLY, Hildebrando *et al. Manual de Direito Internacional Público*, 16 ed., São Paulo: Saraiva, 2008.

ADORNO, Rubens. "Movimento social e participação: a saúde na esfera pública", *Saúde e sociedade*, 1(2): 111-124, 1992.

____. VASCONCELLOS, Maria da Penha; ALVARENGA, Augusta. "Para viver e pensar além das margens: perspectivas, agenciamentos e desencaixes no campo da saúde pública", *Saúde e Sociedade* [online] 2011, v. 20, n. 1.

AITH, Fernando; DALLARI, Sueli. "Vigilância em saúde no Brasil: os desafios dos riscos sanitários do século XXI e a necessidade de criação de um sistema nacional de vigilância em saúde", *Rev. Direito Sanit.* 2009, v. 10, n. 2.

AMARAL JR., Alberto do. *Curso de Direito Internacional Público*, 3 ed., São Paulo: Atlas, 2012.

ANDRADE, Laura Helena *et al.*, "Mental Disorders in Megacities: Findings from the São Paulo Megacity Mental Health Survey", *PLoS ONE* 7(2): 14/2/2002.

APPLEBAUM, Anne. "Playing politics with a pandemic", *The Washington Post*, 17/11/2009.

ASTORELLO, Cláudia Maria *et al.*, "Impacto da influenza pandêmica (H1N1) 2009 e de doenças respiratórias na mortalidade de mulheres em idade fértil no estado do RS, Brasil, 2008-2009", *Epidemiol. Serv. Saúde* 2012, v. 21, n. 2.

AUDOIN-ROUZEAU, Frédérique. *Les chemins de la peste – le rat, la puce et l'homme*, Presses Universitaires de Rennes, 2003.

AZENHA, Luiz Carlos. "Assim é se lhe parece", *Vi o Mundo* [blog], 26/2/2010, disponível em: <http://www.viomundo.com.br/>, consultado em 18/3/2012.

BADIE, Bertrand. “La paix entre multilatéralisme et puissance”. *In:* Devin, Guillaume (dir.), *Faire la paix – la part des institutions internationales*, Paris: Sciences Po, 2009.

BANDEIRA DE MELLO, Celso Antônio. *Curso de Direito Administrativo*. 14 ed. São Paulo: Malheiros, 2002.

BASTY, Florence. “La sécurité humaine: um renversement conceptuel pour les relations internationales”, *Raisons politiques* n. 32, 11/2008.

BEAUCHAMP, Tom. *Philosophical Ethics*. 3 ed. McGraw-Hill, 2001.

BECK, Ulrich. *La sociedad del riesgo mundial – En busca de la seguridad perdida*, Madrid: Paidos, 2008.

BÉLANGER, Michel. *Introduction à un droit mondial de la santé*, Paris: Archives contemporaines, 2009.

BENITO, Emilio de. “Chan ha creado una alarma mundial. Debe dimitir”, *El País*, Madri, 27/1/2010.

_______. “Chan: ‘Hemos tenido suerte con el virus de la gripe’”, *El País*, 19/1/2010, disponível em: <elpais.com>, consultado em 17/2/2012.

_______. “La OMS choca con sus intereses”, *El País*, 30/1/2011, disponível em: <elpais.com/diario/2011/01/30/sociedad/1296342003_850215.html>, consultado em 18/2/2012.

BERTUCCI, Liane Maria. “Gripe A, uma nova espanhola’?”, *Rev. Assoc. Med. Bras*. 2009, 55(3).

BERTUCCI-MARTINS, Liane Maria. “Entre doutores e para os leigos: fragmentos do discurso médico na influenza de 1918”, *História, Ciências, Saúde – Manguinhos*, v. 12, n. 1, jan./abr. 2005.

BITTELBRUN, Gabriele. “Gripe A em SC – Vítimas tiveram tratamento tardio”, Florianópolis, *Diário Catarinense*, 16/7/2012.

BLOCH, Marc. *Les rois thaumaturges*, Paris: Gallimard, 1983.

BLONDEAU, Marie-Thérèse. “Notes pour une édition critique de La Peste”. *Roman 20-50*, n. 2, dezembro de 1986.

BLUMANN, Claude (coord.). *Commentaire J. Mégret – Marché intérieur*, 3. ed., Bruxelas: IEE, 2006.

BOCCHINI, Bruno. "Gripe suína muda hábitos de higiene de 67% dos paulistas", *Rede Brasil de Fato*, 14/9/2009.

BOISSON DE CHAZOURNES, Laurence. "Le pouvoir réglementaire de l'OMS". *In: Droit du pouvoir, Pouvoir du droit, Mélanges offerts à Jean Salmon*, Bruxelas: Bruylant, 2007.

____. "Présentation. Atelier I. Responsabilité de protéger et catastrophes naturelles: l'émergence d'un régime?". *In: Responsabilité de protéger*, Paris: Pedone, 2008, p. 149-152.

BOURDELAIS, Patrice. "Histoire de la santé publique". *In:* Didier Fassin e Boris Hauray, *Santé publique: l'état des savoirs*, Paris: Inserm/La Découverte, 2010.

BRAGA, José Ueleres; WERNECK, Guilherme. "Vigilância Epidemiológica". *In:* Medronho, Roberto *et al.* (org.), *Epidemiologia*, 2.ed., São Paulo: Atheneu, 2009.

BRASIL. Defensoria Pública da União. "DPU/RJ anuncia novas medidas judiciais contra a gripe suína", *Notícias sobre a gestão*, Rio de Janeiro, 13/8/2009, disponível em: <http://www.dpu.gov.br/>.

____. ESTADO DO PARANÁ. Secretaria de Estado da Saúde. *Nota Técnica: indicação do antiviral oseltamivir em síndrome gripal*, s/d, disponível em: <http://www.sesa.pr.gov.br/arquivos/File/NOTATECNICAGRIPE.pdf>, consultado em 18/3/2012.

____. ESTADO DE SÃO PAULO. Secretaria do Estado da Saúde. "Características dos casos notificados de Influenza A/H1N1", *Rev. Saúde Pública* 2009; 43(5).

____. MINISTÉRIO DA SAÚDE. *Esclarecimento sobre compra de antiviral fosfato de oseltamivir (Tamiflu)*, Brasília, 18/9/2010, disponível em: <http://portal.saude.gov.br/>.

____. *Perguntas e respostas sobre Influenza A(H1N1)* – atualizadas em 16/7/2009, disponível em: <http://portal.saude.gov.br/>.

____. *Plano Brasileiro de Preparação para uma Pandemia de Influenza.* 3. Versão. Brasília, abril de 2006, disponível em: <http://portal.saude.gov.br/portal/arquivos/pdf/plano_pandemia_influenza.pdf>, consultado em 18/3/2012.

____. *Plano Brasileiro de Preparação para uma Pandemia de Influenza.* 4. Versão. Brasília, maio de 2010, disponível em: <http://portal.saude.gov.br/portal/arquivos/pdf/plano_influenza_iv_maio10_web2.pdf>.

____. Secretaria de Vigilância em Saúde, Departamento de Vigilância Epidemiológica. *Emergência de Saúde Pública de Importância Internacional (ESPII) – Protocolo de Vigilância Epidemiológica da Influenza Pandêmica (H1N1)2009 – Notificação, Investigação e Monitoramento.* Brasília: Ministério da Saúde, 2010.

____. Secretaria de Vigilância em Saúde, *Informe Epidemiológico Influenza Pandêmica (H1N1) 2009* n. 9, out.2009.

BRENER, Jayme (org.). *A Casa de Higeia: o percurso da Faculdade de Saúde Pública de São Paulo 1918-2010,* São Paulo: Ex Libris, 2010.

BRITISH MEDICAL JOURNAL. Editorial. "Dr. M.G. Candau and WHO", 26/5/1973 2 (5864), p. 433-434.

BROMET, Evelyn *et al.*, "Cross-national epidemiology of DSM-IV major depressive episode", *BMC Medicine* 2011 9:90, disponível em: <www.biomedcentral.com>.

BROSSET, Estelle; TRUILHÉ-MARENGO, Ève (Dir.). *Les enjeux de la normalisation technique internationale – entre environnement, santé et commerce internatinal.* Paris: CERIC/La documentation française, 2006.

BROSSOLLET, Jacqueline; MOLLARET, Henri. *Pourquoi la peste? Le rat, la puce et le bubon,* Paris: Gallimard, 1994.

BROWN, Theodore; CUETO, Marcos; FEE, Elizabeth, "A transição de saúde pública internacional para global e a Organização Mundial da Saúde", *História, Ciências, Saúde – Manguinhos,* v. 13, n. 3, 07-09/2006.

BURCI, Gianluca. "Introduction. Table ronde. Une responsabilité de protéger face aux pandémies? Le rôle des États, des organisations internationales et des acteurs non étatiques". *In: Responsabilité de protéger,* Paris: Pedone, 2008, p. 149-152.

____. "Navigating the New Field of International Health Law". Áudio. Conferência ministrada em 22/2/2012, disponível em: <http://75.127.192.36/Health_Law_WHO_Feb_22.asx>, consultada em 24/3/2012.

____; KOSKENMÄKI, Riikka. "Human Rights Implications of Governance Responses to Public Health Emergencies: The Case of Major Infectious

Disease Outbreaks". *In:* Clapham, Andrew; Robinson, Mary, *Realizing the right to health,* Zurich: Swiss Human Rights Books, 2009, p. 346-358. Disponível em: <www.swisshumanrightsbook.com>.

____; VIGNES, Claude-Henri. *The World Health Organization.* The Hague: Kluwer Law International, 2004.

BUSS, Paulo. Entrevista concedida a Isabela Schincariol. *Portal ENSP – Notícia,* s/d, disponível em: <www.ensp.fiocruz.br>, consultada em 14/9/2012.

____. "Brazil: structuring cooperation for health". *The Lancet,* v. 377, Issue 9779, p. 1722-1723, 21/5/2011.

____. "Globalization and disease: in an unequal world, unequal health!". *Cad. Saúde Pública,* Rio de Janeiro, v. 18, n. 6, Dec. 2002.

____; *et al.* "Governança em saúde e ambiente para o desenvolvimento sustentável", *Ciênc. saúde coletiva,* Rio de Janeiro, v. 17, n. 6, Junho 2012.

____; CHAMAS, Claudia. "Um novo modelo para a pesquisa em saúde global", *Valor Econômico,* 31/8/2012.

____; FERREIRA, José Roberto. "Cooperação e integração regional em saúde na América do Sul: a contribuição da UNASUL Saúde". *Ciência e Saúde Coletiva,* v. 16, p. 2699-2711, 2011.

____; PELLEGRINI FILHO, "A Saúde e seus Determinantes Sociais". *PHYSIS: Rev. Saúde Coletiva,* Rio de Janeiro, 17(1):77-93, 2007.

BUSSARD, Stéphane. "L'OMS crève un abcès en publiant le nom de ses experts", *Le Temps,* 12/8/2012.

CANADÁ. CENTRE DE COLLABORATION NATIONALE SUR LES POLITIQUES PUBLIQUES ET LA SANTÉ. *Questions éthiques en temps de pandémie – Études de cas.* Março de 2010, disponível em: <http://www.ccnpps.ca/docs/Ethique_EtudesCas_FR.pdf>.

CANGUILHEM, Georges. *Le normal et le pathologique.* Quadrige Grands Textes. Paris: PUF, 2011.

CARMO, Eduardo Hage. *A cobertura da mídia na gripe H1N1 – Fatos epidemiológicos sobre a pandemia de influenza H1N1 (2009),* Apresentação, Brasília, 26/11/2010.

____. “Preparação para emergências de Saúde Pública no Brasil”. *In:* Delduque, Maria Célia *et al.*, *O Direito Achado na Rua – Introdução Crítica ao Direito à Saúde*, v. 4, Brasília: CEAD/UnB, 2009.

____. “Regulamento Sanitário Internacional, emergências de saúde pública, liberdades individuais e soberania”, *Revista de Direito Sanitário*, v. 8, p. 61-64, 2007.

____. *Resposta à pandemia de influenza H1N1 (2009)*, Apresentação, Brasília, 26/11/2010.

____; PENNA, Gerson; OLIVEIRA, Wanderson K. “Emergências de saúde pública: conceito, caracterização, preparação e resposta, Estudos Avançados 22(64), 2008, p. 19-32.

CASSESE, Antonio. *International Law*, 2 ed., Nova York: Oxford University Press, 2005.

CASTILLO, Monique. *Connaître la guerre et penser la paix*. Paris: Kimé, 2005.

CHAUVEAU, Sophie. *L'Affaire du sang contaminé (1983-2003)*. Paris: Les belles lettres, 2011.

CHENG, Cecilia. “To be paranoid is the standard? Panic responses to SARS outbreak in the Hong Kong Special Administrative Region”, *Asian Perspective* v. 28, n. 1, 2004.

CHEVALLIER-GOVERS, Constance. “Actes constitutifs des organisations internationales et constitutions nationales”, *Revue Générale de Droit International Public*, 04-06/2001.

CHEVÉ, Dominique; SIGNOLI, Michel. “Corps dans la tourmente épidémique images de peste en mandchourie”, *Corps* 1/2007 (n. 2).

____. “La peste ou le fléau imagine”, *in:* Chevé *et al.*, *La Peste entre épidémies et sociétés,* Florença: Firenze University Press, 2007.

CHOREV, Nitsan. *The WHO between North and South*, Cornell University Press, 2012.

CLAPHAM, Andrew; Robinson, Mary, *Realizing the right to health*, Zurich: Swiss Human Rights Books, 2009, p. 21-39. Disponível em: <www.swisshumanrightsbook.com>.

COELHO, Luciana. "Medo sustenta farmácias, diz médico", Folha de S. Paulo, 26/1/2010.

COHEN, Deborah; Carter, Philip. "Conflicts of Interest – WHO and the pandemic flu 'conspiracies'", *BMJ* 2010;340:c2912, Londres, 03/6/2010, disponível em: <http://www.bmj.com/content/340/bmj.c2912.full>, consultado em 18/2/2012.

CONSELHO DA EUROPA. Assembleia. Resolução 1749 (2010), de 24/6/2010, disponível em: <assembly.coe.int>.

____. Recomendação 1929 (2010), de 24/6/2010, disponível em: <assembly.coe.int>.

CORREA, Carlos. *Propriedade Intelectual e Saúde Pública*, Florianópolis: Fundação Boiteux, 2007.

COURCELLE, Thibault. "Le Conseil de l'Europe et ses limites", *Hérodote* 3/2005 (no 118).

CROUZATIER, Jean-Marie. "Le principe de la responsabilité de protéger", *Revue Aspects*, n. 2, 2008.

CUETO, Marcos. "The origins of primary health care and selective primary health care", American Journal of Public Health 2004, Novembro 94(11): 1864-1874, disponível em: <www.ncbi.nlm.nih.gov>.

DALLARI, Sueli; NUNES Jr., Vidal Serrano. *Direito Sanitário*, São Paulo: Verbatim, 2010.

____; VENTURA, Deisy. "A era das pandemias e a desigualdade", *Folha de S.Paulo*, 01/8/2009, p. 3.

____; ____. "O princípio da precaução: dever do Estado ou protecionismo disfarçado?", *São Paulo em Perspectiva* 2002, v. 16, n. 2.

DAWOOD, Fatimah *et al.* "Estimated global mortality associated with the first 12 months of 2009 pandemic influenza A H1N1 virus circulation: a modelling study". *The Lancet Infectious Diseases* junho 2012 v. 12, n. 9.

DELGA, Solenne. "Un droit international public de la santé contraignant pour les États ?" *In:* KEROUEDAN, Dominique (Dir.). *Santé internationale – Les enjeux de santé au Sud.* Paris: Presses de Sciences Po, 2011.

DELMAS-MARTY, Mireille. *Les forces imaginantes du droit – Le relatif et l'universel*, Paris: Seuil, 2004.

____. *Les forces imaginantes du droit II – Le pluralisme ordonné*, Paris: Seuil, 2006.

____. *Les forces imaginantes du droit III – Vers une communauté de valeurs?* Paris: Seuil, 2011.

____. *Libertés et sûreté dans un monde dangereux*, Paris: Seuil, 2010.

DESENCLOS, Jean-Claude; VISO, Anne-Catherine. "Sécurité et veille sanitaire". *In:* Fassin et Hauray, *Santé publique : l'état des savoirs*, Paris: Inserm/ La Découverte, 2010.

DEVEAUD, Bertrand; Lemennicier, Bertrand. *L'OMS: bateau ivre de la santé publique – Les dérives et les échecs de l'agence des Nations Unies*, Paris: L'Harmattan, 1997.

DI NUBILA, Heloisa Brunow Ventura; BUCHALLA, Cassia Maria. "O papel das Classificações da OMS – CID e CIF nas definições de deficiência e incapacidade". *Rev. bras. epidemiol.,*São Paulo, v. 11, n. 2, Junho 2008.

DINH, Ngyuen Quoc *et al. Droit international public*, 8 ed., Paris: LGDJ, 2009.

DOSHI, Peter. "The elusive definition of pandemic influenza", *Bulletin WHO* 89/2011.

DUPARC, Agathe; Allgöwer, Marc. "Bill Gates – donateur généreux et parfois dérangeant", *RTS Info*, 17/5/2011, disponível em: <www.rts.ch>, consultado em 18/3/2012.

____. "L'Assemblée mondiale de la santé marquée par um clivage Nord-Sud", *Le monde*, 21/5/2010.

____. "L'OMS, une agence de plus en plus privée", *Le Monde*, 19/5/2011.

DUPUY, Pierre-Marie; Kerbrat, Yann. *Droit international public*. 10 ed. Paris: Dalloz, 2010.

EILERS, Kerstin. "René Sand (1877-1953) and His Contribution to International Social Work, IASSW-President 1946-1953", *Social Work & Society* v. 6, 2008, p. 142-148.

ESPANHA. *Ley n. 42 por la que se modifica la Ley 28/2005, de 26 de diciembre, de medidas sanitarias frente al tabaquismo y reguladora de la venta, el suministro, el consumo y la publicidad de los productos del tabaco*, disponível em: <http://www.boe.es>.

FARIA, Lina. "A Casa de Geraldo de Paula Souza: texto e imagem sobre um sanitarista paulista", *Hist. cienc. saude-Manguinhos* 2005, v. 12, n. 3, p. 1011-1024.

FERRON, Christine. "Vaccination contre la grippe: fallait-il faire usage de la peur?", *Santé Publique* 2/2010, v. 22, p. 249-252.

FIDLER, David. The globalization of public health: the first 100 years of international health diplomacy", *Bulletin of the WHO*, 2001, 79 (9).

FINEBERG, Harvey. Prefácio de OMS, *A64/10 – Application du RSI (2005), Rapport du Comité d'examen sur le fonctionnement du RSI (2005) eu égard à la grippe pandémique A(H1N1) 2009, Rapport du Directeur Général*. Genebra, 5/5/2011, disponível em: <http://apps.who.int/gb/ebwha/pdf_files/WHA64/A64_10-en.pdf>, consultado em 14/2/2012.

FOESSEL, Michäel. *État de vigilance – Critique de la banalité sécuritaire*, Paris: Le bord de l'eau, 2010.

FOHDA, Hassen. "Quelle fonction publique international pour demain?". *UNforum*, 15/10/2007, disponível em: <http://www.unforum.com/UNheadlines424.htm>, consultado em 18/2/2012.

FORMENTI, Lígia; VIANNA, Andrea Jubé. "Assessor de Erenice recebeu propina na Casa Civil, diz revista", *Estado de S. Paulo*, 18/9/2010.

FOSSIER, Arnaud. "Entretien avec Mireille Delmas-Marty", *Tracés – Revue de Sciences Humaines* n. 20 2011/1, p. 199-211.

FOUCAULT, "Crise de la médicine ou crise de l'antimédicine?", *in: Dits et écrits III*, texto 170, disponível em: <1libertaire.free.fr/MFoucault111.html>, consultado em 06/2/2012.

____. *La naissance de la clinique*, 7 ed. "Quadrige", Paris: PUF, 2007

FRADA, João José Cúcio. *Pandemias de Gripe A(H1N1) em Portugal 1918-2009 – Ecos e cismas do passado no presente*, Lisboa: Clinfontur, 2010.

FRANÇA. ALTO CONSELHO DA SAÚDE PÚBLICA. COMISSÃO ESPECIALIZADA DE DOENÇAS TRANSMISSÍVEIS. *Fermeture des établissements scolaires et autres lieux collectifs dans le cadre de la révision du plan pandémie grippale – Rapport du groupe de travail*, Paris, 12/7/2012.

____. INSPEÇÃO GERAL DE ASSUNTOS SOCIAIS. *Enquête sur le mediator®*, Paris, janeiro de 2011, disponível em: <http://www.ladocumentationfrancaise.fr/var/storage/rapports-publics/114000028/0000.pdf>.

____. MINISTÉRIO DO INTERIOR E DA ADMINISTRAÇÃO DO TERRITÓRIO. INSPEÇÃO GERAL DA ADMINISTRAÇÃO. *L'action de l'État en situation de pandémie grippale – Mesures d'ordre juridique – Rapport n. 06-011-01 présenté par Xavier PRETOT et Sylvie BANOUN*, janeiro de 2006.

____, Ministério do Trabalho, do Emprego e da Saúde, Alto Conselho da Saúde Pública, Comissão Especializada de Doenças Transmissíveis, *Les maladies infectieuses émergentes: état de la situation et perspectives*, dezembro de 2012.

____. SENADO. *Proposition de Résolution [n. 226] visant à créer une commission d'enquête sur le rôle des firmes pharmaceutiques dans la gestion par le Gouvernement de la grippe A(H1N1) v.* 21/1/2010.

____. ____. *Rapport de la commission d'enquête sur le role des firmes pharmaceutiques dans la gestion par le Gouvernement de la grippe A(H1N1)*, Tomos I e II, Paris, 29/7/2010.

FRANCO-GIRALDO, Álvaro; Álvarez-Dardet, Carlos. "Salud pública global: um desafio a los límites de la salud internacional a propósito de la epidemia de influenza humana A", *Pan Am J Public Health* (25)6, 2009.

FUNDAÇÃO OSWALDO CRUZ. "Doenças infecciosas e parasitárias", *Biblioteca Virtual em Saúde*, disponível em: <http://www.bvsdip.icict.fiocruz.br>, consultada em 18/3/2012.

GARCIA, Eugênio. "De como o Brasil quase se tornou membro permanente do Conselho de Segurança da ONU em 1945", *Revista brasileira de política internacional* 2011, v. 54, n. 1.

GODLEE, Fiona. "Conflicts of interest and pandemic flu – WHO must act now to restore its credibility, and Europe should legislate", *BMJ* 2010;340:c2947, disponível em: <www.bmj.com/content/340/bmj.c2947.full>, consultado em 18/2/2012.

GOMES, Isaltina Maria de Azevedo Mello; Ferraz, Luiz Marcelo Robalinho. "Ameaça e controle da gripe A(H1N1): uma análise discursiva de Veja, IstoÉ e Época", *Saude soc.* 2012, v. 21, n. 2.

GORI, Roland. "L'art des douces servitudes", *L'Esprit du temps* n. 68 2/2009.

GOSTIN, Lawrence. "Meeting the Survival Needs of the World's Least Healthy People – A Proposed Model for Global Health Governance", *JAMA* v. 298, n. 2, 11/7/2007, p. 226.

____. "Public Health Law In An Age Of Terrorism: Rethinking Individual Rights And Common Goods", *Health Affairs*, 21, n. 6 (2002):79-93.

GOT, Claude. *L'expertise en santé publique.* Paris: PUF, 2005.

GRIGSBY, Darcy Grimaldo. "Rumor, Contagion, and Colonization in Gros's Plague-Stricken of Jaffa (1804)", *Representations* n. 51 (Verão, 1995).

GROS, Frédéric. *Le principe sécurité.* Paris: Gallimard, 2012.

____. "Désastre humanitaire et sécurité humaine. Le troisième âge de la sécurité", *Esprit* 3-4/2008, março/abril, p. 51-66.

____; CASTILLO, Monique; GARAPON, Antoine. "De la sécurité nationale à la sécurité humaine", *Raisons politiques* n. 32, 2008/4.

GUALDE, Norbert. *Comprendre les épidemies – la coévolution des microbes et des hommes*, Paris: Les empêcheurs de penser en rond, 2006.

HAFTEL, Yoram; THOMPSON, Alexander. "The Independence of International Organizations – Concept and applications", *Journal of Conflict Resolution*, v. 50, n. 2, 04/2006, disponível em: <http://polisci.osu.edu/faculty/athompson/pdf/JCR%202006.pdf>, consultado em 18/2/2012.

HENAO-KAFFURE, Liliana. "El concepto de pandemia: debate e implicaciones a propósito de la pandemia de influenza de 2009", *Revista Gerenc. Polit. Salud* [Colômbia] 9(19) 2010.

HEYMANN, David. *Health security under the International Health Regulations.* Apresentação. Genebra, 02/9/2008. Biblioteca multimídia da ENSP, disponível em: <http://www5.ensp.fiocruz.br>.

HIRSCH, Emmanuel (Dir.). *Pandémie grippale: l'ordre de mobilisation.* Paris: Cerf, 2009.

HOMEDES, Núria; Ugalde, Antonio. "Reformas de salud y equidad en América Latina", Ciência e Saúde Coletiva, 16 (6) 2011.

HONIG, Bonnie. *Paradox, Law, Democracy – Emergency Politics*. Princeton University Press, 2011.

IGUÍNIZ, Margarita Estrada. "Convivencia forzosa. Experiencias familiares durante la emergencia sanitaria por el virus de la influenza humana A(H1N1) en la ciudad de México", *Desacatos* 2010, n. 32.

JATENE, Adib. "Febre amarela". *Folha de S. Paulo*, 22/1/2008, p. 3.

JAYASURIYA, D.C. "The nature and scope of Health Legislation". *In:* Nayak (ed.), *Global Health Law*, Nova Deli: The Indian Law Institute, 1998.

KAPLAN, Martin. "Dr. M. G. Candau, a personal apreciation", *World Health Forum*, v. 4 1983, disponível em: <http://whqlibdoc.who.int/whf/1983/vol4-no1/WHF_1983_4(1)_p3-4.pdf>.

KECK, Frédéric. "Conflits d'experts – Les zoonoses, entre santé animale et santé humaine", *Ethnologie française* 1/2009, v. 39, p. 79-88.

____. "Expertise et choix politique: retour sur la grippe pandémique", *Esprit* 3/2011, março/abril, p. 168-177.

____. "L'échec global et national de la vaccination H1N1", *Esprit* 2/2010, fevereiro, p. 158-161.

____. "*Le Nom des gens*, une anthropologie de la grippe aviaire", *Esprit* 2/2011, fevereiro, p. 183-187.

____. "Les usages du biopolitique", *L'Homme* 3/2008, n. 187-188, p. 295-314.

____. "Nourrir les virus – La biosécurité dans les fermes et les laboratoires", *Réseaux* 1/2012, n. 171, p. 19-44.

____. "Risques alimentaires et catastrophes sanitaires", *Esprit* 3-4/2008, março/abril, p. 36-50.

____. *Un monde grippé*, Paris: Flammarion, 2010.

____; MANCERON, Vanessa. "En suivant le virus de la grippe aviaire, de Hong Kong à la Dombes". *In: Humains, non-humains*, La Découverte, 2011, p. 65-74.

KELLY, John. *A grande mortandade*, Rio de Janeiro: Bertrand Brasil, 2011.

KEROUEDAN, Dominique (Dir.). *Santé internationale – Les enjeux de santé au Sud*. Paris: Presses de Sciences Po, 2011.

KISHIDA, Gláucia Santos Nascimento. *Vigilância sanitária do posto aeroportuário de Guarulhos diante da pandemia de Influenza A(H1N1) 2009*. 147p. Dissertação de Mestrado – Faculdade de Saúde Pública da Universidade de São Paulo. São Paulo, 2011.

KOLB, Robert. *Interprétation et création du droit international – Esquisse d'une herméneutique juridique moderne pour le droit international public*, Bruxelas: Bruylant, 2006.

LANORD, Christophe. *A study of WHO's Official Relations system with Nongovernmental Organizations*, Genebra: WHO Civil Society Initiative, junho de 2002, disponível em: <http://www.who.int/civilsociety/documents/en/study.pdf>.

LASSALLE-DE SALINS, Maryvonne. "Réduire l'incertitude sur le résultat des négociations intergouvernementales: les apports d'une lecture organisationnelle. Le cas du Codex Alimentarius", *Négociations* 1/2009, n. 11, p. 143-158.

LAURENTY, Ruy. "Pesquisas na área de classificação de doenças", *Saude soc.*, São Paulo, v. 3, n. 2, 1994.

LEFEVRE, Fernando; LEFEVRE, Ana Maria. *O corpo e seus senhores – Homem, mercado e ciência: sujeitos em disputa pela posse do corpo e mente humana*, Rio de Janeiro: Vieira&Lent, 2009.

LIM *et al.*, "The influenza A (H1N1-2009) experience at the inaugural Asian Youth Games Singapore 2009: mass gathering during a developing pandemic", *Br J Sports Med.* 2010; 44(7): 528-32.

LIMA, Nísia Trindade de. "O Brasil e a OPAS: uma história em três dimensões". *In:* Jacobo Finkelman (Org.) *Caminhos da saúde pública no Brasil*, Rio de Janeiro: Ed. Fiocruz, 2002, disponível em: <http://www.fiocruz.br/editora/media/04-CSPB00.pdf>.

LIPCOVICH, Pedro. "Influenza de los laboratorios". *Página 12*, 15/1/2010, disponível em: <www.pagina12.com.ar>.

LIPOVETSKY, Gilles. *Le bonheur paradoxal – essai sur la société d'hyperconsommation.* Paris: Gallimard, 1996.

LÓPES, Andrés; NIEMBRO, Andrés; RAMOS, Daniela. "Exportaciones de servicios de salud: los casos de Argentina, Brasil y México". *Observatorio económico de la Red Mercosur,* 29 de novembro de 2010. Disponível em: <oered.org>, consultado em 18/3/2012.

LUCENET, Monique. "La peste, fléau majeur", *Histoire de la médicine,* Bibliothèque interuniversitaire de medicine et d'odontologie, s/d, publicado em <www.bium.univ-paris5.fr>, p. 2.

LUCCHESE, Geraldo. "A internacionalização da regulamentação sanitária", *Ciênc. saúde coletiva* 2003, v. 8, n. 2, p. 537-555.

____. "Descentralização e modelo sistêmico: o caso da vigilância sanitária", *Ciênc. saúde coletiva* 2010, v. 15, s. 3, p. 3318-3328.

____. *Globalização e regulação sanitária – os rumos da Vigilância Sanitária no Brasil.* Tese de Doutorado em Saúde Pública, ENSP/FIOCRUZ, agosto de 2001, disponível em: <http://portalteses.icict.fiocruz.br/pdf/FIOCRUZ/2001/lucchgd/capa.pdf>.

LUNA, Lara. "Fazer viver e deixar morrer: a má-fé da saúde pública no Brasil, *in:* Jessé Souza (org.), *Ralé brasileira: quem é e como vive,* Belo Horizonte: Editora UFMG, 2009.

MANIN, Philippe. *Droit international public,* Paris: Masson, 1979.

MARTINS, Luiz Alberto Moreira. "Genealogia do biopoder", *Psicologia & sociedade;* 21 (2): 157-165.

MARTINS, Roberto Andrade. *Contágio – História da prevenção das doenças transmissíveis,* São Paulo: 1997.

MARY, Catherine. "Les gens de la grippe: une histoire de famille", *Le monde,* 16/6/2010.

MASCLET, Jean-Claude *et al.* (orgs.) *L'Union européenne, Union de droit, union des droits – Mélanges en honneur du Professeur Philippe Manin,* Paris: Pedone, 2010.

MASSÉ, Raymond. *Éthique et santé publique: enjeux, valeurs et normativité,* Québec: Universidade Laval, 2003.

MBENGUE, Makane Moïse. *Essai sur une théorie du risque en droit international public*. Paris: Pedone, 2009.

____. "Technique de l'*opting out*: acceptation par les États des normes techniques internationales". *In:* BROSSET, Estelle; TRUILHÉ-MARENGO, Ève. *Les enjeux de la normalisation technique internationale – entre environnement, santé et commerce international*. Paris: CERIC/La documentation française, 2006.

_; THOMAS, Urs P. "Le codex Alimentarius, le protocole de Cartagena et l'OMC: une relation triangulaire en émergence?", *Revue européenne des sciences sociales* 2004 n. XLII-130, disponível em: <http://ress.revues.org/482>.

MEDRONHO, Roberto *et al.* "Distribuição das doenças no espaço e no tempo". *In:* Medronho, Roberto *et al.* (org.), *Epidemiologia*, 2.ed., São Paulo: Atheneu, 2009.

____. "Influenza A: tecnicamente já estamos vivendo uma pandemia". Entrevista do mês. *Vigilância Sanitária*. Rio: CECOVISA/ENSP/FIOCRUZ, julho de 2009. Disponível em: <http://www4.ensp.fiocruz.br/visa/pagina-inicial/>.

MEHDI, Rostane; Maljean-Dubois, Sandrine. *La société internationale et les grandes pandémies*. Paris: Pedone, 2007.

MERCURI, Chiara. "Stat inter spinas lilium: le Lys de France et la couronne d'épines", *Le Moyen Age,* 2004/3, Tome CX.

MIOT, Jacques. "Récit du massacre des prisionniers turcs à Jaffa, témoin oculaire", *L'Ambigu: ou Variétés littéraires, et politiques,* v. 47, 1814.

MORELLE, Aquilino. "Mediator: l'histoire d'une seconde défaite de la santé publique – À propos du rapport de l'IGAS", *Esprit* 2011/5.

MORETTI, Maria Luiza *et al.* "Lessons from the epidemiological surveillance program, during the influenza A(H1N1) virus epidemic, in a reference university hospital of Southeastern Brazil. *Rev. Soc. Bras. Med. Trop.* 2011, v. 44, n. 4.

MÜLLER, Mónica. *Pandemia – Los secretos de una relación peligrosa: humanos, virus y laboratorios*. Buenos Aires: Sudamericana, 2010.

NASSER, Salem. *Fontes e normas do direito internacional – um estudo sobre a soft law*. 2 ed. São Paulo: Atlas, 2006.

NEVES, Marcelo. *Transconstitucionalismo*, São Paulo: Martins Fontes, 2009.

O'BRIEN, David. "Propaganda and the Republic of the Arts in Antoine-Jean Gros's Napoleon Visiting the Battlefield of Eylau the Morning After the Battle", *French Historical Studies* v. 26, n. 2, 2003.

OLDSTONE, Michael. *Viruses, plagues, and history: past, present, and future*, Nova Iorque: Oxford University Press, 2011.

OLIVEIRA, Maria Auxiliadora *et al. Assistência farmacêutica e acesso a medicamentos*, Rio de Janeiro: Fiocruz, 2007.

OLIVEIRA, Mariana *et al.* "Médicos divergem sobre distribuição de medicamento contra nova gripe – Governo mudou três vezes orientação sobre antiviral", *G1*, 6/8/2009.

ORGANIZAÇÃO DAS NAÇÕES UNIDAS. AG-012, *Fonds d'archives de la Conférence des Nations Unies sur l'Organisation internationale* (UNCIO), S-1018, Commissions et comités techniques de l'UNCIO, II/3/32, documento 614.

____. SG/A/1268, 19/11/2010, disponível em: <http://www.un.org/News/Press/docs/2010/sga1268.doc.htm>.

ORGANIZAÇÃO INTERNACIONAL DO TRABALHO. Tribunal Administrativo. *Bustani contra Organização para Proibição de Armas Químicas* (OPAQ), Julgamento n. 2232, Haia, 16/7/2003, disponível em: <www.ilo.org>, consultado em 18/2/2012.

ORGANIZAÇÃO MUNDIAL DO COMÉRCIO. WT/MIN(01)/DEC/2, *Declaration on the TRIPS agreement and public health*, de 14/11/2001, disponível em: <www.wto.org>.

ORGANIZAÇÃO MUNDIAL DA SAÚDE. A64/DIV/6, *Address by Mr Bill Gates to the 64 WHA*, Genebra, 23/5/2011, p. 1 e p. 6.

____. A64/10 – *Application du RSI (2005), Rapport du Comité d'examen sur le fonctionnement du RSI (2005) eu égard à la grippe pandémique A(H1N1) 2009, Rapport du Directeur Général*. Genebra, 5 de maio de 2011.

____. A64.4, *Le financement futur de l'OMS: réformes pour un avenir sain – Rapport du Directeur general*, Genebra, 5/5/2011.

____. A65/29 Add.1, *Annex – Voluntary contributions by fund and by donor for the financial period 2010–2011*, Genebra, 5/4/2012, p. 10.

____. A65/40 *WHO reform, Report by the Director-General*, 22/3/2012, disponível em: <http://apps.who.int/gb/ebwha/pdf_files/WHA65/A65_40-en.pdf>.

____. A65/DIV/3 *Decisions and list of resolutions*, Genebra, 5/6/2013, disponível em: <http://apps.who.int/gb/ebwha/pdf_files/WHA65/A65_DIV3-en.pdf>.

____. *Actes officiels de l'OMS n. 1 – Résumé des débats de la Commission technique préparatoire de la Conférence internationale de la santé*, Genebra: OMS, outubro de 1947.

____. *Actes officiels de l'OMS n. 2 – Débats et actes finaux de la Conférence Internationale de la Santé*, Genebra, junho de 1948.

____. *Accord entre le Conseil Fédéral Suisse et l'Organisation Mondiale de la Santé pour régler le statut juridique de cette organisation en Suisse*, de 21/8/1948. Disponível em: <http://www.admin.ch/ch/f/rs/i1/0.192.120.281.fr.pdf>.

____. *An international treaty for tobacco control*, nota de 12/8/2003, disponível em: <http://www.who.int/features/2003/08/en/index.html>.

____. Alerte et action au niveau mondial (GAR), *Foire aux questions sur la grippe A(H1N1)*, 27/4/2009, disponível em: <http://www.who.int>, consultado em 18/3/2012.

____. Avant-propos, *RSI (2005)*. 2 ed. Genebra, 2008, p. vii.

____. Constituição. 22/7/1946, disponível em: <http://www.direitoshumanos.usp.br>.

____. EB126/5 *Application du RSI (2005) Rapport du Directeur général*, Genebra, 19/11/2009.

____. EB126/INF.DOC./3 *Application du RSI (2005). Plan préliminaire pour le premier examen du fonctionnement du RSI (2005) en rapport avec la pandémie de grippe A(H1N1) 2009*, 21/1/2010.

____. EB128/INF.DOC./2, *Le financement futur de l'OMS – Synthèse d'une consultation*, Relatório do Secretariado, Genebra, 16/12/2010.

____. EB129(8) *WHO reform*, de 25/5/2011, publicada em EB129/DIV/2 de 16/6/2011.

____. EB130/INF.DOC./1 *Désignation pour le poste, Note du Conseiller juridique*, Genebra, 15/11/2011.

____. EB130/4 *Rapport du Comité du Programme, du Budget et de l'Administration du Conseil exécutif*, Genebra, 16/1/2012.

____. EB130/INF.DOC./2 *Déclaration du représentant des Associations du Personnel de l'OMS.* Documento de informação, Genebra, 19/1/2012.

____. EB130/DIV/3, Genebra, 23/1/2012.

____. EB132/INF./3 *Implementation of WHO reform, 2012 – High-level implementation plan.* Genebra, 8/1/2013, disponível em: <http://apps.who.int/gb/ebwha/pdf_files/EB132/B132_INF3-en.pdf>.

____. EB132/5 Add.8 *Implementation of WHO reform, 2012 – Report by the Director-General*, Genebra, 8/1/2013, disponível em: <http://apps.who.int/gb/ebwha/pdf_files/EB132/B132_5Add8-en.pdf>

____. EB132.R9 *Relations avec les organisations non gouvernementales.* Genebra, 28/1/2013.

____. EB132/34 *Reports of committees of the Executive Board, Standing Committee on Nongovernmental Organizations*, de 26/1/2013.

____. EBSS/2/INF.DOC./2, Genebra, 25/10/2011.

____. *Engaging for Health – 11th General Programme of Work, 2006-2015 – A Global Health Agenda*, maio de 2006, disponível em: <http://whqlibdoc.who.int/publications/2006/GPW_eng.pdf>.

____. *English/French list of 187 nongovernmental organizations in official relations with WHO reflecting decisions of EB132*, January 2013, Disponível em: <http://www.who.int/civilsociety/relations/NGOs-in-Official-Relations-with-WHO.pdf >.

____. *Forum mondial de la santé – Note de synthèse*, 22/6/2011.

____. *Grippe A(H1N1): le niveau d'alerte pandémique passe en phase 6 – Déclaration du Directeur Général de l'OMS*, Genebra, 11/6/2009.

____. *History of the development of the ICD*, disponível em: <http://www.who.int/classifications/icd/en/HistoryOfICD.pdf >.

____. "How will the global response to the pandemic H1N1 be reviewed?", *Global Alert and Response*, Genebra, 1º/4/2010 (atualizado em 12/4/2010), disponível em: <www.who.int/csr/disease/swineflu/frequently_asked_questions/review_committee/en/index.html>, consultado em 18/2/2012.

____. *Influenza (Seasonal) Fact sheet* n. 211, abril 2009.

____. *Influenza: Standardization of terminology of the pandemic A(H1N1)2009 virus*, de 18/10/2011, disponível em: <http://www.who.int>, consultado em 18/3/2012.

____. *Les dix premières années de l'organisation mondiale de la santé*, Genebra: OMS, 1958.

____. *List of Members of, and Advisor to, the International Health Regulations (2005) Emergency Committee concerning Influenza Pandemic (H1N1) 2009*, disponível em: <http://www.who.int/ihr/Member_Listings_web.pdf>.

____. *Note from the Chairman of the International Health Regulations Review Committee*, disponível em: <www.who.int/ihr/note_chairman_review_committee_mar2011_en.pdf>, consultado em 21/2/2012.

____. *Note from the Chairman of the IHR Review Committee*, Genebra, 21/6/2010.

____. *OMS, société civile et organisations non gouvernementales: examen des interactions – Relations extérieures et organes directeur – Initiative société civil*, Genebra, 2002.

____. *Plan mondial de préparation à une pandémie de grippe – Le rôle de l'OMS et les recommandations relatives aux mesures à prendre à l'échelon national avant et pendant une pandémie,* Genebra, 2005.

____. Preview – Report of the Review Committee on the Functioning of the International Health Regulations (2005) and on Pandemic Influenza A(H1N1) 2009 – For discussion at the meeting of the Review Committee, Genebra, 28/3/2011, disponível em: <www.who.int/ihr/preview_report_review_committee_mar2011_en.pdf>, consultado em 21/2/2012.

____. *Rapport de la première réunion du Comité d'examen sur le fonctionnement du RSI (2005) eu égard à la pandémie de grippe A(H1N1) 2009*, Genebra, 14/4/2010.

____. "Réglement applicable aux tableaux et comités d'experts", chapitre 4, *Documents fondamentaux*, Genebra: OMS, 47 ed., 2009.

____. Regulamento Sanitário Internacional. 58ª Assembleia da Organização Mundial da Saúde, maio de 2005.

____. *Report of the First Meeting of the Review Committee on the Functioning of the IHR (2005) in Relation to Pandemic (H1N1) 2009*, Appendix, Genebra, 14/4/2010, disponível em: <http://www.who.int/ihr/r_c_meeting_report_1_en.pdf>, consultado em 20/2/2012.

____. *Report of the Second Meeting of the Review Committee on the Functioning of the International Health Regulations (2005) in Relation to Pandemic (H1N1) 2009*, Genebra, 2/7/2012, disponível em: <http://www.who.int/ihr/2nd_meeting_report_20100716.pdf >, consultado em 18/2/2012.

____. *Reform of priority setting at WHO – Opening remarks on WHO Reform: Meeting of Member States on programmes and priority setting*, Genebra, 27/2/2012.

____. *RSI – États Parties au RSI* (2005), Genebra, 5/2/2008.

____. *Safety monitoring of medical products: reporting system for the general public*, Genebra: OMS, 2012, disponível em: <www.who.org>.

____. *Statement of the World Health Organization on allegations of conflict of interest and 'fake' pandemic*, Genebra, 22/1/2010, disponível em: <http://www.who.int/mediacentre/news/statements/2010/h1n1_pandemic_20100122/en/index.html>, consultado em 14/2/2012.

____. *The future of financing for WHO – Report of an informal consultation convened by the Director-General*, Genebra, 12-13/1/2010, disponível em: <http://www.who.int/dg/who_futurefinancing2010_en.pdf>.

____. *Towards a new policy of WHO engagement with NGOs – Consultation with NGOs*, Apresentação, Genebra, 22/10/2012, disponível em: <http://www.who.int/about/who_reform/documents/Presentation_NGO_18Oct2012.pdf>.

____. *Trabajar en pro de la salud*, Genebra: OMS, 2006.

____. Transcript of press briefing at Palais de Nations – Dr. Harvey Fineberg, Genebra, 19/5/2010.

____. *Weekly Epidemiological Record – WER* n. 25, Ano 84, Genebra, 19/6/2009.

____. WHA40.25 – *Principes régissant les relations entre l'Organisation mondiale de la Santé et les organisations non gouvernementales, in:* OMS, *Documents fondamentaux*. 47 ed. [com emendas até 31/5/2009], Genebra, 2009, p. 81-86.

____. WHA 51.40, de 16/5/1998.

____. WHA 58.3, Genebra, 23/5/2005.

____. WHA 61.2. *Point 11.4 de l'ordre du jour. Application du RSI (2005)*, 23/5/2008.

____. WHA 64.2, *WHO reform*, Genebra, 20/5/2011.

____. WHA63.16, Genebra, 21/5/2010, disponível em: <http://www.who.int/hrh/migration/code/full_text/en/index.html>.

____. "WHO Director-General's letter to BMJ editors", *Statement*, Genebra, 08/6/2010. Disponível em: <http://www.who.int/mediacentre/news/statements/2010/letter_bmj_20100608/en/index.html>, consultado em 17/2/2012.

____. *WHO – its people and offices*, <http://www.who.int/about/structure/en/index.html>, consultado em 25/3/2012.

____. *WHO reform for a healthy future: an overview*, Genebra, 20/7/2011.

____. *WHO recommendations for the post-pandemic period*, Pandemic (H1N1) 2009 briefing note 23, Genebra, 10/8/2010.

____. "WHO's Executive Board supports reform proposals – Reforms aim to better position WHO to improve health outcomes", *Note for the media*, Genebra, 04/11/2011.

____. "WHO use of advisory bodies in responding to the influenza pandemic", *Pandemic (H1N1) 2009 briefing note* n. 19, Genebra, 03/12/2009. Disponível em: <http://www.who.int/csr/disease/swineflu/notes/briefing_20091203/en/index.html>, consultado em 14/2/2012.

____. "World now at the start of 2009 influenza pandemic", *Statement to the press by Dr Margaret Chan*, 11/6/2009, disponível em: <http://www.who.int>, consultado em 17/3/2012.

____. UNICEF. *Progress on Drinking Water and Sanitation: 2012 Update*, disponível em: <http://whqlibdoc.who.int/publications/2012/9789280646320_eng_full_text.pdf>.

PASTOUREAU, Michel. *Le cochon – Histoire d'un cousin mal aimé*, Paris: Gallimard, 2009.

PENNA, Juliana. “Campus se protege contra Gripe A”, *Jornal do Campus*, n. 355, setembro/2009, disponível em: <http://www.jornaldocampus.usp.br/>.

PESTRE, Dominique. “Des preuves dans les pratiques scientifiques et dans les pratiques juridiques – Prolégomènes à une conversation”. *In:* Truilhé-Marengo, Ève. *Preuve scientifique, preuve juridique*, Bruxelas: Larcier, 2012.

____. “Des sciences, des techniques et de l’ordre démocratique et participatif”, *Participations* 1/2011, n. 1, p. 210-238.

POULAIN, Michèle. “Révision du RSI, réseau *alerte et action*: l’efficacité des outils de reaction de l’OMS à l’épreuve du SRAS et de la grippe aviaire”. *In:* Mehdi, Rostane; Maljean-Dubois, Sandrine. *La société internationale et les grandes pandémies*. Paris: Pedone, 2007.

RENAULT, Emmanuel. “Biopolitique, médecine sociale et critique du libéralisme”, *Multitudes* n. 34, 3/2008.

RÉSEAU INTERNATIONAL DES AUTORITÉS DE SÉCURITÉ SANITAIRE DES ALIMENTS. Note d’information INFOSAN n. 2/2009 – *Aspects relatifs à l’interface homme-animal de la grippe A(H1N1) – Flambée épidémique grippale chez l’homme provoquée par la grippe A(H1N1) – Considérations relatives à l’interface hommeanimal*, 30/4/2009.

RIBEIRO, Wesllay Carlos *et al.* “Reflexões sobre a regulamentação jurídica do setor tabagista e saúde pública”, *Revista de Direito Sanitário*, v. 12, n. 2, jul.-out./2011, p. 59-81.

RÍOS RODRÍGUEZ, Jacobo. *L’expert en droit international*, Paris: Pedone, 2010.

ROCHE, “Roche launches novel program to ease Tamiflu acces to developing economies – Tamiflu Reserves Program designed as a pandemic insurance policy for the world’s developing economies”. *Media Release*, Basileia, 1/6/2009.

RIEDEL, Eibe. “The Human Right to Health: Conceptual Foundations”. *In:* Clapham, Andrew; Robinson, Mary, *Realizing the right to health*, Zurich: Swiss Human Rights Books, 2009, p. 21-39. Disponível em: <www.swisshumanrightsbook.com>.

ROSSIGNOL, Benoît. “La peste antonine (166 ap. J.-C.)”, *Hypothèses* 1/1999.

SALMON, Jean. “Rapport introductif”. *In:* Mehdi, Rostane; Maljean-Dubois, Sandrine. *La société internationale et les grandes pandémies*, Paris: Pedone, 2007.

SANTOS, Lenir. “Direito à saúde e qualidade de vida – um mundo de corresponsabilidade e fazeres”. *In:* Idem (org.), *Direito da saúde no Brasil*, Campinas: Saberes, 2010.

SCHUELTER-TREVISOL, Fabiana *et al.* “Perfil epidemiológico dos casos de gripe A na região Sul de Santa Catarina, Brasil, na epidemia de 2009”, *Rev. Panam. Salud Publica* 2012, v. 32, n. 1.

SEITENFUS, Ricardo. *Manual das Organizações Internacionais,* 5 ed., Porto Alegre: Livraria do Advogado, 2012.

SHAW, Malcolm. *Direito Internacional*, São Paulo: Martins Fontes, 2010.

SIGERIST, Henry. *Civilização e Doença*, São Paulo: Hucitec, 2011.

SILBERSCHMIDT, Gaudenz. “How to set priorities for the World Health Organization”, *Global Health Programme Working Paper* n. 6, Genebra: IHEID, 2011.

SIMON, Denys. “L’interprétation de l’accord du 25 mars 1951 entre l’OMS et l’Égypte”, *Revue Générale de Droit International Public*, out.-dez./1981.

SINGER, André. “Raízes sociais e ideológicas do lulismo”, *Novos Estudos*, CEBRAP [online], 2009, n. 85.

SOARES, Guido. “O direito internacional sanitário e seus temas: apresentação de sua incômoda vizinhança”, *Revista de Direito Sanitário*, v. 1, n. 1, 11/2000.

SOCIEDADE DAS NAÇÕES. *Bulletin de l’Organisation d’hygiène – Bibliographie des travaux techniques de l’Organisation d’hygiène des Nations Unies, 1920-1945*, v. XI, Genebra, 1945.

SONTAG, Susan. *Le SIDA et ses métaphores*, Paris: Christian Bourgois, 2005.

TABUTEAU, Didier. “La santé en quête de politique ”, *Les Tribunes de la santé* 1/2007, n. 14, p. 29-44.

____. “Renforcer la crédibilité de la sécurité sanitaire – Pour des experts dissidents”, *Le Monde*, 11/12/2010.

____.“Santé et liberté”, *Pouvoirs*, 2009/3.

____; MORELLE, Aquilino. *La santé publique*, Paris: PUF, 2010.

____; LAUDE, Anne; MATHIEU, Bertrand. *Droit de la santé*. Thémis droit. Paris: PUF, 2007.

TEIXEIRA, Carmen Fontes; Costa, Ediná Alves da. "Vigilância da saúde e vigilância sanitária – Concepções, estratégias e práticas", *in:* Ediná Costa (org.), *Vigilância Sanitária – desvendando o enigma*, Salvador: EDUFBA, 2008, p. 149-164.

THE BUREAU OF INVESTIGATIVE JOURNALISM. Press coverage of WHO investigation, disponível em: <www.thebureauinvestigates.com/2010/06/11/press-coverage-of-who-investigation>, consultado em 17/2/2012.

TOURNÈS, Ludovic. "La fondation Rockefeller et la naissance de l'universalisme philanthropique américain", *Critique internationale* n. 35, 04-06/2007.

TRIBUNAL INTERNACIONAL DE JUSTIÇA. Interprétation de l'accord du 25 mars 1951 entre l'OMS et l'Égypte. Avis consultatif du 20 décembre 1980. Disponível em: <http://www.icj-cij.org/docket/files/65/6302.pdf>.

____. Legality of the Use by a State of Nuclear Weapons in Armed Conflict. Advisory opinion of 8 July 1996. Disponível em: <http://www.icj-cij.org/docket/files/93/7406.pdf>.

TRUILHÉ-MARENGO, Ève (Dir.). *La relation juge-expert dans les contentieux sanitaires et environnementaux*. Paris: CERIC/La documentation française, 2011.

TUCÍDIDES, *La Guerre du Péloponnèse*, trad. e ed. de Denis Roussel, Paris: Gallimard, 2012.

UJVARI, Stefan Cunha. *A história da humanidade contada pelos vírus*, São Paulo: Contexto, 2009.

____. *Pandemias – a humanidade em risco*, São Paulo: Contexto, 2011.

UNIÃO DAS NAÇÕES SUL-AMERICANAS. INSTITUTO SUL-AMERICANO DE GOVERNO EM SAÚDE. *65ª AMS discutiu Reforma da OMS com destacada atuação da UNASUL*, Informe, maio de 2012, disponível em: < http://isags-unasul.org/media/file/Informe2_portugues_FINAL_link.pdf>.

UNIÃO EUROPEIA. Tribunal de Justiça. *Stamatelaki*, processo C-444/05, acórdão de 19/4/2007, disponível em: <http://ec.europa.eu/social/>.

UOL. "México adota medidas drásticas para controlar gripe suína". São Paulo, 26/4/2009, disponível em: <http://noticias.uol.com.br/bbc/2009/04/26/ult36u46545.jhtm>.

VENTURA, Deisy. "Pandemias e estado de exceção". *In:* CaTtoni, Marcelo; Machado, Felipe (Orgs.). *Constituição e Processo: a resposta do constitucionalismo à banalização do terror*, Belo Horizonte, MG: Del Rey/IHJ, 2009, p. 159-181.

____. *Rumbo a las políticas regionales de salud – Estudio preliminar sobre la incorporación del RSI en los derechos nacionales y comunitários*. Parecer CEPEDISA, disponível em: <http://new.paho.org/hq/dmdocuments/2008/rumbo-politiregion-salud-spa.pdf>.

____. "Saúde Internacional". *In:* Delduque, Maria Célia *et al.*, *O Direito Achado na Rua – Introdução Crítica ao Direito à Saúde*, v. 4, Brasília: CEAD/UnB, 2009.

VERGÉ-FRANCESCHI, Michel. "1720-1721: la peste ravage Toulon", *Annales de Bretagne et des Pays de l'Ouest*, 114-4/2007.

VIBOUD, Cécile; Simonsen, Lone. "Global mortality of 2009 pandemic influenza A H1N1", *The Lancet Infectious Diseases* junho 2012, v. 12, n. 9.

VIGNES, Claude Henri. "Le RSI", *Annuaire français de droit international*, 1965, v. 11, n. 11, disponível em: <www.persee.fr>.

____. "Mythe et réalité: le statut des membres du Conseil Exécutif de l'OMS", *Revue Générale de Droit International Public*, out.-dez./1999.

VITAUX, Jean. *Histoire de la Peste*, Paris: PUF, 2010.

WEINDLING, Paul. "As origens da participação da América Latina na Organização de Saúde da Liga das Nações, 1920 a 1940". *Hist. cienc. saude-Manguinhos* 2006, v. 13, n. 3, pp.555-570.

____. "Philanthropy and World Health: The Rockefeller Foundation and the League of Nations Health Organisation", *Minerva* v. 35 (3), 1997.

WINSLOW, Charles-Edward Amory. *The evolution and significance of the modern public health campaign*, New Haven: Yale University Press, 1923.

WODARG, Wolfgang *et al.* "Falsas pandemias: uma ameaça para a saúde", Proposta de Recomendação à APCE. CE/APCE Doc. 12110, disponível em: <http://assembly.coe.int/Documents/WorkingDocs/Doc09/fDOC 12110.pdf>.

WORMS, Frédéric. “La grippe aviaire entre soin et politique. Une catastrophe annoncée?”, *Esprit* 3-4/2008, março/abril, p. 20-35.

YOKOTA, Renata *et al.* “Risk factors for death from pandemic (H1N1) 2009, southern Brazil”, *Emerg. Infect. Dis.* 08/2011, v. 17, n. 8.

ZEPEDA-LOPEZ *et al.* “Inside the outbreak of the 2009 influenza A(H1N1) virus in Mexico”, *PLoS One* 2010; 5(10): e13256.

ZYLBERMAN, Patrick. “Crises sanitaires, crises politiques”, *Les Tribunes de la santé* 1/2012, n. 34, p. 35-50.